Roland Schwarz

BÜRGERLICHES CHRISTENTUM IM NEUEN TESTAMENT ?

Eine Studie zu Ethik, Amt und Recht in den Pastoralbriefen

Verlag
Österreichisches Katholisches Bibelwerk
Klosterneuburg 1983.

Österreichische Biblische Studien

Band 4

herausgegeben von
Wolfgang Beilner, Georg Braulik,
Notker Füglister und Jacob Kremer

ISBN 3-85396-066-9
Alle Rechte vorbehalten.
© Verlag Österreichisches Katholisches Bibelwerk,
Klosterneuburg 1983.
Gesamtherstellung: Mayer & Comp., 1210 Wien

# VORWORT

Auf der Suche nach den Anfängen priesterlichen Dienstes und dessen
Selbstverständnis beschäftigte ich mich schon als Theologiestudent
mit dem Amtsbegriff im Neuen Testament. Durch die Auseinandersetzung mit dem Phänomen der "Bürgerlichkeit" in den Pastoralbriefen konnte ich diese Studien in einen größeren Zusammenhang ein-
beziehen.

Eine weitere günstige Voraussetzung für das Verständnis der
Pastoralbriefe war dadurch gegeben, daß ich mich als Kaplan öfters
mit nichtkirchlichen religiösen Gruppen auseinandersetzen mußte,
die Gemeindemitglieder für sich zu vereinnahmen suchten: eine
ähnliche Situation also, wie sie der Verfasser der Pastoralbriefe
vorfand. So setzte ich mich mit regem Interesse mit der "christlichen Bürgerlichkeit" der Pastoralbriefe auseinander.

Nicht nur für die Themenstellung, sondern auch für die Betreuung
der vorliegenden Dissertation bin ich meinem Institutsvorstand
Univ.Prof. Dr. Jacob K r e m e r zu großem Dank verpflichtet. Univ.
Prof. Dr. Walter K o r n f e l d bin ich für die Übernahme des
Koreferates sehr dankbar. Den Univ.Professoren Dr. J.B. B a u e r
und W. B e i l n e r verdanke ich die Aufnahme der Arbeit in die
Reihe der österr. Bibelstudien. Meinem Kollegen Dr. Roman K ü h -
s c h e l m bin ich für zahlreiche stilistische Hinweise dankbar
und meiner treuen Helferin Heidi K i e w e g für die mühevolle
Erstellung der einzelnen Register.

Schließlich sei auch meinen Eltern für alle Unterstützung gedankt,
sowie der Pfarrgemeinde Gersthof, Wien 18, die mich während meiner
Studienzeit liebevoll aufnahm.

Die vorliegende Studie wurde im Jänner 1982 fertiggestellt und im
Wintersemester 1982/83 an der kathol.-theol. Fakultät der Univer-
sität Wien als Dissertation angenommen.

Roland Schwarz

Wien, am 26.1.1983, dem Fest der Heiligen Timotheus und Titus

# INHALTSVERZEICHNIS

EINLEITUNG

Häufig wird den Kirchen, vor allem in den wirtschaftlich besser
gestellten Staaten des Westens, der Vorwurf der Verbürgerlichung
gemacht. Stellvertretend für viele spricht es J.B.METZ aus, wenn
er dem Christentum vorhält: "Die messianische Religion der Bibel
ist weithin zur bürgerlichen Religion im Christentum unserer Tage
geworden."[1] Ebenso übt D.SCHELLONG Kritik an der bürgerlichen
Weltanschauung und sieht es als bürgerlichen Umgang mit der Offenbarung an,"daß der Mensch das Evangelium Gottes in eigene Regie
nimmt, daß er es verwertet zum Nutzen seiner menschlichen Bedürf-
nisse, Ordnungen und Pläne, als Mittel seiner eigenen Selbster-
haltung und Selbstverteidigung."[2]
Die konkreten Erscheinungsformen einer verbürgerlichten Religion
sind mannigfaltig: sie kann einer politischen Ideologie dienstbar gemacht werden, aber auch nur Privatsache des einzelnen sein,
der aus dem religiösen Angebot auswählt; die Kirche ist in
Gefahr, zu einer religiös-weltanschaulichen Wettbewerbsanstalt
zu werden, die sich nach Art weltlicher wirtschaftlicher Organi-
sationen institutionalisiert und so auch verbürokratisiert.[3]
Um den Begriff "Bürgerlichkeit" zu klären, müssen wir zuerst
feststellen, was damit in unserem Sprachgebrauch gemeint ist.
Der Ausdruck wird häufig zur Charakterisierung gesellschaftlicher,
politisch orientierter Gruppen verwendet; doch gerade in diesem
Zusammenhang erscheint er oft sehr unbestimmt, zumal es in unserer Gesellschaft schwierig ist, zwischen bürgerlichen und
nicht-bürgerlichen Gruppierungen einigermaßen exakt zu unterscheiden.
Wenn wir heute von "Bürgerlichkeit" sprechen, so klingt dabei
eher etwas Negatives an: wir sprechen beispielsweise von "Spieß-
bürgerlichkeit". Meist wird damit eine Lebensform gemeint, die
sich allzu sehr etabliert hat, eine Einstellung, die mit dem

---

1 METZ, messianische Religion 308; vgl. auch ders., bürgerliche
  Religion.
2 SCHELLONG, Kritik 315.
3 Vgl. WIEDENHOFER, Christentum 378.

Erreichten zufrieden ist und nicht mehr bereit ist, zu hinterfra-
gen und hinterfragt zu werden. Ferner assoziieren wir damit eine
gewisse Passivität, eine mangelnde Bereitschaft, sich für Ideale
einzusetzen. Hand in Hand mit der geringen Einsatzbereitschaft
geht eine gewisse Sterilität der Lebensführung: man hat gewisse
Lebensregeln gefunden und ist nun ängstlich darauf bedacht, daß
sie von keinem Mitglied der Gesellschaft und der eigenen Familie
durchbrochen werden. Jeder ist suspekt, sollte er es wagen, ein-
gebürgerte Formen auf ihre Sinnhaftigkeit neu zu prüfen. Das
höchste Lebensideal einer so verstandenen "Bürgerlichkeit" ist
die Zufriedenheit.

Was bewirkt diese Haltung in Theologie und Kirche ?
Einmal ist die Gefahr einer verstärkten Institutionalisierung
gegeben. Man ist bestrebt, das Erreichte möglichst fest insti-
tutionell abzusichern. Das führt zur Stabilisierung und Häufung
von Ämtern. Damit scheint weiters die Gefahr einer zunehmenden
Rechtssetzung gegeben, die das christliche Gemeinschaftsleben
immer detaillierter ordnen und verordnen möchte. Ist also das
Kirchenrecht Folge einer wachsenden Verbürgerlichung der Kirche ?
Hat die Kirche aufgrund der Botschaft Jesu überhaupt das Recht,
Recht zu setzen ?
Um nur einige aktuelle Beispiele zu nennen: Hat die Kirche das
Recht, nur Unverheiratete als Amtsträger zu bestellen ? Widerspricht es weiters nicht der ursprünglichen christlichen Freiheit, wenn Geschiedene und Wiederverheiratete nicht Mitglieder
des Pfarrgemeinderates sein dürfen ?[4] Darf die Kirche der Frau
den Akolythendienst generell verbieten ?[5] Kann sich die Kirche
bei dem Wiederheiratsverbot der Diakone auf die Pastoralbriefe[6]
(1 Tim 3,12) berufen ?[7]

---

4  Vgl. die Pfarrgemeinderatsordnung der Erzdiözese Wien, Wiener
   Diözesanblatt 112 (1974) 55.
5  Vgl. die Instruktion "Inaestimabile donum" vom 17.4.1980 in:
   L´Osservatore Romano 10/22 (1980) 12-13.
6  Im folgenden immer mit Past abgekürzt.
7  Vgl. Motu proprio Papst Paul VI. "Über den Diakonat" vom 18.6.
   1967 3,16:"Nach dem Empfang der Diakonatsweihe sind auch die
   in reiferem Alter Geweihten nach der überlieferten Übung der
   Kirche rechtlich nicht in der Lage (inhabil), eine Ehe einzugehen."

Eine weitere Gefahr für die Ursprünglichkeit der christlichen
Botschaft droht durch ein Zurücktreten des Kerygmas gegenüber
einer zunehmenden Ethisierung des Glaubens. Es steht nicht mehr
der immer neu zu erwerbende Bezug zu Jesus Christus im Vordergrund, Gläubigkeit wird vielmehr primär an äußerlichen ethischen Maßstäben gemessen. Glaube wird zur Pflichterfüllung, das
Gewissen muß rein erhalten werden, es geht um das individuelle
Vermeiden der Sünde und den Aufweis von guten Werken, um durch
sie das Heil zu erlangen.
Schließlich bedeutet Verbürgerlichung für die Theologie offenbar
eine zunehmende dogmatische Fixierung des Glaubensgutes. Die
Glaubenserfahrung des einzelnen wird verdrängt durch mehr oder
weniger kritik- und fragloses Übernehmen von Glaubensformeln, aus
dem lebendigen Kerygma werden Glaubenssätze, die unverändert von
Generation zu Generation weitertradiert werden müssen und deren
Annahme Heil verbürgt.
Ein solch verbürgerlichtes Christentum treffen wir bei einem
ersten oberflächlichen Lesen schon in den Past an:
Da ist mehr als in einer anderen Schrift des NT von verschiedenen
Ämtern die Rede, vom Episkopos, den Presbyteroi und den Diakonoi
(1 Tim 3,1-13; 5,17-22; Tit 1,5-9); ja durch den Verfasser wird
ein Amtsträger als Adressat angesprochen, ihm und seinem amtlichen
Selbstverständnis gelten weithin diese Schreiben. Es werden schon
ziemlich detaillierte Anforderungen an diese Amtsträger gestellt:
sie dürfen beispielsweise keine Neugetauften sein (1 Tim 3,6;
Paulus hingegen predigt - zumindest laut Angabe von Apg 9,20;
26,20 - bereits als solcher); die Presbyteroi genießen bereits
eine gewisse Immunität (1 Tim 5,19), sie haben Recht auf Entloh-
nung (1 Tim 5,17f.); ihnen kommt das Lehren zu (Tit 1,9), wogegen
die Gemeinde eher passiv erscheint. Dieser Hang zur Institutionalisierung scheint auch durch die statischen Bilder für die
Kirche gegeben zu sein: sie ist "Haus Gottes" (1 Tim 3,15) und
"Säule und Fundament der Wahrheit" (1 Tim 3,15).
Neben den bereits erwähnten rechtlichen Bestimmungen für die Amtsträger finden wir genaue Anweisungen an die Frauen: sie sollen
sich bescheiden kleiden (1 Tim 2,9), sie dürfen nicht lehren
(1 Tim 2,12). Es werden Kriterien genannt, nach denen die Witwen
in die entsprechenden Listen aufgenommen werden: sie dürfen nicht

jünger als sechzig Jahre sein (1 Tim 5,9), jüngeren Witwen wird
die Wiederheirat sogar dringend angeraten (1 Tim 5,14).
Ebenso bürgerlich wirkt die Ethik, die einen breiten Raum einnimmt: es kommt auf das "reine" (1 Tim 3,9; 2 Tim 1,3), beziehungsweise auf das "gute Gewissen" (1 Tim 1,5.19) an, die Anforderungen an die Amtsträger sind vornehmlich ethischer Natur
(1 Tim 3,2-13; Tit 1,6-9), ebenso die Anweisungen an die verschiedenen natürlichen Stände in der Gemeinde (1 Tim 2,8-15;
5,3-16; 6,1f.17-19; Tit 2,1-10; 3,1-7) und die Ratschläge an die
Adressaten (1 Tim 1,18f; 4,7f.12; 5,1-3.21f; 6,11.20; 2 Tim
1,6-14; 2,14-26; Tit 3,9-11). Dazu kommt, daß gerade die Eig-
nungslisten für die Amtsträger vorwiegend durchschnittliche
bürgerliche Tugendbegriffe aus der hellenistischen Popularphilosophie aufweisen (1 Tim 3,1-13; Tit 1,5-9); es fehlen Kriterien wie: geisterfüllt, ein Mann des Gebetes oder ähnliches.

Insgesamt werden häufig Ausdrücke aus der griechischen Ethik
verwendet: συνείδησις (1 Tim 1,5.19; 3,9 u.a.), εὐσέβεια (1 Tim
2,2; 3,16; 4,7.8; 6,3 u.a.) und verschiedene Tugenden (z.B.
σώφρων, δίκαιος, κόσμιος u.a.). Geradezu klassisch scheint die
auf Stabilität hinzielende bürgerliche Lebenshaltung 1 Tim 2,2
ausgesprochen zu sein. Dort erscheint als Ideal christlicher
Existenz ein "ungestörtes und ruhiges Leben in aller Frömmigkeit
und Rechtschaffenheit"; bei Jesus und Paulus hingegen stehen
eher Schilderungen und Voraussagen von Verfolgungen im Vordergrund (Mk 13,9-13 par; Mt 23,29-36 par[8]; 2 Kor 4,7-15; 12,9f;
13,1-4; Gal 4,12-20; 6,17[9]).
Dieselbe bürgerliche Tendenz der Past scheint auch eine beginnende dogmatische Verfestigung des Glaubensgutes zu belegen: vielfach werden traditionell vorgeprägte Formeln verwendet (1 Tim
2,5f; 3,16; 6,15f; 2 Tim 2,11-13). Auch das oftmalige Vorkommen
des Begriffes παραθήκη (1 Tim 6,20; 2 Tim 1,12.14) und die noch
häufigeren Wendungen der "schönen" beziehungsweise "reinen Lehre"

---

8  Zu den Verfolgungslogien vgl. KÜHSCHELM, Vorhersage.
9  Zur Leidens- und Verfolgungsthematik bei Paulus vgl. GÜTT-
   GEMANNS, Apostel.

(1 Tim 1,10; 4,6; 2 Tim 4,3; Tit 1,9; 2,1) sind kennzeichnend.


Der Begriff "christliche Bürgerlichkeit" wurde erstmals von M.
DIBELIUS verwendet, um die Ethik der Past zu charakterisieren[10].
H.CONZELMANN übernimmt zwar in der Überarbeitung des Kommentars
von M.DIBELIUS diese Charakterisierung[11], er modifiziert sie je-
doch zugunsten einer positiveren Wertung der "christlichen
Bürgerlichkeit". Er beurteilt die Ethik der Past nicht mehr als
Zeichen eines "statischen Christentums"[12], sondern als "echte
Darstellung des Seins in der Welt auf Glauben."[13] Es ist eine
"Ethik der Regulierung der Zeit bis zur Parusie, die nicht mehr
als kurz empfunden wird."[14] Die Faktoren dieser Regulierung sind:
das gute Gewissen (1 Tim 1,5 u.a.), die guten Werke (1 Tim 2,10
u.a.); Glaube und Liebe (1 Tim 1,14); Frömmigkeit und Ehrbarkeit
( 1 Tim 2,2; Tit 2,12). Charakterisiert wird die "christliche
Bürgerlichkeit" näherhin durch eine besonnene Stellung zu den
Lebensgütern (1 Tim 4,3-5; 3,3; Tit 1,7; 2,3 u.a.). Dabei entsteht eine Art Familienethik, d.h. es beginnt die Reflexion darüber, was die verschiedenen Stände und Altersschichten an entsprechenden Tugenden verwirklichen sollen. Das drückt sich besonders in den Haustafeln aus (1 Tim 2-6; Tit 2,1-10).
Trotz der positiven Sicht der "christlichen Bürgerlichkeit" finden sich bei deren Beschreibung auch im Kommentar von H.CONZEL-
MANN Ansätze für jene negativen Merkmale des Begriffes "Bürgerlichkeit", die bereits erwähnt wurden: Das "gute Gewissen" der
Past wird "ähnlich unserer Volksmoral als das 'beste Ruhekissen'"[15] gewertet; es geht dabei darum, daß sich die Kirche
"auf lange Sicht in der Welt einrichten muß"[16]; es handelt sich

---

10 DIBELIUS, Past 3.12.24f.
11 Vgl. bes. SS. 7.17.32f.
12 DIBELIUS, Past 3.
13 DIBELIUS-CONZELMANN, Past 33.
14 ebda. 32.
15 ebda. 17.
16 ebda. 7.

um eine "geruhige Existenz"[17], die vom kampfreichen Dasein des
Paulus absticht; schließlich erweist sich diese Ethik als "Maßnah-
me zur Konsolidierung der Kirche",[18], weshalb die Past auch ver-
fassungsgeschichtlich ähnlich "bürgerlichen" Schriften (nämlich
Lk, dem ersten Klemensbrief und Polykarp) nahestehen.
Positiv verwendet N.BROX in seinem Kommentar den Begriff "Bürgerlichkeit" bezüglich der Past[19]: er sieht das Verdienst dieser
Schriften gerade darin, daß sie aufzeigen, daß sich christliches
Leben und echte Nachfolge Christi nicht nur im Außergewöhnlichen
vollzieht, sondern auch in den selbstverständlichen und alltäglichen Dingen des Lebens.
Im Anschluß an diese Kommentarwerke hat sich die Rede vom "Ideal
christlicher Bürgerlichkeit" in den Past bei vielen Autoren
durchgesetzt:
W.G.KÜMMEL bezeichnet das "bürgerliche Christentum" als "eine in
vieler Hinsicht notwendige Neuinterpretation der urchristlichen
Botschaft."[20] H.v.CAMPENHAUSEN versteht unter "christlicher Bürgerlichkeit" die Tatsache, daß sich das Christentum mit den bestehenden weltlichen Ordnungen positiv auseinanderzusetzen beginnt: "Die allgemein gültigen sozialen und politischen Verpflichtungen sollen von den Christen auch und möglichst einwandfrei
erfüllt werden."[21] F.J.SCHIERSE unterstreicht die legitime Entwicklung des christlichen Ethos hin zur "christlichen Bürgerlichkeit", da damit sowohl einem esoterischen Schwärmertum als
auch einer neuen Vergesetzlichung und dadurch speziellen christlichen Sonderformen gewehrt wird.[22]
H.D.WENDLAND warnt einerseits davor, das Christentum der Past als
Abfall von Paulus zu werten, konstatiert aber auch "den großen
Unterschied im theologischen Niveau"[23] im Vergleich zu den
Schreiben des Apostels und Eph. Die Hochspannung der Naherwartung könne nicht aufrecht erhalten werden. Besonders betont er

---

17 ebda. 32.
18 ebda. 7.
19 BROX, Past 138.145passim.
20 KÜMMEL, Einleitung 339.
21 v.CAMPENHAUSEN, Christen 198.
22 SCHIERSE, Existenz 287.
23 WENDLAND, Ethik 95.

13

die enge Verbindung zwischen der bürgerlichen Ethik und der ent-
stehenden Kirchenordnung (Amt und Recht).[24]

Als weitere Beispiele für die Rede von der "christlichen Bürgerlichkeit" seien angeführt: R.BULTMANN[25], K.NIEDERWIMMER[26], H.
v.LIPS[27], R.PESCH[28], R.VÖLKL[29], P.LIPPERT[30], P.STUHLMACHER[31],
M.HENGEL[32], C.SPICQ[33] und H.PREISKER[34].

Allerdings tauchen gelegentlich auch Bedenken gegen diese Charak-
terisierung der Ethik in den Past auf: einerseits bezüglich des
Ausdrucks "christliche Bürgerlichkeit" bei E.KÄSEMANN[35], W.SCHRA-
GE[36] und R.SCHNACKENBURG[37], aber auch bezüglich des Inhalts bei
P.TRUMMER[38], O.MERK[39], W.C.van UNNIK[40] und W.NAUCK[41].

---

24 ebda. 95.99. Den Zusammenhang zwischen Bürgerlichkeit und
   dem Aufkommen von Amt und Ordnung sieht auch PREISKER, Ethos
   217.
25 BULTMANN, Theologie 533.536.
26 NIEDERWIMMER, Askese 210.
27 v.LIPS, Glaube 151.
28 PESCH, Bürgerlichkeit 28-33.
29 VÖLKL, Christ 330-341.
30 LIPPERT, Leben 27.54.57 u.ö.
31 STUHLMACHER, Verantwortung 183f.
32 HENGEL, Eigentum 63.
33 SPICQ, Past 220.
34 PREISKER, Ethos 211.
35 KÄSEMANN, Ruf 169.
36 SCHRAGE, Ethik 9.
37 SCHNACKENBURG, Botschaft 233.
38 TRUMMER, Paulustradition 236, zeigt auf, daß der Begriff "Gewissen" in den Past nichts zu tun hat mit dem "besten Ruhekissen" einer bürgerlichen Moral (vgl. DIBELIUS-CONZELMANN,
   Past 17).
39 MERK, Glaube 100: "Die in diesem Zusammenhang häufig apostro-
   phierte christliche Bürgerlichkeit des ruhigen, wohlanstän-
   digen und Gott wohlgefälligen Lebens, die im Tun des Einzelnen
   (und gerade auch des Amtsträgers) wie der Gemeinde immer auch
   die Gewinnung des Heiden und des Gegners im Blick behält, ist
   für den Verfasser der Past unzureichend ohne die ihm unauf-
   gebbare Korrespondenz von πίστις und εὐαγγέλιον, von Christentum und bleibender Gegenwart des Evangeliums."
40 v.UNNIK, Rücksicht 233f, wendet sich dagegen, das Motiv, bei
   den Außenstehenden einen guten Ruf zu haben (so z.B. 1 Tim
   3,7), "bürgerlich" zu nennen.
41 NAUCK, Herkunft 16: "Er (der Verfasser) denkt jüdisch, nicht
   aber in den Bahnen einer bürgerlichen, autonomen Ethik."

Sachlich berührt sich unsere Problematik engstens mit der Diskussion um den "Frühkatholizismus" im NT[42]. Die Past werden ja nicht zuletzt wegen ihrer "bürgerlichen" Ethik und wegen ihrer Amts- und Kirchenordnung von manchen Autoren zu den "frühkatholischen" Schriften des NT gerechnet[43].

Zu den Kennzeichen des "Frühkatholizismus" zählen: die Verselbständigung der Ethik und die Sicherung der wahren Lehre durch die Amtskirche[44]. Bezüglich des Amtes ist für uns die Position E.KÄSEMANNS von Bedeutung: Einmal kommt bei ihm im Zuge seiner das Amt betreffenden Ausführungen über "Frühkatholizismus" auch die "christliche Bürgerlichkeit" der Past zur Sprache[45]; dann beschreibt er den Gegensatz zwischen echtem Paulinismus und den

---

42 Eine ausführliche Literaturangabe zu diesem Thema findet sich bei MUSSNER, Katholizismus 89f; vgl. auch ders., Ablösung 166-177. Die Auseinandersetzung über die Problematik des Beginns "frühkatholischer" Entwicklungen findet sich schon in der Diskussion über die Berechtigung des Kirchenrechts zwischen R. SOHM ("Die Kirche ist frei vom Kirchenrecht." ders., Wesen, Vorwort 22f) und A.v.HARNACK (vgl. ders., Urchristentum 163f). Zur ganzen Diskussion vgl. auch SCHMITZ, Frühkatholizismus. NEUFELD, Frühkatholizismus 1-28, bes. 3-10, weist den Beginn der Auseinandersetzung um das Wesen des Katholischen schon bei MÖHLER, Einheit, nach. Als erster habe in seinen Ausführungen TRÖLTSCH, Frühkatholizismus, den Begriff - allerdings kultursoziologisch verstanden - im wissenschaftlichen Bereich durchgängig verwendet. In seiner begriffsgeschichtlichen Untersuchung ist es für ihn EHRHARD, Urkirche, der "den Begriff 'Frühkatholizismus' nicht nur im Titel eines Buches verwendete, sondern sich auch einige Gedanken über dessen Bedeutung und Verwendungsmöglichkeit machte..." (20). Zur Ergänzung der ideen- und begriffsgeschichtlichen Analyse NEUFELDS vgl. WAGNER, Problem 433-444.
43 So bei KÄSEMANN, Amt 127; MARXSEN, Frühkatholizismus 58; SCHULZ, Mitte 100-109: er vertritt wohl die extremste Position und fordert geradezu, die Entwicklung, die in den Past beginnt, müsse rückgängig gemacht werden (109); kritisch dazu HAHN, Problem 346; SCHÜRMANN, Suche 374 Anm. 103.
44 Vgl. die Charakterisierung von LUZ, Erwägungen 90-92; CONZEL-MANN, Grundriß 318; KÜMMEL, Einleitung 115; vgl. weiters KNOCH, Ausführungen; ders., Begegnung 198f; HAHN, Problem 353.
45 KÄSEMANN, Amt 127:"Man hat die in den Pastoralen tradierte Gemeindeordnung als Ausdruck christlicher Bürgerlichkeit verstanden. In gewisser Weise dürfte das zutreffen, wie das Schwinden der urchristlichen Eschatologie beweist."

Amtsträgern in den Past markant: Im Unterschied zu Paulus, bei
dem "'Amtsträger' alle Getauften sind, die mit ihrem Charisma
ja alle in Verantwortung stehen"[46] und wo es "nach 1 Kor 12,20
kein Privileg eines einzelnen Charismatikers gegenüber dem
Christusleibe gibt...auch nicht das Privileg offizieller Verkündigung nur durch jeweils einen einzigen Beauftragten,"[47] ist
in den Past "ein der übrigen Gemeinde gegenüberstehendes Amt zum
eigentlichen Geistträger geworden und die urchristliche Anschauung, wonach jeder Christ in der Taufe den Geist empfängt, zurück-
getreten, ja faktisch verschwunden."[48] Jüdisches Erbe habe das
paulinische verdrängt. Symptomatisch sei dafür, daß das Wort
Charisma nur noch im Zusammenhang mit der Ordination erscheine
(1 Tim 4,14; 2 Tim 1,6)[49].

Diese Literaturübersicht zeigt, daß es immer noch offen ist, wie
die "Bürgerlichkeit" der Past tatsächlich zu bewerten ist: Wird
in diesen Briefen wirklich eine ruhige, gesicherte Existenz
angestrebt, die im Widerspruch zu den Ankündigungen von Verfolgungen durch Jesus selbst oder dem kampfreichen Dasein des
Paulus steht ? Ist weiters der Aufruf Jesu zu Ehe- und Besitz-

---

46 ebda. 123.
47 ebda. 124.
48 ebda. 128.
49 ebda. 129. Bei E.KÄSEMANN wird einerseits das Wort "Frühkatholizismus" polemisch als deklarierter Protest gegen die
katholische Kirche gebraucht (vgl. ders., Paulus 252 Anm.6),
andererseits wird zugestanden, daß "die Notwendigkeit der
neuen Ordnungen aus dem antienthusiastischen Kampf zwingend
erwiesen werden" (ebda. 250) und "daß Paulus, rein historisch
betrachtet, direkt und indirekt, mit und gegen seinen Willen,
zum mindesten seiner Wirkung nach selber ein Wegbereiter des
Frühkatholizismus gewesen ist." (ebda. 240f) Zum "Frühkatholizismus" bei Paulus vgl. BEYSCHLAG, Clemens Romanus 348.
Kritisch gegenüber dem abwertenden Gebrauch des Begriffs
"Frühkatholizismus": HAHN, Problem 348; RAHNER, Kirche 414;
SCHELKLE, Briefe 231f; PAULSEN, Wissenschaft 229. Zur Kritik
an den Ausführungen E.KÄSEMANNS vgl. KÜNG, Frühkatholizismus
199; MUSSNER, Ablösung 166-177. SCHÜRMANN, Suche, bringt
Denkanstöße zur Vermittlung zwischen katholischer und evan-
gelischer Position.

16

losigkeit einer biederen Familienethik gewichen ? Ist die Ethik
in den Past noch wie bei Paulus im Kerygma verankert oder hat sie
sich zunehmend verselbständigt ? Ist die verstärkte Bedeutung der
Ethik Folge einer bereits verblassenden Naherwartung ?
Unsere Fragestellung betrifft also primär die Ethik. Doch konnte
bereits aufgezeigt werden, daß die "verbürgerlichte" Ethik der
Past in engem Zusammenhang mit der Kirchenordnung gesehen wird.
Deshalb muß gefragt werden: Ist das Amt, wie es uns in den Past
begegnet, eine legitime Entwicklung oder "frühkatholischer" Abfall
gegenüber Jesus und Paulus ? Hat das Amtscharisma tatsächlich die
übrigen Charismen in der Gemeinde verdrängt ? Sind die Ansätze
zur Rechtsbildung unnötige Einengungen der ursprünglichen christlichen Freiheit ?
Da es noch keine Monographie zum Thema "christliche Bürgerlichkeit" gibt, lohnt es sich, diesen Fragenkomplex eigens zu
untersuchen.


Als Ausgangspunkt dient eine Exegese der Episkopenspiegel (1 Tim
3,1-13; Tit 1,5-9). Der Ausdruck "Episkopenspiegel" wird durchgängig auch für die in den genannten Texten befindlichen Anweisungen an die Presbyter (Tit 1,6) und an die Diakone (1 Tim
3,8-13) verwendet, um eine Vereinfachung der Ausdrucksweise zu
erreichen. Die Wahl dieser Texte geschieht deshalb, weil in
ihnen die "Bürgerlichkeit" der Past einen gewissen Höhepunkt
erreicht: von den Amtsträgern werden bloß durchschnittliche ethische Qualitäten verlangt. Anhand dieser Texte läßt sich auch Auf-
schluß über die Fragen des Amtes und Rechtes gewinnen, denn
außer vielen ethischen Anforderungen für den Amtsträger findet
sich auch die Bestimmung, er dürfe "kein Neugetaufter" sein
(1 Tim 3,6).
Die Texte werden zunächst mit den historisch-kritischen Methoden[50]
untersucht, wobei den Vergleichen mit verwandten Texten in der

---

50 Vgl. ZIMMERMANN, Methodenlehre.

biblischen und außerbiblischen Literatur[51] ein besonders breiter
Raum gewährt wird. Mit Hilfe linguistischer Analysen wird die
Aussageabsicht erhoben[52]. Die einzelnen Angaben der Episkopenspiegel werden bezüglich ihrer Bedeutung in der inner- und außerbiblischen Literatur genau untersucht. Besonderes Augenmerk wird
auch auf die Situation des Verfassers und der adressierten Gemeinde gerichtet, um auf diesem Hintergrund die Texte richtig
zu interpretieren[53].

In den anschließenden Kapiteln sollen die Aussagen, die sich
aus der Exegese der Episkopenspiegel ergeben, durch eine bibeltheologische Zusammenschau mit den entsprechenden Texten der
Past ergänzt werden. Zugleich werden Ethik, Amt und Recht in den
Past dem synoptischen Befund und den echten Paulusbriefen gegenübergestellt. Dabei kann es jedoch nicht darum gehen, die Past
einfach nur an der synoptischen beziehungsweise paulinischen Norm
zu messen. Es müssen vielmehr zunächst gewisse Akzentverschiebungen in den verschiedenen Schriften festgestellt werden. Dann muß
gefragt werden, ob es bei Jesus oder Paulus bereits Ansätze zu
späteren Entwicklungen, wie sie uns in den Past begegnen, gibt.
Schließlich muß die gegenüber Jesus und Paulus veränderte
Situation, in der die Past verfaßt wurden, berücksichtigt werden.
Erst auf diesem Hintergrund ist die "Bürgerlichkeit" der Past
entsprechend zu beurteilen.
Die Frage, inwieweit in den Past die Dogmatisierung des Kerygmas
beginnt (beispielsweise bezüglich der paulinischen Rechtfertigungslehre), wird ausgeklammert, da sie in der Fachliteratur
kaum direkt im Zusammenhang mit der "Verbürgerlichung" der Past
aufgeworfen wird.
Abschließend soll versucht werden, anhand der Ergebnisse der
Studie bibeltheologische Folgerungen zu ziehen, um die Absich-
ten der biblischen Schriften für uns heute fruchtbar werden zu
lassen.

---

51 Dabei kann auf die Ausführungen von DIBELIUS-CONZELMANN, Past
41f, und VÖGTLE, Tugendkataloge 237-243, zurückgegriffen
werden.
52 Dabei wird besonders auf die bei STOCK, Umgang 30-32, sowie
BERGER, Exegese 137-159, ausgeführten Methoden zurückgegriffen.
53 Vgl. BREUER, Einführung 35f; STOCK, Umgang 40-44.

# 1 EXEGESE DER EPISKOPENSPIEGEL (1 TIM 3,1-13; TIT 1,5-9)

## 1.1 Die Past als weiterer Kontext

Für die Interpretation der Episkopenspiegel im Blick auf unsere Fragestellung ist zunächst auf die Probleme der Abfassung und der Adressaten einzugehen.

### 1.1.1 Die Echtheitsfrage

In der neueren Fachliteratur hat sich die Annahme der Unechtheit weitgehend durchgesetzt. Die Past stehen in paulinischer Tradition und sind als Tritopaulinen einzureihen[1].

Selbst die Vertreter ihrer Echtheit nehmen nicht an, daß sie zur Gänze aus der Hand des Paulus stammen, sondern sie helfen sich mit der Annahme eines sehr selbständig arbeitenden Sekretärs[2]. Die Hypothese, Polykarp als Verfasser anzunehmen (H.v.CAMPEN-HAUSEN)[3], hat keine allgemeine Anerkennung gefunden[4], ebenso die Versuche, Lukas als Autor der Past nachzuweisen[5].

---

1 Als exemplarische Vertreter der Unechtheit seien genannt: DIBELIUS-CONZELMANN, Past 1-4; BROX, Past 22-60; HASLER, Past 7f; SCHELKLE, NT 192; VIELHAUER, Geschichte 217; MARXSEN, Einleitung 207; KNOCH, Begegnung 195f; HEGERMANN, Ort 47.
2 Die Echtheit vertreten: SPICQ, Past 157-214; JEREMIAS, Past 4-10; HOLTZ, Past 13-16; KELLY, Past 27.34; SCOTT, Past 22f; vgl. dazu auch MICHAELIS, Einleitung 250.
3 v.CAMPENHAUSEN, Polykarp 197-252, sieht selbst bereits die Schwierigkeiten, mit denen seine These behaftet ist, vor allem die, daß Polykarp mehr zitiert als die Past (248), und so läßt er die Frage schließlich eher offen (252).
4 Kritisch dazu DIBELIUS-CONZELMANN, Past 2.6;BARTSCH, Anfänge 13, erklärt die Gemeinsamkeiten zwischen Polykarp und den Past mit einer beiden vorliegenden Gemeindeordnung. Zur Parallele 1 Tim 6,7.10 und Pol 4,1 vgl. BROX, Probleme 81.
5 Vgl. STROBEL, Schreiben 191-210: aufgrund des gemeinsamen Wortbefundes, typischer Redewendungen, gemeinsamer Sachverhalte und der theologischen Position der Schriften versucht er, die Nähe zu Lukas und dessen mögliche Verfasserschaft (vgl. 2 Tim 4,11) wahrscheinlich zu machen. Zu den Parallelen bezüglich der Gemeindeverfassung von Lukas (Apg) und den Past vgl. SCHNACKENBURG, Lukas. Gegen Lukas als Verfasser vgl. PRAST, Presbyter 416; BROX, Lukas.

N.BROX hat in seinem Kommentar zu den Past die Unterschiede zwischen den echten Paulusbriefen und den Past, die als Konvergenz-
gründe gegen die paulinische Verfasserschaft sprechen, sehr ausführlich aufgezeigt[6]. Zunächst sind es biographische Schwierigkeiten, die gegen die Echtheit der Past ins Treffen geführt werden[7]; weiters die im Gegensatz zu Paulus apodiktische Art und
Weise, wie der Verfasser der Past den Irrlehrern entgegentritt[8];
ausschlaggebend sind vor allem auch die Differenzen in Sprache,
Stil[9] und Theologie[10] der einzelnen Schriften, schließlich noch
Unterschiede im Selbstverständnis Pauli, die zwischen seinen
echten Briefen und den Past festgestellt werden[11].
N.BROX sieht auch die Haltung einer "christlichen Bürgerlichkeit"
bei Paulus lange nicht so stark entfaltet wie in den Past[12].
Gerade deshalb ist für unsere Untersuchung die Echtheitsfrage von
Bedeutung; denn von da her stellt sich die Frage: Besteht zwischen
den echten Paulusbriefen und den Past in Bezug auf die "christliche Bürgerlichkeit" ein unversöhnbarer Gegensatz oder lassen
die Past eine legitime Fortsetzung paulinischer Ansätze erkennen ?

1.1.2 Die literarische Gattung
Die Past sind Schreiben an die Leiter von Gemeinden, man könnte
sagen, es handelt sich dabei um "Hirtenbriefe"[13], wobei zu beachten ist, daß durch sie auch die ganze Gemeinde angesprochen

---

6  BROX, Past 22-60. Zur ganzen Frage der Pseudepigraphie vgl.
   auch ders., Notizen 272-294; ders., Verfasserangaben. Zur
   Bewertung der Pseudepigraphie in den Past vgl. ZMIJEWSKI,
   Pastoralbriefe 97-118.
7  BROX, Past 28-30; anders REICKE, Chronologie 81-94.
8  BROX, Past 40. TRUMMER, Paulustradition 166: "Echte Ansätze zu
   einer theologischen Auseinandersetzung mit gegnerischen Positionen zeigen sich eigentlich nur in 1 Tim 4."
9  BROX, Past 46-49.
10 ebda. 49-55.
11 ebda. 110.
12 ebda. 124.
13 ebda. 9; v.CAMPENHAUSEN, Polykarp 208.

werden soll[14]. Sie sind Episteln, fiktive Sendschreiben[15].
Es handelt sich bei den Past um Schriften, die Irrlehren bekämpfen[16] und dagegen eine Gemeindeordnung erstellen[17]. 2 Tim fällt insofern aus dem Rahmen, als hier im Unterschied zu den beiden anderen Briefen als Stilmittel die Abschiedsrede gewählt wird[18]. Als Mahnschreiben wollen sie in übernommenen christologischen Formeln[19] und mit starken paulinischen Anklängen[20] die "gesunde Lehre" und die rechte "Frömmigkeit", möglicherweise auch die richtige Paulusinterpretation[21] einschärfen.

### 1.1.3 Die Abfassungszeit und der Entstehungsort

Wer die Echtheit der Past vertritt, dem legt sich fast automatisch die Abfassungszeit zwischen 60 und 65, also in den letzten Lebensjahren des Paulus, nahe. Die Vertreter der Unechtheit der Past setzen sie im allgemeinen mit geringfügigen Unterschieden

---

14 Vgl. TRUMMER, Paulustradition 229. Ebenso STENGER, Timotheus
263:"Die Pastoralbriefe sind nicht an Einzelgemeinden oder
größere kirchliche Regionen (Epheserbrief) adressiert, sondern
an Einzelpersonen, ohne jedoch im eigentlichen Sinn persönliche Briefe (wie der Philemonbrief) zu sein. Bei aller auch
persönlichen Vertrautheit, mit der der fiktive Verfasser die
Adressaten anredet, bleiben sie doch offizielle Briefe." Vgl.
dazu die Briefschlüsse 1 Tim 6,21; 2 Tim 4,22; Tit 3,15.
15 Darauf macht SAND, Anfänge 215, aufmerksam.
16 Zur genaueren Beschreibung der Irrlehrer vgl. DIBELIUS-CONZEL-
MANN, Past 52-54; BROX, Past 33-42.
17 So DIBELIUS-CONZELMANN, Past 5. Ob man wie DIBELIUS, Geschichte 150, die Past als ganze als Kirchenordnungen bezeichnen sollte, ist sehr fraglich. WIKENHAUSER-SCHMID, Einleitung
537, ordnen nur 1 Tim und Tit der Gattung "Kirchenordnungen"
zu. Vgl. dazu auch BARTSCH, Anfänge 10.
18 Vgl. WIKENHAUSER-SCHMID, Einleitung 537.
19 Vgl. dazu TRUMMER, Paulustradition 194-208.
20 Besonders ist auf die Aufnahme der paulinischen Rechtfertigungslehre 2 Tim 1,9f und Tit 3,4-6 hinzuweisen. Zu den
Paulusanamnesen vgl. TRUMMER, Paulustradition 116-132.
21 Das belegt vor allem MÜLLER, Ort 69. Zum Zweck des 2 Tim meint
er:"Der Verfasser hat die Absicht, den rechtgläubig gebliebe-
nen Kreis der Paulusnachfolger zu stärken." (69)

um 100 an[22]. Vor allem die fortgeschrittene Entwicklung in der
Gemeindeordnung und die damit gegebene relativ feste Ausprägung
der Ämter gelten bei den verschiedenen Autoren als Gründe dieser
Datierung. Gelegentlich wird auch das Fehlen einer unmittelbaren
politischen Verfolgungssituation der Gemeinden als Hilfe für die
zeitliche Festsetzung genommen[23].
Der Abfassungsort ist nicht genau bestimmbar, doch wird im allgemeinen wegen des auftretenden Lokalkolorits[24] meist Kleinasien
als weiteres Entstehungsgebiet angenommen[25], H.v.CAMPENHAUSEN
denkt dabei an Ephesus[26]; für ihn ist die Nähe zu Polykarp entscheidend. Gelegentlich wird auch Rom als Abfassungsort in Er-
wägung gezogen[27].


1.1.4 Die zeitliche Abfolge der Entstehung der einzelnen Briefe
Es steht allgemein außer Zweifel, daß die Past alle von einem
Autor stammen[28]. Die vielen Gemeinsamkeiten brauchen hier nicht
im Detail aufgezeigt werden. Unter dieser Voraussetzung ist es
legitim, in den einzelnen Briefen Anhaltspunkte zu suchen, die
eventuell einen Einblick in die Entstehungsgeschichte geben

---

22 So z.B.HASLER, Past 9. Für ihn ist die Amtsentfaltung für die
Zeit zwischen 1 Cl (dort wird um die Stellung der Presbyter ge-
rungen: 44,5;47,6) und den Ignatianen, wo der monarchische
Episkopat entfaltet ist, bestimmend. Vgl. auch BROX, Past 55;
ders., Probleme 82; MARTIN, Dienst III 53; WIKENHAUSER-SCHMID,
Einleitung 538; LINDEMANN, Paulus 45; HEGERMANN, Ort 47;
SCHENKE-FISCHER, Einleitung I 229. MARXSEN, Einleitung 213,
nimmt das etwas fortgeschrittene zweite Jahrhundert an.
23 MÜLLER, Ort 54, nimmt die ersten Jahre des zweiten Jahrhunderts an, für ihn ist die relativ friedliche Zeit nach Domi-
tian bestimmend. Ähnlich v.LIPS, Glaube 158-160. Er datiert
die Past in der Regierungszeit Trajans und beruft sich dabei
auf 2 Tim 3,12, wo generell mit einer Verfolgungssituation für
alle gerechnet wird (158). Doch es geht in 2 Tim im ganzen
Brief eher um eine psychologische Parallelisierung des Leidens
des Paulus mit dem Leiden des Timotheus wegen der Irrlehrer-
gefahr. Deshalb kann m.E.daraus nicht auf die Datierung
geschlossen werden.
24 1 Tim 1,3; 2 Tim 1,15.18; 4,12f.
25 Vgl. BROX, Past 55; v.CAMPENHAUSEN, Polykarp 202; MARXSEN,
Einleitung 212; HEGERMANN, Ort 47.
26 v.CAMPENHAUSEN, Polykarp 202 f.
27 Vgl. LINDEMANN, Paulus 149; SCHELKLE, Einleitung 190, als
Möglichkeit.
28 So z.B. TRUMMER, Corpus Paulinum 125.

könnten, zumal anzunehmen ist, daß der anonyme Verfasser die
einzelnen Briefe nacheinander und nicht gleichzeitig geschrieben
hat[29]. Die Frage soll uns nun beschäftigen, in welcher Reihenfolge dies geschehen sein mag.

Diesbezüglich hat H.v.SODEN in seinem Kommentar zu den Past bereits Beobachtungen angestellt. Für uns geht es darum, seine
These durch weitere Argumente zu stützen und allenfalls Schlüsse
für die Sicht der "Bürgerlichkeit" in den Past zu ziehen.
Für das späteste Abfassungsdatum von 1 Tim führt H.v.SODEN vor
allem dessen fortgeschrittenere Verhältnisse im Vergleich zu den
beiden anderen an[30]. Überall setzt der Brief die beiden anderen
voraus: Die Eigenschaften der Episkopen Tit 1,5-9 werden 1 Tim
3,1-13 auf diese und die Diakone verteilt; der Begriff σωτήρ wird
unterschiedlich verwendet: 2 Tim nur von Christus (wie bei Paulus), Tit von Christus und von Gott, 1 Tim nur von Gott[31]; nur unter der Voraussetzung, daß 1 Tim der jüngste Brief ist, fällt die
Schwierigkeit weg, daß Personen, welche 1 Tim 1,20 dem Teufel
übergeben sind, "später" noch die Rolle spielen, die ihnen 2 Tim
2,17-20 zuerteilt wird.

Zusätzlich lassen sich noch folgende Gründe - zunächst für die
Priorität von Tit gegenüber 1 Tim - beibringen: Die Haustafel
Tit 2,1-10 ist eine geschlossene Einheit, die 1 Tim verschiedent-
lich erweitert ist (1 Tim 2,1-6,2a); der Episkopenspiegel 1 Tim
3,1-7 ist eine Erweiterung von Tit 1,6-8, was noch zu beweisen
sein wird; es werden Eignungskriterien für Diakone (und Diakonissen ?) aufgezählt (1 Tim 3,8-13), die in Tit fehlen; ebenso
scheinen dort weder Anweisungen für den Witwenstand (vgl.1 Tim
5,3-16) noch Anordnungen über Immunität und Bezahlung der Presbyter (vgl.1 Tim 5,17-22) auf; auch die Ermahnung an die Reichen
(1 Tim 6,17-19) ist Sondergut von 1 Tim.

---

29 Anders TRUMMER, Corpus Paulinum 125:"Ein quasihistorisches
   Nacheinander der Briefe erscheint m.E. innerhalb der Pseudepigraphie sogar als ziemlich ausgeschlossen, denn es können
   kaum Gründe für eine sukzessive Entstehung und Verbreitung
   der Past namhaft gemacht werden."
30 Vgl. v.SODEN, Past 154f.
31 Vgl. 2 Tim 1,10 (Phil 3,20); 1 Tim 1,1; 4,10; Tit 1,3; 2,10.13.

Die Gehorsamspflicht der Frauen (Tit 2,5) wird ausgebaut und mit gottesdienstlichen Anweisungen vermischt (1 Tim 2,9-15), die Sklavenparänese (Tit 2,9f) wird für den Fall erweitert, daß einer einen gläubigen Herrn hat (1 Tim 6,2a); Tit 3,1 wird der Gehorsam gegen die Obrigkeit bedingungslos gefordert, während 1 Tim 2,2 vorsichtiger klingt, was möglicherweise erstes Anzeichen politischer Repression sein könnte. Was die Amtsträger betrifft, so hat Titus erst Presbyter einzusetzen (Tit 1,5), während sie 1 Tim bereits vorausgesetzt sind[32].

Diese Fülle von Argumenten läßt 1 Tim mit großer Wahrscheinlichkeit als den jüngsten der Past erkennen. Eine Priorität betreffs Tit und 2 Tim ist schwerer festzustellen; doch lassen sich auch hier einige Beobachtungen beibringen, die 2 Tim als den ältesten der Past erscheinen lassen:

In Tit stellt H.v.SODEN vor allem eine Steigerung der Irrlehre gegenüber 2 Tim fest[33]. Zudem fällt bei einem Vergleich der drei Briefe untereinander auf, daß 2 Tim sich von den beiden anderen abhebt. Der Brief ist persönlicher gehalten; symptomatisch dafür ist die Betonung der Handauflegung durch Paulus (2 Tim 1,6) im Gegensatz zur Handauflegung durch das Presbyterium (1 Tim 4,14). Es finden sich in 2 Tim keine konkreten Anweisungen an die Gemeinde[34] und die Amtsträger werden mit Ausnahme des Adressaten nirgends erwähnt, obwohl in den übrigen Past relativ oft von ihnen die Rede ist (vgl. Tit 1,5-9; 1 Tim 3,1-13; 5,17-22), nicht einmal dort, wo man ihre Erwähnung im Sinne der anderen Briefe erwarten würde (2 Tim 1,6: der Apostelschüler wird von Paulus, nicht von den Presbytern eingesetzt; 2 Tim 2,2: die Verkündigung wird nicht dem Episkopos oder den Presbytern anvertraut, sondern "zuverlässigen Menschen", obwohl diese in concreto durchaus Amtsträger sein können[35]). Dazu kommt, daß die einzelnen Amtsträger

---

32 Vgl. MEIER, Presbyteros 344.
33 v.SODEN, Past 159: In 2 Tim lebt der Verfasser in der Hoffnung, die Irrlehrer werden sich vielleicht doch noch zurechtweisen lassen (2,25), Tit 1,11 verführen sie bereits "ganze Häuser", die Bekämpfung wird in Tit und 1 Tim gegenüber 2 Tim verstärkt (Tit 1,13; 3,10f; 1 Tim 1,3.20; 4,2; 6,4f).
34 Vgl. v.LIPS, Glaube 48.
35 Für HEGERMANN, Ort 57, sind diese πιστοὶ ἄνθρωποι Evangelisten, die als Nachfolger des inzwischen verstorbenen Timotheus die wahren Adressaten der Briefe sind.

vor allem 1 Tim 3,1-13 bewußt als ethische Alternative zu den
Häretikern von 2 Tim 3,1-9 erscheinen[36]. Das alles weist darauf
hin, daß 2 Tim der ursprünglichste Past ist[37]. Es geht hier um die
richtige Interpretation des paulinischen Kerygmas, das der Autor
psychologisch-fiktiv durch die ständige Gegenbewegung Leiden des
Paulus - Treue des Timotheus zum Apostel und seinem Evangelium[38]
verkünden will[39]. Unserer Hypothese widerspricht natürlich auch
nicht die Todeserwartung des Paulus, da diese für den Verfasser
im Brief als Fiktion dient, die den Forderungen nach der Treue
zum Evangelium durch die persönliche Leidenssituation "um des
Evangeliums willen" (2 Tim 1,8; 2,8f) Nachdruck verleihen soll.
2 Tim reiht sich überdies auch als "Gefangenschaftsbrief" eher
in die Reihe der Deuteropaulinen (Eph, Kol) ein.

Ist diese Abfolge der Niederschrift der einzelnen Past richtig,
so ergibt sich für die Frage nach der "Verbürgerlichung" ein
erstes Ergebnis: Ist 2 Tim der älteste Brief - wobei es gar nicht
sicher, ja sogar eher unwahrscheinlich ist, daß zu diesem Zeit-
punkt der Verfasser bereits die anderen Briefe zu schreiben be-
absichtigte - so kann man mit Sicherheit sagen, daß Amt und Recht
nicht die eigentlichen und primären Interessen des Autors waren.
Auch die ethische Komponente ist in 2 Tim zumindest noch viel
schwächer ausgebildet als in den darauf folgenden Schreiben.

---

36 Das wird noch näher zu beweisen sein (vgl. SS.82-84).
   Daß die Amtsträger im Gegensatz zu den Irrlehrern beschrieben
   werden ist viel einsichtiger als eine entgegengesetzte Entwicklung.
37 QUINN, Ordination 412, nimmt die Reihenfolge Tit - 1 Tim -
   2 Tim an.
38 Vgl. die Beobachtung bei v.LIPS, Glaube 48, daß in 2 Tim der
   Begriff διδασκαλία "seltener als in 1 Tim und Tit vorkommt, in
   wesentlichen Abschnitten wie 2 Tim 1-2 überhaupt nicht, wogegen
   von acht Vorkommen der Wortgruppe εὐαγγέλιον κτλ. vier in
   2 Tim 1-2 stehen." Εὐαγγέλιον steht zusammen mit κέρυγμα und
   μαρτύριον in den Past besonders im Zusammenhang der Berufung
   Pauli zum Verkünder des Evangeliums (ebda. 42), ist aber auch
   auf Timotheus hin offen (vgl. 2 Tim 1,8; 4,2.5).
39 So 2 Tim 1,12: Leiden des Paulus - V 13f: geforderte Treue des
   Timotheus; ebenso 1,15-2,13; vgl. weiters die charakteristischen Texte 3,10-17 und 4,1-8 mit dem dreimaligen σὺ δέ: 3,10.
   14; 4,5).

Der Verfasser wollte mit 2 Tim die Lehre sichern. Vielleicht hat sich diese Form des eindringlichen Appells im Kampf gegen die Irrlehrer nicht bewährt, sodaß später immer mehr praktische Anweisungen gegeben werden mußten, was in Tit und 1 Tim in verstärktem Ausmaß geschah.

## 1.1.5 Die Situation des Verfassers und der Leser

Texte sind Kommunikationsvorgänge, die eine bestimmte Situation sowohl beim Autor eines Textes als auch bei den Adressaten voraussetzen[40]. Diese Situationsbedingtheit zu erfassen ist deshalb wichtig, weil Texte jene Aspekte hervorkehren (und dadurch oft einseitig überzeichnen), die für die Situation der jeweiligen Leser von besonderer Bedeutung sind. So soll nun anhand der Past die Situation ihres Verfassers und ihrer Leser geklärt werden.

Der Autor der Schreiben ist höchstwahrscheinlich ein unmittelbarer Paulusschüler (das legen die zahlreichen Parallelen zu den echten Briefen des Apostels nahe). Er ist wohl selbst Amtsträger, wenn er auch keinen festen Titel trägt[41]. Als solcher schreibt er für Amtsträger, um durch sie ihre Gemeinden[42] zu erreichen (vgl. besonders die Schlußgrüße 1 Tim 6,21; 2 Tim 4,22; Tit 3,15). Er ist jedoch nicht nur von den Schriften Pauli inspiriert, sondern steht auch in alttestamentlich-jüdischer Tradition[43] und unter dem Einfluß stoischer Popularphilosophie.

Als gemeinsam anerkannte Überzeugungen setzt er zunächst bei sich und seinen Lesern den Glauben an Gott (1 Tim 1,4; 2,3; 4,4f; 4,10; 6,1.2a.13.17; 2 Tim 1,8; 2,14; 4,1; Tit 1,3f; 3,4 u.a.), an Jesus Christus (1 Tim 1,12-17; 2,5f; 3,13.16; 4,6; 6,3.13; 2 Tim 1,8; 2,1.8-13; 3,12.15; 4,1.18; Tit 1,4 u.a.) und gelegentlich

---

40 Darin besteht das Anliegen einer Textpragmatik: vgl. BREUER, Einführung 35; STOCK, Umgang 40-44.
41 Auch die Bezeichnung εὐαγγελιστής (2 Tim 4,5) ist wohl nicht als Amtstitel zu verstehen: vgl. TRUMMER, Corpus Paulinum 134.
42 Ob es sich um eine oder mehrere Gemeinden handelt, kann offen bleiben.
43 MICHEL, Grundfragen 83passim, weist nicht nur spätjüdische, sondern auch rabbinische Voraussetzungen nach. Ähnlich charakterisiert NAUCK, Herkunft, den Verfasser als Judenchristen (17-63), der zudem rabbinisch geschult war (64-102). Seine hellenistischen Begriffe werden von jüdischem Denken geprägt (52).

auch an den Geist (1 Tim 4,1; Tit 3,5-7) voraus. Weiters ist auch
der Apostel Paulus die Autorität schlechthin (1 Tim 1,1f; 2 Tim
1,1f.6-14; 2,10-17; Tit 1,1-4 u.a.), sodaß von daher auf jeden
Fall auf eine Gemeinde im paulinischen Missionsgebiet geschlossen
werden kann. Im besonderen ist es die von Paulus übernommene
Lehre, die als Argumentationsgrundlage verwendet wird (1 Tim 1,11;
4,6.16; 6,1.3; 2 Tim 1,13; 2,8; 3,10; 4,3.5; Tit 1,9; 2,10).
Auf seiten der Gemeinde konnte der Verfasser auch einen guten
Familiensinn bei seinen Adressaten voraussetzen und für seine
Anordnungen nutzbar machen (bes. 1 Tim 5,1.2.8; weiters Tit 2,
1-10 u.a.; die Kirche wird 1 Tim 3,15 als οἶκος θεοῦ beschrieben).
Die angeschriebene Gemeinde ist bereits als größere Gemeinschaft
zu denken. Wir erfahren, daß es viele (Tit 1,10) oder doch zumindest einige (1 Tim 1,6.19; 4,1; 5,15; 6,10.21) gibt, die der
Irrlehre verfallen sind. Es werden die verschiedensten Menschen-
gruppen erwähnt: die natürlichen Stände im Hauswesen (die alten
Männer: 1 Tim 5,1; Tit 2,2; die alten Frauen: 1 Tim 5,2; Tit 2,3;
die jungen Männer: 1 Tim 5,1; Tit 2,6; die jungen Frauen: 1 Tim
5,2; Tit 2,4f; die Männer allgemein: 1 Tim 2,8; die Frauen allgemein: 1 Tim 2,9-15; die Kinder: 1 Tim 3,4.12; Tit 1,6; die
Sklaven: 1 Tim 6,1-2a; Tit 2,9f) und auch ein sozialer Stand, der
zur Gemeinde gehört (die Reichen: 1 Tim 6,17-19). Zur Ordnung in
der Gemeinde ist bereits eine Vielzahl von Amtsträgern notwendig
(die Presbyter und die Diakone sind stets im Plural genannt:
1 Tim 3,8.12; 5,17; Tit 1,5).
Die Identifizierung der Irrlehrer, die die Gemeinde verunsichern,
stößt auf Schwierigkeiten, da die bekämpften Häresien kaum beschrieben werden. Zudem findet sich in den Past ein stereo-
typer Ketzerbekämpfungsstil, der auch in der hellenistischen
Popularphilosophie begegnet, aus dem jedoch keine spezifischen
Merkmale der Irrlehre zu entnehmen sind[44].
Wahrscheinlich handelt es sich um ein Frühstadium jüdisch ge-

---

44 Zur Zusammenstellung der Problematik vgl. MÜLLER, Ort 55f.

prägter Gnosis[45], die die richtige Paulustradition verfälscht[46].
Dabei muß es sich nicht um eine einheitlich-geschlossene Front
handeln[47].

Der jüdische Einfluß wird vor allem durch 1 Tim 1,7-11 (vgl.
auch Tit 3,9), wo es heißt, daß die Irrlehrer Gesetzeslehrer sein
wollen (V 7), weiters durch Tit 1,10 ("die aus dem Judentum kommen") und 1,14 ("sie halten sich an jüdische Fabeleien") nahegelegt[48]. Auch die Beschäftigung mit den Stammtafeln (1 Tim 1,4;

---

45 So z.B. SCHIERSE, Kennzeichen 77. HAUFE, Irrlehre 327, nimmt
   eine judenchristliche Wurzel der Häresie an, wobei aber auch
   das Heidentum Kleinasiens durch die Irrlehre gespalten erscheint. Bei DIBELIUS-CONZELMANN, Past 53, wird darauf hingewiesen, daß eine Identifizierung der bekämpften Richtung mit
   einer uns bekannten gnostischen Sekte unmöglich ist. Bei der
   jüdischen Bestimmung der Ketzerei besteht eine gewisse Zurückhaltung:"Der Zusammenhang unserer Gnosis mit dem Judentum ist
   ...nicht unbedingt sicherzustellen, aber höchstwahrscheinlich."
   (54); v.CAMPENHAUSEN, Polykarp, nimmt Markion als direkt bekämpften Irrlehrer an; die Past seien "die Antwort der Groß-
   kirche gegen Markion." (205). Er beruft sich vor allem auf die
   1 Tim 6,20 erwähnten ἀντιθέσεις, die auch den Titel des Haupt-
   werkes des Markion bilden (200). Gegen diese Hypothese wird
   vor allem eingewendet, daß die vom Verfasser der Past bekämpfte
   Irrlehre sich im Gegensatz zu Markion positiv des AT bedient
   (1 Tim 1,7; Tit 1,14): vgl. dazu BROX, Past 32; LINDEMANN,
   Paulus 135; v.LIPS, Glaube 154.
46 Diese Sicht setzt sich mit guten Gründen immer mehr durch: vgl.
   LINDEMANN, Paulus 147; v.LIPS, Glaube 155f; MÜLLER, Ort 75
   passim. Zum Schicksal des Paulus in der Tradition vgl. SCHENKE,
   Weiterwirken 505-518.
47 MÜLLER, Ort 56f, kritisiert die Annahme einer einheitlichen
   Front. Die Schwierigkeiten seiner These, daß es sich neben der
   falschen Paulustradition auch um judenchristliche Wanderlehrer
   handelt, die auch den Hintergrund zu Mt 19,12; Did 11,11 und
   Offb 14,4 abgeben, sieht er selbst (64-66), und so ist sie mit
   Vorbehalten zu betrachten. Gegen eine einheitliche gnostische
   Richtung wendet sich auch LUZ, Erwägungen 95; ebenso STRECKER,
   Judentum 274f (ob die Häresie jedoch gar so unbestimmbar ist,
   wie sie sich bei ihm darstellt, scheint zweifelhaft zu sein).
   TRUMMER, Paulustradition 164, weist darauf hin, daß die Past
   nicht nur gegen bestimmte Gegner gerichtet sind, sondern "der
   Widerstand gegen die Irrlehre ist aus der Sicht der Past eine
   so allgemeine Aufgabe der nachpaulinischen Zeit, daß sie mit
   der Bekämpfung gewisser gegenwärtiger Phänomene nicht abgeschlossen sein kann."
48 McELENEY, Vice Lists 204, weist weiters auf die Entsprechung
   der Laster 1 Tim 1,9f mit dem Dekalog hin; ebenso MICHEL,
   Grundfragen 84.

Tit 3,9) könnte auf jüdischen Ursprung deuten[49].

Gnostische Züge finden sich in der Ehefeindlichkeit der Irrlehrer
(vgl. 1 Tim 4,3)[50], in der Abwertung des Materiellen überhaupt
(so die Empfehlung, sich von bestimmten Speisen zu enthalten:
1 Tim 4,3)[51] und schließlich durch die Charakterisierung "τῆς
ψευδωνύμου γνώσεως" (1 Tim 6,20). Ob die christologischen Formeln der Past sich gegen gnostische Tendenzen richten, ist nicht
eindeutig[52].

Gegenüber diesen gnostischen Fehlhaltungen zeigen die Past eine
außerordentlich positive Einstellung zu allem Geschaffenen, sie
begrüßen den richtigen Gebrauch aller Dinge:"Denn alles, was Gott
geschaffen hat, ist gut, und nichts ist verwerflich, wenn es mit
Dank genossen wird" (1 Tim 4,4). Der Christ (auch der Amts-

---

49 Nach HAUFE, Irrlehre 329, ist damit zu rechnen, "daß gnostische Umdeutung alttestamentlicher Urgeschichten und Ge-
schlechtsregister vorliegt, ohne daß bereits an ein ausgebil-
detes gnostisches System zu denken wäre." Auch in den späteren
Schilderungen gnostischer Systeme durch Irenäus (geb. 115) in
seinen Büchern "adversus haereses" werden die Stammtafeln erwähnt (vgl. die Vorrede), ebenso die Zahlenspiele, die die
Gnostiker von den Pythagoräern übernommen haben (II 14,6).
50 Auch Irenäus beschreibt die Gnostiker seiner Zeit als ehe-
feindlich (I 6,4; 24,2; 28,1 usw.), wobei eheliche Enthaltsamkeit aber eher den von ihnen Unterrichteten gilt, sie selbst
können ja als "Erleuchtete" sexuell tun, was sie wollen
(I 6,4), ja sie schänden sogar heimlich Frauen, die sie in
ihrer Lehre unterrichten (I 6,3; dies könnte den vielleicht
schon zur Zeit der Past von den Irrlehrern praktizierten Hintergrund zu 2 Tim 3,6 abgeben).
51 Vgl. Iren I 6,1 u.ö. Die Empfehlung an Timotheus, Wein zu trinken (1 Tim 4,3) könnte einen antignostischen Hintergrund haben:
vgl. DIBELIUS-CONZELMANN, Past 53; BROX, Past 32.
52 Bei den durch Irenäus geschilderten späteren gnostischen Richtungen finden wir die Behauptung, Jesus hätte bloß einen
Scheinleib gehabt (I 24,2.4; III 16;18), er hätte also nicht
als Mensch gelitten (I 7,2), das Wort wäre nicht Fleisch geworden (I 9,3): vgl. dagegen 1 Tim 2,5 "der Mensch Jesus
Christus"; 1 Tim 3,16:"geoffenbart im Fleisch." HAUFE, Irrlehre 320, lehnt diese Zusammenhänge ab; vgl. auch BROX, Past
34. Möglich ist weiters, daß die Betonung darauf, daß Jesus
für alle starb (1 Tim 2,4.6; 4,10), gegen die gnostische Annahme formuliert ist, daß nur die Pneumatiker das Heil erlangen könnten.

träger[53]), soll kein weltfremder Asket sein, sondern sich in den
Dingen des Alltags bewähren.

Bezüglich der Verfälschung der Paulustradition ist vor allem auf
die Frontstellung gegen den spiritualisierten Auferstehungs-
glauben der Irrlehrer (2 Tim 2,18) hinzuweisen, der möglicherweise auf einer Fehlinterpretation der präsentischen Eschatologie
des Eph (vgl. Eph 2,6)[54] beruht.

Wir erfahren weiters aus den Past, daß die Häretiker ihre Lehr-
tätigkeit zur eigenen Bereicherung ausnützen (1 Tim 6,5; Tit
1,11). Die Irrlehrer scheinen (zumindest teilweise) aus der Gemeinde zu kommen und ihr auch noch anzugehören[55]. Diesen Eindruck
gewinnt man, wenn es öfters heißt, daß manche vom rechten Weg
(den sie also einmal wohl beschritten haben) abgekommen sind
(1 Tim 1,6.19f; 4,1; 5,15; 6,5.10.21; 2 Tim 2,18.25f; Tit 1,13),
beziehungsweise wenn von konkreten Personen die Rede ist, die
von der Wahrheit abgeirrt sind und so bei manchen den Glauben
zerstören (vgl. bes. 2 Tim 2,17f).

Die Irrlehrer werden vor allem als Menschen beschrieben, die zwar
beteuern, Gott zu kennen, ihn aber durch ihr Tun verleugnen (vgl.
2 Tim 3,5; Tit 1,16).

Der eben beschriebene Hintergrund ist für die Interpretation der
Past von fundamentaler Wichtigkeit: wir verstehen sie nur dann
richtig, wenn wir sowohl die Ethik als auch Ansätze zu Ämtern und
Rechtssätzen von der konkreten historischen Situation her beurteilen. Die "Bürgerlichkeit" der Past ist - wie noch mehrfach
gezeigt werden wird - in hohem Maße eine Reaktion gegen das
Schwärmertum der Irrlehrer.

---

53 Das Amt wird von Gnostikern nicht prinzipiell abgelehnt; das
   zeigt eine gnostische Gemeindeordnung (NHC XI,1; auch kurz
   "Inter" genannt): vgl. KOSCHORKE, Gemeindeordnung 60.
54 Zu Eph bemerkt MÜLLER, Ort 72, richtig:"Gerade das nicht in-
   dividualistische Heilsverständnis des Eph macht eine ein-
   fache Identifikation seiner Heilslehre mit der der Gegner in
   2 Tim unmöglich."
55 So auch v.LIPS, Glaube 152.

31

1.2 Der unmittelbare Kontext, Textabgrenzung und Textkritik

Der Episkopen- beziehungsweise Diakonenspiegel 1 Tim 3,1-13 steht im unmittelbaren Zusammenhang einer Gemeindeordnung[56]. Es werden zunächst Anweisungen für das Gebet erteilt (2,1), im besonderen wird das Gebet für die Machthaber nahegelegt (2,2). Auf die theologische Begründung (2,3-7) folgen haustafelartige Anweisungen an zwei natürliche Stände: die Männer (2,8) und die Frauen (2,9-15)[57]. Im Anschluß an den Diakonenspiegel wird die Begründung der vorangehenden Anweisungen gegeben: Timotheus soll wissen, "wie man sich im Hauswesen Gottes verhalten muß"(3,15).
In etwas anderem Kontext steht der Episkopenspiegel in Tit: Er folgt sofort nach dem Präskript (1,1-4) und befindet sich schon dadurch an exponierterer Stelle als in 1 Tim. Ist die Anweisung für die Eignung von Amtsträgern 1 Tim 3,1-13 eher eine Anordnung unter anderen, so erscheint sie durch den Kontext in Tit als vorrangig. Zudem ist durch die Stellung in Tit der Zusammenhang mit der Bekämpfung der Irrlehre viel deutlicher gegeben als in 1 Tim: V 9 unterstreicht die Aufgabe der Widerlegung der Häretiker und die VV 10-16 sind als Beschreibung der Gegner durch γὰρ (V 10) eng mit dem Vorhergehenden verbunden.
Die einzige Schwierigkeit bei der Textabgrenzung bietet die Formel πιστὸς ὁ λόγος (1 Tim 3,1). Handelt es sich um eine Beteuerungsformel, die den vorhergehenden Gedanken abschließt, oder um eine Zitationsformel, die die Wichtigkeit und Zuverlässigkeit des folgenden unterstreichen will ?[58] Beides ist vom Wortlaut her

56 Nach BARTSCH, Anfänge 27, handelt es sich in 1 Tim 2,1-3,13 um einen geschlossenen Regelkomplex, der lediglich durch die theologische Begründung 2,3-7 unterbrochen wird. Zur Verschmelzung von Kirchenordnung und Haustafel in den Past und in der Didache vgl. DIBELIUS-CONZELMANN, Past 5f.
57 Die Annahme von HASLER, Past 26, der Episkopenspiegel sei mit dem vorangehenden Text dadurch verbunden, daß zuerst von der Unterordnung der Frau die Rede sei (2,11-15) und dann von denjenigen, denen man sich unterzuordnen habe, ist vom Text her unbegründet.
58 Vgl. DIBELIUS-CONZELMANN, Past 23.

möglich. Die Schwierigkeit drückt sich bereits in der unter-
schiedlichen Zuordnung in der 25. und 26. Auflage des griechischen NT von E.NESTLE aus. Erstere entscheidet sich für die
Zitationsformel, letztere für die Beteuerungsformel.

Im Kommentar von M.DIBELIUS und H.CONZELMANN scheint πιστὸς ὁ
λόγος als Beteuerungsformel mit der Begründung auf, daß sich diese Formel auch sonst in den Past (1 Tim 1,15; 4,9; 2 Tim 2,11;
Tit 3,8) "stets im Zusammenhang von Aussagen über das Heil (bzw.
den Glauben) findet."[59]

Gegenteilig urteilt darüber N.BROX: er weist auf die Textvariante
ἀνθρώπινος (statt πιστός) hin[60] und sieht den Grund dieser abweichenden Wortwahl darin, daß das Amt eines ἐπίσκοπος seit alter
Zeit nicht eigenmächtig erstrebt werden darf; es hätte gestört,
daß an dieser Stelle das Amt des "Bischofs" zu erstreben und
danach zu eifern geradezu empfohlen würde. So hätten einige, um
dies abzuschwächen, πιστός durch ἀνθρώπινος ersetzt, wodurch aus
dem "zuverlässigen" ein nur sehr "menschliches" Wort geworden
ist[61].

Auch H.W.BARTSCH stellt die Formel an den Beginn des Episkopenspiegels, da sie auch sonst in den Past "niemals auf Regelgut
bezogen ist, sondern stets auf Lehrsprüche und Sprichwörter."[62]

Letzte Klarheit ist auch aus der übrigen Verwendung der Wortgruppe in den Past (1 Tim 1,15; 4,9; 2 Tim 2,11; Tit 3,8) nicht
zu gewinnen, sodaß die Frage letztlich offen bleiben muß.

Im übrigen ist die Textabgrenzung eindeutig: 1 Tim 3,1 ist gegenüber dem Vorangehenden ein deutlicher Themenwechsel festzustellen: ging es vorher um die Anweisungen an Männer und Frauen, so

---

59 DIBELIUS-CONZELMANN, Past 24; ebenso NAUCK, Herkunft 45-50.
60 'Ανθρώπινος steht im Codex D (prima manus); ebenso in den alt-
   lateinischen Handschriften d und m, sowie im Amrosiaster und
   bei Pseudo-Augustinus.
61 BROX, Past 141; vgl. auch dieselbe Korrektur 1 Tim 1,15. Auch
   die ausführliche Untersuchung der Wendung πιστὸς ὁ λόγος in
   den Past von KNIGHT, Faithful Sayings 54, weist dieser Formel ihren Platz am Beginn des Episkopenspiegels zu. Ebenso
   urteilt SPICQ, Past 427f.
62 Vgl. BARTSCH, Anfänge 77.

geht es jetzt um Ämter in der Gemeinde (um den ἐπίσκοπος und die
διάκονοι). Das auf das Vorhergehende bezogene ταῦτα (V 14) trennt
die pragmatischen Anweisungen von der nun folgenden Begründung.

In Tit ist das Präskript durch V 4 deutlich abgeschlossen. V 5
führt das neue Thema - die πρεσβύτεροι - ein, worauf die VV
6-9 die Qualifikationen bringen. Der Abschnitt 1,10-16 ist zwar
durch γὰρ (V 10) mit dem Episkopenspiegel verknüpft, hat jedoch
nicht mehr die πρεσβύτεροι und den ἐπίσκοπος, sondern die Irrlehrer zum Thema.

Die Texte der Episkopenspiegel sind, abgesehen von einigen un-
bedeutenden Textvarianten, einheitlich überliefert; 1 Tim 3,3
dürfte die Einfügung von μὴ αἰσχροκερδῆ in einigen Minuskeln
eine Angleichung an Tit 1,7 sein. In V 7 ergänzen D und der
Mehrheitstext (Sigel 𝕸 in der 26. Auflage von E.NESTLE) αὐτόν,
was als Verdeutlichung zu werten ist, da andernfalls die un-
persönliche Übersetzung mit "man" möglich wäre, was allerdings
durch den Kontext auszuschließen ist. Σεμνούς in V 8 hat wegen
der besseren Bezeugung im Text zu verbleiben.

Tit 1,5 gibt es zu ἀπέλιπον verschiedene Varianten: ἀπέλειπον
ist recht gut bezeugt: A C F G 088 0240 33 1175 pauci; ersteres
ist die bessere Aoristform, kann jedoch gerade deshalb stilistische Glättung sein; κατέλιπον beziehungsweise -λειπον ist von
der Bezeugung her deutlich sekundär: L P 104 326 alii; א² D² 𝕸,
bringt aber auch keine Bedeutungsverschiebung. Ἐπιορθώσῃς im
Alexandrinus ist eine Angleichung an καταστήσῃς. Der lectio
difficilior ist der Vorzug zu geben. In V 9 bringt der Alexandrinus auch eine Variante zu ἐν τῇ διδασκαλίᾳ τῇ ὑγιαινούσῃ, und
zwar statt dessen τοῦς ἐν πάσῃ θλίψει, er steht aber mit dieser
Fassung allein da. Die in Venedig aufbewahrte Minuskel 460 aus
dem 13. Jahrhundert bringt noch einen längeren Zusatz zu V 9, der
jedoch für die Erhebung des ursprünglichen Textes unbedeutend
ist.

## 1.3 Erklärung der Begriffe und Wendungen

Der besseren Übersicht halber werden in diesem Abschnitt zuerst
die verschiedenen Amtsträger, die in den Episkopenspiegeln
genannt werden, und dann die übrigen Begriffe und Wendungen in
der Reihenfolge ihres Vorkommens erklärt. Die adjektivischen
Eigenschaften wurden eigenständig bezüglich ihrer inner- und
außerbiblischen Bedeutung untersucht[63]. Dies erwies sich als notwendig, da gerade die Tugenden und Laster Ausdruck einer helle-
nistisch-bürgerlichen Ethik sein können, die das Heil in selbst-
gerechtem Tugendstreben (ohne die Gnade Gottes) sucht; zudem
werden einzelne Qualifikationen in den einschlägigen Wörter-
büchern nur am Rande oder gar nicht behandelt; auch eine inhaltliche Bestimmung dieser Wörter im Kontext der Episkopenspiegel
hängt von einer eingehenden Untersuchung in der inner- und
außerbiblischen Literatur ab.


ἐπίσκοπος (1 Tim 3,2; Tit 1,7)


Der ἐπίσκοπος ist im profanen Bereich kein Würdenträger, sondern
ein Funktionär, ein Beamter. Das Wort wird am besten mit "Auf-

---

63 Dabei wurden vor allem der Thesaurus graecus, das Lexikon von
   G.LIDELL-R.SCOTT und das Wörterbuch von W.BAUER verwendet,
   sowie die entsprechenden Artikel im ThWNT und EWNT. Bezüglich
   der Verwendung der einzelnen Begriffe in den Tugend- und
   Lasterkatalogen der Regentenspiegel, der Berufspflichtenlehren
   und der astrologischen Divination wurde auf die Arbeit von
   VÖGTLE, Tugendkataloge, zurückgegriffen, wobei die Belege im
   einzelnen überprüft wurden.
   Zur weiteren Herleitung der Kataloge vgl. KAMLAH, Form: er
   meint die Wurzeln der Kataloge im iranischen Dualismus zu finden; die Tugenden und Laster der Episkopenspiegel werden nur
   kurz behandelt (198-200). WIBBING, Tugendkataloge, berücksichtigt in seinen Ausführungen die Episkopenspiegel leider überhaupt nicht. Begründet wird dies damit, daß es sich hier nicht
   um Tugend- und Lasterkataloge im strengen Sinne handle (78 Anm.
   4). Er übersieht dabei, daß auch den sogenannten Pflichten-
   katalogen Tugend- und Lasterreihen zugrunde liegen (vgl.
   ZIMMERMANN, Methodenlehre 172-174; VÖGTLE, Tugendkataloge 1.
   51). Zur Herleitung der Kataloge vgl. auch McELENEY, Vice
   Lists 203-219.

seher" oder "Verwalter" wiedergegeben[64]. Der Bezeichnung kommt
also ein eher funktionaler Sinn zu [65]. J.JEREMIAS hält die Herleitung des Titels vom "Mebaqqer" (=Aufseher) in der Damaskusin-
schrift der Essener (13,7-11) für möglich[66]. R.SCHNACKENBURG sieht
die Verwendung des Begriffes im NT in der Septuaginta vorgebil-
det[67].

In der Abschiedsrede des Paulus in Milet (Apg 20,17-38) wird die
Bezeichnung ἐπίσκοπος mit dem Hirtenmotiv verbunden (20,28)[68],
ebenso 1 Petr 2,25, wo Jesus selbst als ἐπίσκοπος bezeichnet
wird. 1 Petr 5,2 wird das Verbum ἐπισκοπεῖν, allerdings in einer
unsicheren Lesart, ebenfalls mit dem Hirtenmotiv in Verbindung
gebracht. Daraus ist zu ersehen, daß es sich bei der Charakterisierung eines Dienstes in der Gemeinde sehr bald nicht bloß um
eine Funktionsbeschreibung handelte, sondern um eine Analogie zum
Dienst des guten Hirten, Jesus Christus[69].

Phil 1,1 werden die ἐπίσκοποι (im Unterschied zu den Past im
Plural !) das einzige Mal in einem echten Paulusbrief genannt.
Die gleich zu Beginn Erwähnten werden jedoch in dem Schreiben nie
wieder genannt. Auffällig ist weiters, daß sie wie in den Past

---

64 Vgl. BEYER, ἐπίσκοπος 604. DIBELIUS, Bischöfe 414, meint den
Ausdruck am besten mit unserem mehrdeutigen "Geschäftsführer"
wiederzugeben.
65 Vgl. LOHSE, Episkopos 229; SCHNACKENBURG, Ursprung 137; SAND,
Anfänge 229.
66 JEREMIAS, Past 23; ebenso NAUCK, Probleme 446-452; kritisch
dazu allerdings HAINZ, Anfänge 91-107.
67 SCHNACKENBURG, Episkopos 422; vgl. auch NAUCK, Probleme 446-
452; SPICQ, Past 440-442; PRAST, Presbyter 122.
68 In der Apg handelt es sich dabei jedoch nicht um eine Amts-,
sondern um eine Tätigkeitsbeschreibung: vgl. SCHNACKENBURG,
Episkopos 419; PRAST, Presbyter 125.
69 Vgl. Mk 6,34; 14,27; Joh 10,11-21. Die Bedeutung des Hirten-
bildes für das theologische Verständnis des Amtsträgers hat
v.BALTHASAR, Priester 39-45, eindrucksvoll dargelegt. Vgl.
auch v.CAMPENHAUSEN, Recht 7; zur Verbindung von Hirtenmotiv
und Amt in nachapostolischer Zeit vgl. DUPONT, Paulus 103f.
Daß es sich in der Apg nicht um eine bloße Funktionsbeschreibung handelt, bestätigt auch PRAST, Presbyter 184.

gemeinsam mit den Diakonen angeführt werden[70].

In den Past findet sich eine eher pragmatische Beschreibung des
ἐπίσκοπος: es kommt in erster Linie darauf an, daß er in den
alltäglichen Pflichten und Tugenden eines Hausvaters seiner Gemeinde ein gutes Vorbild ist. Das theologisch bedeutsame Hirtenmotiv fehlt zwar, doch tritt an seine Stelle die Charakterisierung des ἐπίσκοπος als οἰκονόμος θεοῦ (Tit 1,7; vgl. auch 1 Tim
3,5 und bes. 1 Kor 4,1)[71]. Die Aufgaben des ἐπίσκοπος sind die
Verkündigung der rechten Lehre in der Gemeinde und gegenüber den
Irrlehrern (1 Tim 3,2; Tit 1,9), sowie die rein praktisch-organi-
satorische Gemeindeleitung[72]. Er ist also nicht bloß - wie im
profanen Bereich - ein ökonomischer Funktionär, sondern auch
autoritativer Verkündiger.


πρεσβύτεροι (Tit 1,5)


Πρεσβύτερος heißt wörtlich "Älterer"; in der hellenistischen
Umwelt werden so die Honoratioren einer Gemeinde genannt[73]. Für

---

70 HAINZ, Anfänge 103, betont den Amtscharakter der Episkopen und
   Diakone von Phil 1,1; diese standen aber der Gemeinde nicht
   wie ein Stand von Klerikern gegenüber, sondern erfüllten eine
   Funktion in ihr(106); ebenso GNILKA, Amt 101; dieser sieht
   weiters die entwicklungsgeschichtliche Parallele zwischen
   Phil 1,1 und den Past erstens dadurch gegeben, daß die Zusam-
   mengehörigkeit von Episkopen und Diakonen keine religions-
   geschichtliche Parallele hat und zweitens darin, daß in Phil
   die Entwicklung der Episkopen- und Diakonenordnung beginnt,
   deren Verschmelzung mit dem presbyteralen Führungsmodell in
   den Past erfolgte.
71 Die sachliche Parallele von Hirtenmotiv und οἰκονόμος θεοῦ
   sieht auch DUPONT, Paulus 106.
72 So auch LOHSE, Episkopos 231:"Episkopos...darf nur sein, wer
   sich auf Grund seines vorbildlichen Verhaltens allgemeinen
   Ansehens erfreut, zur Leitung der Gemeinde und zum Weiden der
   Herde Christi befähigt ist und die rechte Lehre zu bewahren
   und zu entfalten weiß." Vgl. auch MARTIN, Dienst III 58;
   KNOCH, Testamente 52. SPICQ, Past 442-450, sieht als primäre
   Aufgabe des ἐπίσκοπος die Gemeindeleitung an. Ob ein wesent-
   licher Zug des Bischofsdienstes die Sorge um die Bedürftigen
   ist, was von HASENHÜTTL, Charisma 223, aus Jak 1,27 er-
   schlossen wird, ist problematisch, da hier nicht von Amtsträgern die Rede ist.
73 Genaueres bei BORNKAMM, πρέσβυς 652-655.

den neutestamentlichen Amtstitel war wahrscheinlich die Ältesten-
ordnung in der jüdischen Gemeinde als Vorbild maßgebend[74].
In der Apg treten die πρεσβύτεροι als leitendes Gremium an der
Seite der Apostel auf (Apg 15,2.4.6.22.23; 16,4; 21,18)[75]; 11,30
werden sie auch ohne Nennung der Apostel angeführt. Anläßlich der
ersten Missionsreise des Paulus wird geschildert, daß er mit seinen Begleitern in jeder missionierten Stadt Älteste einsetzt
(14,23)[76]. Gegen die historische Zuverlässigkeit dieser Notiz
spricht allerdings, daß die echten Paulusbriefe keine Presbyter
und deshalb auch deren Einsetzung nicht kennen[77]. In Milet ver-
abschiedet sich Paulus von den Ältesten der Gemeinde in Ephesus
(20,17)[78]. In diesem Text wird erwähnt, daß es ihre Aufgabe ist,
in der Gefährdung durch Irrlehren (VV 29f) in seelsorglicher Ganz-
hingabe auf die Herde Gottes achtzugeben (V 28).
Die πρεσβύτεροι finden wir auch Jak 5,14, wo sie unter Gebet die
Kranken mit Öl salben sollen.
1 Petr nennt sich der Verfasser selbst συμπρεσβύτερος (5,1) und
ermahnt als solcher die übrigen Presbyter (5,1-4). An dieser
Stelle begegnet wieder das Hirtenmotiv: die Presbyter sollen die
Herde Gottes weiden (V 2), wobei Christus als ἀρχιποιμήν (V 4)
Urbild des Hirten ist.

---

74 So z.B. MICHL, Älteste 387f.
75 Zur Kritik am historischen Hintergrund der Nennung der Presbyter in der Apg vgl. BORNKAMM, πρέσβυς 663. HASENHÜTTL,
   Charisma 56, sieht die Übernahme der jüdischen Presbyterord-
   nung in der Christengemeinde zu Jerusalem durch die Ausschal-
   tung der Christen seitens der jüdischen Behörden bedingt.
76 PRAST, Presbyter 217, weist darauf hin, daß χειροτονεῖν hier
   nicht den Akt der Handauflegung bedeutet.
77 Aus diesem Grund wird diese Schilderung von vielen als un-
   historisch abgelehnt: CONZELMANN, Apg 89; HAENCHEN, Apg 419;
   PRAST, Presbyter 357 (hier auch weitere Belege). NELLESSEN,
   Einsetzung 175-193, setzt sich dagegen neuerdings für die
   Geschichtlichkeit dieser Notiz ein:"Neben erkennbarer lk
   Überlieferung läßt sich in Apg 14,22f ein sinnvoller Tradi-
   tionszusammenhang ausmachen, der nicht auf Lk als Urheber
   weist. Zur Tradition gehört die Notiz über die Einsetzung von
   Presbytern." (190)
78 Zur Miletrede vgl. DUPONT, Paulus; PRAST, Presbyter 203, betont, daß diese Presbyter nicht Amtsnachfolger des Paulus
   sind.

In 2 und 3 Joh führt sich der Verfasser selbst als πρεσβύτερος
ein (V 1).

In den Past können die πρεσβύτεροι sowohl ältere Männer (1 Tim
5,1 - hier allerdings im Singular) als auch Gemeindeleiter (1 Tim
5,17.19; Tit 1,5) sein[79]. Sie wirken bei der Ordination mit (1 Tim
4,14) und werden auch selbst eingesetzt (1 Tim 5,22[80]; Tit 1,5).
Damit ist zumindest ansatzweise eine Sukzession gegeben, die der
Lehrtradition dient; durch die Amtseinsetzung wird besonders deutlich, daß es sich bei den Presbytern (wie auch bei den übrigen
Ämtern) nicht bloß um eine Funktion innerhalb der Gemeinde handelt, sondern in gewissem Sinne ein Gegenüber zu ihr entsteht.
Die πρεσβύτεροι werden bereits bezahlt (1 Tim 5,17)[81] und genießen eine beschränkte Immunität (1 Tim 5,19)[82]. Die Hauptaufgaben
sind analog zu denen des ἐπίσκοπος das Lehren und Leiten der
Gemeinde (1 Tim 5,17). In ethischer Hinsicht gilt für sie ebenfalls dasselbe wie für den ἐπίσκοπος: sie sollen in der Erfüllung
der täglichen Pflichten vorbildlich sein (Tit 1,6). Der Presbyter-
titel dürfte für die Gemeinden der Past der geläufigere sein, da
der ἐπίσκοπος nur in den Episkopenspiegeln genannt wird.

---

79 Der Vorschlag von JEREMIAS, Datierung 314, πρεσβυτέριον (vgl.
   1 Tim 4,14) mit "Ältestenwürde" zu übersetzen und die πρεσβύτεροι der Past als Altersbezeichnung anzunehmen,ist wohl aus
   dem Bestreben heraus zu erklären, Argumente gegen die Echtheit
   der Past beiseite zu schieben; dagegen DIBELIUS-CONZELMANN,
   Past 61.99; BROX, Past 150; TRUMMER, Paulustradition 216.
80 Daß es sich hier um keinen Bußritus handelt, hat ADLER, Handauflegung, aufgezeigt; ebenso BROX, Past 201f; TRUMMER, Paulustradition 159f; v.LIPS, Glaube 177; anders BARTSCH, Anfänge
   101.
81 Die Interpretation von διπλῆς τιμῆς im Sinne einer materiellen
   Entschädigung wird allgemein anerkannt: DIBELIUS-CONZELMANN,
   Past 61; JEREMIAS, Past 41; BROX, Past 149; TRUMMER, Paulustradition 224; BARTSCH, Anfänge 93: Die Maßeinheit ist das
   Gehalt der Witwe (vgl. 1 Tim 5,3).
82 BARTSCH, Anfänge 100, meint, der Rat in 1 Tim 5,19 entspreche
   der ursprünglichen Immunität des Vorstehers, die durch den
   Zusatz "außer wenn zwei oder drei Zeugen sie bekräftigen" zu
   einem erfüllbaren Verbot erweicht wird.

διάκονοι (1 Tim 3,8.12)

Bei der inhaltlichen Bestimmung dieser Bezeichnung besteht zunächst die Schwierigkeit, daß die Herleitung dieses Amtes aus der nichtchristlichen Umwelt unklar ist[83]. Innerhalb des NT steht ein und derselbe Ausdruck (abgesehen von anderen Bedeutungen, die jedoch für das Verständnis unseres Textes unerheblich sind) einerseits ganz allgemein für den Dienst an der Gemeinde (1 Kor 3,5; Kol 1,25), andererseits beginnt sich auch eine ganz bestimmte Funktion zu entwickeln (Phil 1,1; 1 Tim 3,8.12), die jedoch nicht näher beschrieben wird.

Auch Timotheus wird διάκονος genannt (1 Thess 3,2[84]; 1 Tim 4,6), wobei diese Bezeichnung jedoch nicht als Amtstitel zu verstehen ist; sie ist vielmehr als rein theologische Aussage zu werten, denn es soll damit die Beziehung zu Gott (1 Thess 3,2) beziehungsweise zu Jesus (1 Tim 4,6) zum Ausdruck kommen; zudem ist es unwahrscheinlich, daß Timotheus selbst im amtlichen Sinne διάκονος genannt wird, wo ihm doch die Oberaufsicht über die übrigen Amtsträger zukommt[85].

---

83 BEYER, διάκονος 91:"...eine Entsprechung, die einfach hätte nachgebildet werden können, gibt es nicht, weder in der jüdischen noch in der heidnischen Welt." Als Vorbild wird eventuell das zweifache Synagogenamt des ἀρχισυνάγωγος und des ὑπηρέτης angenommen (91); vgl. dazu auch WEISER, διακονέω κτλ. 726-732. Im vorchristlichen Griechisch begegnet der διάκονος im profanen Bereich als ein bei Tisch Aufwartender, als Bote, Diener, Hausverwalter, Untersteuermann, Bäcker, Koch, Weinhändler, Staatsmann und auch in der femininen Bedeutung als Dienerin; aber auch bei Zusammenkünften sakraler Art sind im Heidnischen διάκονοι belegt; vgl. BEYER, διάκονος 91; weiters DIBELIUS, Bischöfe 414f; HAINZ, Anfänge 95.
84 An dieser Stelle handelt es sich allerdings um eine sekundäre, wenn auch recht gut bezeugte Lesart.
85 Aufgrund der Tatsache, daß Timotheus selbst διάκονος Χριστοῦ Ἰησοῦ genannt wird (1 Tim 4,6), schließt TRUMMER, Paulustradition 216, daß sich in den Past nicht eindeutig eine untergeordnete Funktion der Diakone ausmachen läßt. Das würde jedoch voraussetzen, daß διάκονος an dieser Stelle Amtstitel ist, was aus eben angeführten Gründen unwahrscheinlich ist (so auch BEYER, διάκονος 89; ROLOFF, Apostolat 252).

40

Ebenfalls keine spezifischen Amtsbezeichnungen liegen bei der
Verwendung des Begriffes διάκονος in Eph 6,21; Kol 4,7 (Tychikus)
und Kol 1,7 (Epaphras) vor. Röm 16,1 wird Phöbe "Dienerin der
Gemeinde in Kenchreä" genannt. Welche Aufgabe sie jedoch hatte,
ist nicht ersichtlich[86].

Der für das Diakonenamt oft zitierte Text Apg 6,1-7 ist nur bedingt für eine Bestimmung der Funktion der Diakone heranzuziehen,
da die Sieben, die den Dienst an den Tischen verrichten sollen,
nie Diakone genannt werden und zudem in den folgenden Abschnitten
der Apg andere Aufgaben versehen[87].

Aus den Past (und aus der flüchtigen Erwähnung Phil 1,1) läßt sich
schließen, daß die διάκονοι eine dem ἐπίσκοπος zu- und untergeordnete Stellung innehatten: sie werden stets nachgenannt und
nur in Verbindung mit dem ἐπίσκοπος angeführt, nie aber im Zusammenhang mit den πρεσβύτεροι erwähnt[88]. Eine (durch Apg 6,1-7
nahegelegte) Aufgabenverteilung ἐπίσκοπος - Dienst am Wort und
διάκονοι - organisatorische Funktionen, ist aus den Past nicht ab-
zuleiten, da sowohl αἰσχροκερδής (Tit 1,7) als auch ἀφιλάργυρος
(1 Tim 3,3), Eigenschaften, die auf finanzielle Verwaltungsaufga-
ben hinweisen, auch vom ἐπίσκοπος ausgesagt werden. Auffällig
ist freilich, daß die Verkündigungsaufgabe bei den διάκονοι im
Gegensatz zum ἐπίσκοπος (1 Tim 3,2; Tit 1,9) fehlt. Nachweisen
läßt sich daraus das Fehlen der autoritativen Verkündigung bei

86 LOHFINK, Diakone 390, hält es für eine spezifische Amtsbezeichnung; SCHRAGE, Frau 142, lehnt dagegen die Annahme einer
   Leitungsfunktion ab, da Paulus Phöbe als eigenen "Beistand"
   bezeichnet.
87 MARTIN, Dienst III 35, weigert sich deshalb zurecht, in der
   Einsetzung der Sieben den Ursprung des Diakonats zu sehen, da
   einige von ihnen in der Folgezeit Tätigkeiten ausübten, die
   sonst für die Apostel charakteristisch sind (vgl. Apg 6,8-
   7,53; 8,4-13.26-40; 21,8). SCHNACKENBURG, Lukas 236f, nimmt
   an, daß die Sieben eigentlich die Leitung der hellenistischen
   Gemeinde unter den Jerusalemer Christen übernahmen.
88 BARTSCH, Anfänge 91, versucht aus nachbiblischer christlicher
   Literatur das Verhältnis ἐπίσκοπος-διάκονοι zu bestimmen:"Der
   Diakon in den Past ist der mögliche Bischof. Das ist die Folgerung, die wir zumindest für das Verständnis der Past im 2.
   und 3. Jh. ziehen dürfen." Anders NAUCK, Probleme 465:"In
   1 Tim 3,13 verbieten die (zu βαθμὸν ἑαυτοῖς καλὸν) parallelen
   Worte καὶ πολλὴν παρρησίαν, die in der Apostol.K.O.(= Const Ap)
   folgerichtig ausgelassen werden, an eine Beförderung der Diakone zu Bischöfen zu denken."

den Diakonen allerdings nicht, da die Aufzählungen in den Episkopenspiegeln keine Vollständigkeit der geforderten Qualifikationen
anstreben (das ergibt ein Vergleich der beiden Eignungskataloge)
und zudem keine für den jeweiligen Personenkreis spezifischen
Kriterien nennen wollen (vgl. ὡσαύτως 1 Tim 3,8.11)[89]. Das Amt
des Diakons scheint mit einer größeren Verantwortung verbunden
gewesen zu sein, da auf eine vorhergehende Erprobung Wert gelegt
wurde (1 Tim 3,10)[90]. Auch für sie gilt, was von den übrigen Amtsträgern in den Past gefordert wird: daß sie ein einwandfreies
Familienleben zu führen haben (1 Tim 3,8-12).

Strittig ist, ob es sich in den Past um hierarchisch ausgeprägte
Ämter handelt. Die Annahme, es gehe hier um einen monarchischen Episkopat, wird nur selten vertreten[91], doch wird gelegentlich an der Auffassung, es finde sich in den Past eine Vorform
dazu, festgehalten[92].

Daß die διάκονοι dem ἐπίσκοπος untergeordnet waren, wurde bereits
festgestellt[93]; es kann jedoch gezeigt werden, daß die Ausdrücke ἐπίσκοπος und πρεσβύτεροι synonym verwendet werden:
Obwohl in 1 Tim sonst immer, wenn von Gemeindeleitern die Rede

89 Auch DIBELIUS-CONZELMANN, Past 45, treten dafür ein, daß das
   Lehren nicht unbedingt als besonderer Dienst ausschließlich
   dem ἐπίσκοπος zukomme.
90 BROX, Past 152, schließt daraus eine Einführung in Form einer
   Ordination.
91 So v.CAMPENHAUSEN, Amt 117; gegen einen monarchischen Episkopat in den Past: DIBELIUS-CONZELMANN, Past 46; BROX, Past 149;
   DUPONT, Paulus 101; TRUMMER, Paulustradition 215; LOHSE, Episkopos 231; KNOCH, Testamente 50; ROHDE, ἐπίσκοπος 91 u.a.
92 SAND, Koordinierung 227, hält es offen:"Von den Episkopen...
   wird gesagt, daß sie entweder zugleich auch Presbyteroi oder
   aber aus dem Kreis dieser Gruppe genommen sind. Doch nichts
   weist darauf hin, daß sie einen höheren Rang, eine höhere
   Stellung als diese haben." BROX, Probleme 91, sieht wegen
   1 Tim 5,17 die Möglichkeit,"daß alle Bischöfe zwar Presbyter,
   aber nicht alle Presbyter Bischöfe sind." Beginnende hierarchische Amtsentwicklung nehmen auch GEWIESS, Grundlagen 165;
   PRAST, Presbyter 387-416; v.LIPS, Glaube 114; SPICQ, Past 455,
   an.
93 Diese Zuordnung drückt sich auch in älteren Kirchenordnungen
   aus; so beispielsweise eine aus Ägypten stammende Ordnung
   (3,1-3): 1.Episcopus diaconum constituat, postquam, secundum
   ea, quae supra diximus, electus est; episcopus manus suas

ist, die Ausdrücke πρεσβύτεροι oder πρεσβυτέριον (vgl. 4,14;
5,17.19) verwendet werden, scheinen die πρεσβύτεροι im Episkopenspiegel nicht auf. Sie müßten dort jedoch eigens erwähnt sein,
sollten sie als ein vom ἐπίσκοπος gesondertes Gremium unterschieden werden. Deutlich wird die Gleichsetzung auch durch den Episkopenspiegel in Tit nahegelegt, in dem zuerst die πρεσβύτεροι eingeführt werden (1,5) und dann unvermittelt auf den Begriff ἐπίσκοπος übergegangen wird (V 7). Die Partikel γάρ verbindet die
Qualifikationen der πρεσβύτεροι eng mit denen des ἐπίσκοπος. Sowohl vom ἐπίσκοπος als auch von den πρεσβύτεροι wird ausgesagt,
daß ihre Aufgabe das Vorstehen (προστῆναι: vgl. 1 Tim 3,5; 5,17)
ist[94].

Für die Annahme, daß ein einzelner ἐπίσκοπος einem Kreis von Presbytern übergeordnet sei, könnte die Tatsache sprechen, daß die
πρεσβύτεροι stets im Plural stehen (1 Tim 5,17; Tit 1,7; der Singular 1 Tim 5,19 ist durch den Kontext - vgl. V 17 - relativiert), während vom ἐπίσκοπος immer im Singular die Rede ist
(1 Tim 3,2; Tit 1,7). Doch läßt sich das sowohl durch die Verwendung eines vorliegenden Textes[95] als auch durch das jeweils vor-
gegebene εἴ τις (vgl. 1 Tim 3,1; Tit 1,6: an dieser Stelle be-

---

(solus) capiti eius imponat. 2.Quamobrem diximus episcopum so-
lum manus suas diacono imponere debere ? Haec est causa: ordi-
netur non ad sacerdotium, sed ad ministerium episcopi, ut
faciat, quae ei praecipiuntur. 3.Porro non constituitur, ut
consiliarius clèri universi sit, sed ut aegrotis provideat et
episcopo de eis referat. Vgl. FUNK, Didaskalia II 103.
94 Vgl. DIBELIUS-CONZELMANN, Past 46.
95 So BROX, Past 148; ebenso DIBELIUS-CONZELMANN, Past 46, wo
auch noch andere Lösungsvorschläge gemacht werden: Die Episkopenspiegel könnten durch Interpolation entstanden sein oder
der Singular ἐπίσκοπος ist ebenso wie der Singular πρεσβύτερος 1 Tim 5,1 generisch zu verstehen, denn auch dort folgen
Wörter im Plural (so beispielsweise auch TRUMMER, Paulustradition 216); überdies gebe es auch in der Umwelt eine Ver-
mischung administrativer und patriarchalischer Organisation.
Die Interpolationshypothese wird im allgemeinen abgelehnt:
so z.B. von BARTSCH, Anfänge 83f, der eher auf vorgeformtes
Gut rekurriert. Gegen eine nachträgliche Interpolation spricht
auch, daß sich die Episkopenspiegel gut in den übrigen Sprachgebrauch der Past einfügen.

dingt dies bereits die singularischen Qualifikationen für die
πρεσβύτεροι !) hinlänglich erklären[96].

Auch 1 Tim 5,17 spricht nicht unbedingt gegen die völlig synonyme
Verwendung von ἐπίσκοπος und πρεσβύτεροι. Aus der Wendung μάλιστα
οἱ κοπιῶντες ἐν λόγῳ καὶ διδασκαλίᾳ muß nicht geschlossen werden, daß es - im Unterschied zum ἐπίσκοπος, der auf alle Fälle
die Verkündigungsfunktion innehatte (1 Tim 3,2; Tit 1,9) - Presbyter gab, die nicht verkündeten: die Betonung muß nicht auf ἐν
λόγῳ καὶ διδασκαλίᾳ, sondern kann durchaus auch auf κοπιῶντες
liegen (vgl. die Verwendung von κοπιάω 2 Tim 2,6): das legt
außerdem die parellele Aussage καλῶς προεστῶτες nahe, wo die
Betonung wohl auf καλῶς liegt.
Die in den Past begegnende Ämterbezeichnung wird allgemein auf
das Zusammenfließen jüdischer und griechischer Ämtertraditionen
zurückgeführt[97], wobei allerdings mit zu berücksichtigen ist, daß
Judentum und Hellenismus in dieser Zeit einander längst nicht
mehr fremd gewesen sind[98].

## γυναῖκες (1 Tim 3,11)

Zu den Amtsbezeichnungen werden von manchen Exegeten auch "die
Frauen" gezählt. Deshalb ist hier auf diesen Personenkreis näher
einzugehen.
Bei den γυναῖκες stellt sich die Frage, wer eigentlich mit dieser
Bezeichnung gemeint ist. Die Annahme, es handle sich um allgemeine Tugendaufzählungen für Frauen[99] ist unhaltbar, da diese im
Kontext ein Fremdkörper wären. Es bleiben die Möglichkeiten, daß
es sich entweder um weibliche Amtsträger, also Diakonissen, handle oder um die Frauen der zuvor (V 8) genannten Diakone.

---

96 Vgl. WIKENHAUSER-SCHMID, Einleitung 531.
97 v.CAMPENHAUSEN, Amt 117; BROX, Past 151; TRUMMER, Paulustradition 215.
98 Vgl. dazu HENGEL, Judentum 565, der eine erste Begegnung
zwischen Judentum und Hellenismus bereits im 3.Jh.v.Chr. annimmt und so eine scharfe Trennung zur Zeit des NT ablehnt.
99 So SAND, Koordinierung 231.

Für beide Annahmen lassen sich Argumente beibringen. Für die Bedeutung "Diakonenfrauen" spräche, daß es andernfalls naheläge, die weiblichen Diakone gleich den übrigen Gemeindeverantwortlichen mit einer konkreten Bezeichnung zu benennen. Andererseits ist es verwunderlich, daß in diesem Falle nur die Frauen der Diakone angesprochen werden und die des ἐπίσκοπος stets unerwähnt bleibt[100] (das könnte allerdings durch die auch sonst gegebene exemplarische Aufzählung[101] bedingt sein). Auch das Fehlen eines Possessivpronomens deutet auf weibliche Diakone hin[102]. Aus den angeführten Tugenden läßt sich keine weitere Begründung für die eine oder andere Annahme ableiten, da sie sowohl eine Parallele mit den Eigenschaften des ἐπίσκοπος (νηφάλιος), als auch mit denen der Diakone (σεμνός), aber auch mit den Tugenden der älteren Frauen aufweisen (Tit 2,3: μὴ διάβολος). Eine eindeutige Klärung ist unmöglich, doch spricht die Mehrzahl der Argumente für weibliche Diakone[103].

Nach der Beschreibung der verschiedenen Amtsträger in den Episkopenspiegeln werden nun die übrigen Begriffe und Wendungen in der Reihenfolge ihres Vorkommens (zuerst die in 1 Tim 3,1-13 genannten) erklärt.

V 1 bereitet außer der bereits erörterten Zuordnung von πιστὸς ὁ λόγος[104] keine Schwierigkeit; es bleibt lediglich festzuhalten, daß das Amt des Vorstehers von Gemeindemitgliedern angestrebt werden kann. (Zur Bedeutung der καλὰ ἔργα vgl. SS.143-145.)

---

100 LOHFINK, Diakone 388, nimmt vor allem aus diesem Grund an unserer Stelle weibliche Diakone als feste Institution an; vgl. auch SPICQ, Past 460.
101 Vgl. vor allem die einzelnen Qualifikationsreihen.
102 BROX, Past 154; SPICQ, Past 460.
103 Bei DIBELIUS-CONZELMANN, Past 48, wird die Frage völlig offen⁻ gelassen; BROX, Past 154, und LIPPERT, Leben 34, halten die Annahme eines Diakonissenstandes für wahrscheinlicher; VÖGT-LE, Tugendkataloge 53 Anm.3, sowie OEPKE, γυνή 788, entscheiden sich eindeutig für diese Möglichkeit; SPICQ, Past 460, führt dafür noch weitere Argumente an: aus dem Kontext der Dienste erwarte man eine weitere spezielle "amtliche" Gruppe; ὡσαύτως führt eine neue Kategorie ein; der terminus technicus "Diakonisse" fehle zur Zeit der Abfassung der Past noch. Ähnlich DORNIER, Past 64.
104 Vgl. oben SS.31f.

ἀνεπίλημπτος (1 Tim 3,2)

'Ανεπίλημπτος wird von seiner Wurzel her (λαμβάνω) von dem ausgesagt, der nicht festgehalten und angegriffen werden kann, der
vor allem für seine Feinde unangreifbar ist (Thuc 5,17: τοῖς
ἐχθροῖς ἀνεπίληπτος); das betrifft vor allem die Lebensführung,
durch die einem die Gegner nichts anhaben können (Philo, OpMund
142: ἀνεπιλήπτως ζεῖν; Luc, Piscator 8: καθαρὸς ὑμῖν καὶ ἀνεπίληπτος εὑρίσκωμαι; Dion Hal, AntRom 2,63: γεωργικὸς ἀνὴρ καὶ τὸν
βίον ἀνεπίληπτος), aber nicht nur als veräußerlichte gute Lebensführung, sondern auch als unangreifbare, tadellose Gesinnung
(Philo, SpecLeg 3,24: διανοίᾳ ἀνεπιλήπτῳ). Derjenige, der ἀνεπίληπτος ist, gibt damit dem Gegner keine Handhabe, ihn anzugrei-
fen (Polyb XXX 7,6: διεφύλαξαν ἀνεπιλήπτους ἑαυτούς).
'Ανεπίλημπτος kann auch im Sinn von "perfekt" gebraucht werden
(τέχνη: Philo, OpMund 67; βούλαι: OpMund 75; vgl. dazu auch
Dio Chrys, Or 12,66: hier wird es von der Dichtkunst ausgesagt);
die ἐξουσία kann ἀνεπίληπτος, d.h. uneingeschränkt sein (Dion
Hal, AntRom 2,14) oder das Wort ist ἀνεπιληπτότερος (Plat, Phileb
43), also nicht zu kritisieren.
Die Septuaginta kennt den Ausdruck nicht, auch im NT ist er abgesehen von den Past nicht belegt. 1 Tim 3,2 wird diese Tugend
vom ἐπίσκοπος gefordert, 1 Tim 5,7 von den Witwen. 1 Tim 6,14
wird Timotheus ermahnt, seinen Auftrag tadellos auszuführen,
wörtlich, daß "er sich selbst hinsichtlich seines Auftrages ta-
tadellos und unangreifbar bewahren" soll.
'Ανεπίλημπτος wird in den Past also ausschließlich von Personen
ausgesagt. Betrachtet man den gesamten Kontext der Past, ist es
zu wenig, ἀνεπίλημπτος nur mit "tadellos" oder "ohne Tadel"[105]
zu übersetzen; denn die Past haben ja gerade deshalb so großes
Interesse an einer sauberen Lebensführung, weil die Gemeinde vor
den Außenstehenden und besonders vor den Gegnern hinsichtlich
ihrer Sittlichkeit "unangreifbar" sein soll (vgl. 1 Tim 3,7;
5,7.14 u.a.). Ganz besonders wird dies natürlich von den Amtsträgern gefordert.

---

105 So die Einheitsübersetzung für ἀνεπίλημπτος in 1 Tim 3,2.

46

Die zentrale Stellung dieses Adjektivs am Beginn des Episkopenspiegels (1 Tim 3,2) sowie die recht allgemeine Bedeutung des
Wortes (vgl. auch die allgemeinen Tugenden an den Anfängen der
übrigen Eignungskataloge) zeigen an, daß alle folgenden Kriterien
für den Amtsträger Konkretisierungen des ἀνεπίλημπτος sind. Der
ἐπίσκοπος soll also im Sinne der auch im profanen Griechisch
belegten Wortbedeutung von ἀνεπίλημπτος durch seine Lebensführung
für alle unangreifbar, über jede Kritik hinsichtlich seiner
sittlichen Qualitäten erhaben sein[106].

μιᾶς γυναικὸς ἀνήρ (1 Tim 3,2.12; Tit 1,6)

Für diese Wortgruppe finden sich keine außerbiblischen Parallelen,
die zur Klärung ihrer Bedeutung beitragen könnten[107]. In der
Fachliteratur finden sich drei verschiedene Deutungsmöglichkei-
ten[108]:
J.JEREMIAS interpretiert μιᾶς γυναικὸς ἀνήρ als Verbot einer
sukzessiven Vielehe in der Form der Wiederverheiratung Geschie-
dener[109]. Dafür bietet der Text jedoch keinerlei Anhaltspunkte[110].
Gemäß einer alten kirchlichen Tradition wird auch gelegentlich
die Auffassung vertreten, es handle sich um das Verbot, nach dem
Tod des Ehegatten nicht wieder zu heiraten (vgl. 1 Kor 7,40)[111].
Doch stößt auch diese Deutung auf Schwierigkeiten: Erstens gilt

---

106 Zum ganzen vgl. auch DELLING, ἀνεπίλημπτος 9f.
107 DODD, μιᾶς γυναικὸς ἀνήρ 114:"There is, so far as I know, no
    parallel to the phrase μιᾶς γυναικὸς ἀνήρ which would enable
    us to say with confidence whether its converse would be
    simultaneous polygamy or successive marriages !"
108 Vgl. die Zusammenstellung der Problematik in den Kommentaren
    von DIBELIUS-CONZELMANN, Past 42f, und BROX, Past 142f.
109 JEREMIAS, Past 24; vgl. auch SCHRAGE, Frau 173.
110 Vgl. BROX, Past 142.
111 So z.B. VAWTER, Divorce 538:"All that these texts need say is
    that for some determined classes within the church it was
    deemed improper that there be a second marriage,..." BARTSCH,
    Anfänge 129, weist darauf hin, daß diese Auslegung erst seit
    Tertullian (ad uxorem 1,7 und de monogamia) vertreten wird.
    Zur Wirkungsgeschichte dieser Wendung vgl. SCHULZE, Bischof
    287-300.

eine analoge Forderung auch für die Aufnahme in den Witwenstand
(1 Tim 5,9: ἑνὸς ἀνδρὸς γυνή), und zwar für die Witwen, die älter
als sechzig Jahre alt sind (V 9), während jüngeren Witwen die
Wiederheirat geradezu befohlen wird (V 14). Wollte der Verfasser
der Past dem paulinischen Rat entsprechend (1 Kor 7,40) von einer
Wiederheirat abraten, wäre die Anordnung bezüglich der jüngeren
Witwen unverständlich. Zweitens begegnen wir in den Past im
Gegensatz zur Häresie (vgl. 1 Tim 4,3) einer ehefreundlichen Einstellung (vgl. 1 Tim 5,14; Tit 2,4), die sich ebenfalls mit dem
Verbot einer Wiederheirat nur schwer verträgt. Drittens steht
μιᾶς γυναικὸς ἀνήρ in den Episkopenspiegeln in einer Reihe mit
keineswegs außergewöhnlichen Tugenden; es finden sich keine
ethischen Sonderforderungen an die Amtsträger, sodaß gerade auch
von daher diese zweite Deutungsmöglichkeit als unwahrscheinlich
gelten muß.

Die meisten Exegeten entscheiden sich dafür, in μιᾶς γυναικὸς
ἀνήρ einfach das Verbot der Vielehe ausgedrückt zu sehen[112], was
als weitaus wahrscheinlichste und unkomplizierteste Lösung erscheint. Diese Deutung wird auch durch die Apostolischen Konsti-
tutionen gestützt, die der Forderung an den Mann, μιᾶς γυναικὸς
ἀνήρ zu sein, für die Frau μονογάμου hinzufügen (Const Ap II 2,2).
Die Wendung hat innerhalb der Episkopenspiegel einen besonderen
Stellenwert: sie stammt nicht aus den Tugendkatalogen der Umwelt;
obwohl die einzelnen Qualifikationsreihen nur exemplarische
Aufzählungen sind, kommt μιᾶς γυναικὸς ἀνήρ besonders häufig vor
(1 Tim 3,2.12; Tit 1,6; vgl. 1 Tim 5,9); es fällt weiters aus der

---

112 BARTSCH, Anfänge 130; TRUMMER, Einehe 483; WEIDINGER, Haustafeln 68; BROX, Past 142; SCHIERSE, Kennzeichen 82 Anm.3;
v.CAMPENHAUSEN, Askese 153; LYONNET, Unius uxoris vir 3-10;
MICHEL, Grundfragen 95. JEREMIAS, Past 24, führt gegen diese
Deutung an, daß μιᾶς γυναικὸς ἀνήρ zu sein auch von den älteren Witwen gefordert wird (1 Tim 5,9), was unmöglich eine
Absage an Polyandrie bedeuten könne, da diese in den damaligen Verhältnissen undenkbar gewesen sei. Anders allerdings
STRACK-BILLERBECK, Kommentar III 648:"Eine Polyandrie im eigentlichen Sinne...gab es in Israel nicht...Wohl aber hatte
die junge Kirche von ihrem Standpunkt aus ein gutes Recht,
eine verschleierte Polyandrie in dem Falle als vorliegend anzunehmen, wenn eine aus nichtigen Gründen, aber nach jüdischer Anschauung rechtmäßig geschiedene Frau alsbald eine
neue Ehe einging, um nach kurzer Zeit eine abermalige Schei-

adjektivischen Reihe der Aufzählungen heraus: all das deutet
darauf hin, daß diese Forderung dem Verfasser der Past besonders
wichtig erschien, nämlich eine vorbildliche Einehe zu führen.

νηφάλιος (1 Tim 3,2.11)

Nηφάλιος begegnet in den ältesten Belegen im kultischen Bereich
im Sinne von "keinen Wein enthaltend", und zwar von kultischen
Opfermaterien (Aesch, Eum 107; IG III 77,15.18; Apoll Rhod
4,712; Plut, QuaestConv 4,6). Besonders häufig wird es bei Philo
verwendet: als Substantiv τὸ νηφάλιον als das Nüchterne oder die
Nüchternheit (Sobr 2; Ebr 123; Abr 260 u.a.); durch νηφάλιος
werden bei ihm auch religiöse Rauschzustände positiv gewertet
(νηφάλιος μέθη: OpMund 71; LegAll 3,82; VitMos 1,187; OmnProbLib
13 u.a.), wobei aber gerade in diesen Zusammenhängen das Verbum
νήφειν auch von der geistigen Nüchternheit gebraucht werden kann
(LegAll 3,210: νηφούσα διάνοια). Das Adjektiv wird nur vereinzelt
bei Personen verwendet; vor allem wird so die kultische Nüchternheit des alttestamentlichen Hohenpriesters bezeichnet (Philo,
SpecLeg 1,100; 4,191; Jos, Ant 3,279). In nachbiblischer Zeit
wird νηφάλιος dann öfter von Personen ausgesagt, und zwar im
Sinne ihrer geistigen Nüchternheit, ihres nüchternen Urteils
(Max Tyr, Philosophumena 3,3; Agathias, Hist 2,3).
Außerhalb der Past findet sich νηφάλιος selbst zwar nicht, doch
ist für unseren Zusammenhang die Beobachtung wichtig, daß sowohl
bei Paulus (1 Thess 5,6.8) als auch in 1 Petr (1,13; 4,7; 5,8)
das Verbum νήφειν als Aufforderung stets im Zusammenhang mit dem
Hereinbrechen des Eschatons steht; dies scheint auch in den Texten der Past mitzuschwingen, die bewußt in paulinischer Tradition
stehen; νηφάλιος ist demnach mehr als eine "bürgerliche" Tugend,
die durch eine verblassende Naherwartung bedingt ist !
Vom Kontext her spricht einiges dagegen, bei der Verwendung von
νηφάλιος in den Past ein kultisches Wort zu sehen[113], zumal

---

dung und Wiederverheiratung zum zweiten und dritten und
vierten Mal zu erleben."
113 Gegen BAUERNFEIND, νηφάλιος 940, der darin ein kultisches
Wort sieht, bei dem es sich "um die für den heiligen Dienst
notwendige Klarheit und Selbstbeherrschung handelt."

49

1 Tim 3,2 nicht vom alttestamentlichen ἱερεύς, sondern vom
ἐπίσκοπος die Rede ist, für den zumindest explizit in den Past
keine Kulthandlungen nachweisbar sind; zudem wird diese Tugend
auch von Frauen gefordert (1 Tim 3,11; Tit 2,2), für die kultische Funktionen noch viel unwahrscheinlicher sind als für den
ἐπίσκοπος. Wegen der relativ häufigen Verwendung von Wörtern
des Stammes νηφ- (1 Tim 3,2.11; 2 Tim 4,5; Tit 2,2) in den Past
(im Gegensatz zu den Tugendkatalogen der Umwelt) ist anzunehmen,
daß dem Verfasser an dieser Tugend besonders gelegen ist - offensichtlich in bewußtem Gegensatz zum Schwärmertum der Irrlehrer.
Auffällig ist auch, daß gerade die Frauen, die sehr anfällig für
die Häresien waren (vgl. 1 Tim 5,11-15; 2 Tim 3,6f), zu dieser
Tugend angehalten werden.
Infolge des in V 3 folgenden μὴ πάροινος und der engen Verbindung
mit σώφρων wird mit νηφάλιος weniger auf die Nüchternheit im
wörtlichen Sinne Bezug genommen sein[114], sondern auf das geistig
klare und nüchterne Urteil des Amtsträgers.

σώφρων (1 Tim 3,2; Tit 1,8)

Bereits bei Homer begegnet σώφρων im Sinne von "vernünftig, bescheiden" (Od 4,158; Il 21,462: σαόφρων); gelegentlich hat es die
Bedeutung "keusch" (Eur, IphAul 1159; Plat, Leg 4,784e u.a.)[115].
Bei Plato ist derjenige σώφρων, der gemäßigte Begierden hat: ὁ
μετρίας ἐπιθυμίας ἔχων (Plat, Def 415d). Aristoteles bestimmt
den Weisen als denjenigen, der zur rechten Zeit weiß, wie und
wonach er verlangen soll: ἐπιθυμεῖ ὁ σώφρων ὧν δεῖ καὶ ὡς δεῖ καὶ
ὅτε (Aristot, EthNic III 12 /1119ᵇ16/).

---

114 BROX, Past 143, will die Nüchternheit im wörtlichen Sinn verstanden wissen. Anders JEREMIAS, Past 24. Dazu VÖGTLE, Tugendkataloge 241:"Wegen des literarischen Charakters solcher Aufzählungen wird das Adjektiv, das als solches in Lasterkatalogen sonst nicht zu belegen ist, trotz des nachfolgenden
πάροινος (1 Tim) im eigentlichen Sinne verstanden werden können,...wenngleich speziell 1 Tim 3,2 wohl vorwiegend auf geistige Nüchternheit abgehoben sein dürfte."
115 Vgl. die genauen Bedeutungsunterschiede bei LUCK, σώφρων
1094f.

Häufig sind die Verbindungen von σώφρων mit κόσμιος wie in 1 Tim
3,2 (Lys 21,19; Luc, Bis accusatus 17; IG IV[1] 84,27; Plat, Leg
7,802e u.a.) und mit δίκαιος wie in Tit 1,8 (Aristeasbrief 125
und als eine der Kardinaltugenden erstmals bei Aesch, SeptcTheb
598: σώφρων δίκαιος ἀγαθὸς εὐσεβὴς ἀνήρ). Plat, Gorg 508 ist die
σωφροσύνη sowohl mit κοσμιότης als auch mit δικαιότης parallel
gesetzt.
Σώφρων ist oftmals in den Regentenspiegeln und den Berufspflichtenlehren der hellenistischen Literatur zu belegen (Muson p.34,12.
14; 35,6 u.a.[116]; Philo, VitMos 1,154; Onosander, de imperatoris
officio 1,1; Soranus, Gynaecia 4 p.174,19).
In der Septuaginta wird das Wort nur in dem apokryphen 4 Makk
verwendet: entsprechend dem Vorkommen in der hellenistischen Umwelt parallel mit δίκαιος (2,23; 15,10); während bei Plato und
Aristoteles σώφρων eher im Sinne der vernünftigen und gemäßigten
Lebensweisheit verstanden wurde, so tritt hier das rationale
Element sowohl durch die Verbindung mit νοῦς (1,35; 2,16.18;
3,17), als auch durch die Verwendung zur näheren Beschreibung
des λογισμός (3,19) hervor; σώφρων kann in 4 Makk sowohl Attribut eines Menschen (2,2: Josef) als auch der βασιλεία (2,23)
sein.
Im NT begegnet σώφρων nur in den Past[117], hier aber mit den wur-
zelverwandten Wörtern sehr oft: σώφρων selbst wird vom ἐπίσκοπος
als Tugend verlangt (1 Tim 3,2; Tit 1,8), weiters sowohl von den
jungen (Tit 2,5) als auch von den alten Frauen (Tit 2,2); als Ad-
verb gilt es neben δικαίως und εὐσεβῶς Tit 2,12 als eine durch
die Gnade Gottes geschenkte Tugend; das Substantiv σωφροσύνη findet sich 1 Tim 2,9.15; das Verbum σωφρονίζειν begegnet Tit 2,4.
Durch die nähere Bestimmung von σωφρονίζειν Tit 2,4 (τὰς νέας
φιλάνδρους εἶναι, φιλοτέκνους...), weiters wegen der Verbindung
mit ἐπιθυμία (Tit 2,21; vgl. Plat, Def 415d) und schließlich aus
dem näheren Kontext in den Episkopenspiegeln heraus wird man

---

116 Da es bei verschiedenen Schriften keine oder nur ungenügende
    Kapitel- und Verseinteilungen gibt, werden sie der besseren
    Verifizierbarkeit wegen mit der Seiten- und Zeilenzahl der
    im Quellenverzeichnis ausgewiesenen Ausgabe angegeben; dies
    wird jeweils durch p. angezeigt.
117 Paulus gebraucht σωφρονεῖν Röm 12,3; 2 Kor 5,13. (Vgl. auch
    die Verbindung von σωφρονεῖν und νήφειν 1 Petr 4,7.)

51

σώφρων hier weniger im Sinne eines reichhaltigen Wissens, sondern
eher als besonnene Lebensweisheit (vgl. Aristot) zu interpretieren haben[118].

κόσμιος (1 Tim 3,2)

Die Grundbedeutung von κόσμιος ist "ordentlich, in Ordnung". Das
kann beispielsweise von der Wohnung (οἴκησις: Plat, Critias 112c)
ausgesagt werden, aber bereits in der Verbindung mit δαπάνη
(Aufwand, Geldmittel) wird eine Konkretisierung in Richtung maß-
voller Ordentlichkeit sichtbar (Plat, Resp 8,560d). Weiters findet es sich als Redewendung (κόσμιόν ἐστι: z.B. Aristoph, Pl
565).

Von Menschen wird es zunächst in einer tiefen philosophischen
Bedeutung bei Plato ausgesagt: θείῳ δὴ καὶ κοσμίῳ ὅ γε φιλόσοφος
ὁμιλῶν κόσμιός τε καὶ θεῖος εἰς τὸ δυνατὸν ἀνθρώπῳ γίγνεται (Resp
6,500c/d). Es wird häufig parallel zu σώφρων gesetzt[119]. Κόσμιος
bezeichnet einerseits eine sittliche Qualität im Sinne einer maß-
vollen Ordentlichkeit[120] (vgl. Ditt Or 485,3: ἄνδρα...καὶ ἤθει
καὶ ἀγωγῇ κόσμιος), dient aber auch als Ausdruck einer ästheti-
schen Ordnung (Muson p.86,3; Epict. Diss IV 9,17; Plut, Amat 767E).
Κόσμιος gehört zu den Tugenden der hellenistischen Berufspflichtenlehren (Soranus, Gynaecia 3 p.172,23).
Der biblische Gebrauch beschränkt sich auf die Past, in denen
diese Tugend vom ἐπίσκοπος (1 Tim 3,2) und von den Frauen (1 Tim
2,9) verlangt wird. Im Episkopenspiegel ist damit wohl eine maß-
volle geordnete Lebensführung gemeint[121]. Diese Bedeutung wird
durch die Verbindung mit σώφρων nahegelegt.

---

118 Vgl. zum ganzen LUCK, σώφρων 1100f, der sich zurecht dagegen
    wehrt, im Einströmen dieser Wortgruppe in das NT eine nega-
    tiv verstandene "Bürgerlichkeit" zu sehen.
119 Siehe unter σώφρων.
120 Dazu SASSE, κόσμιος 896f:"Stets haftet am Begriff der κοσμιό-
    της die Idee der Beherrschung des Körpers, seiner Bewegungen
    und seiner Triebe,..."
121 ebda. 897:"Die Tugend, die an diesen Stellen vom Bischof und
    von den christlichen Frauen gefordert wird, ist keine spe-
    zifisch christliche, sondern jene κοσμιότης, die wir bereits
    im klassischen Griechentum, dann aber auch in der populären
    Ethik...finden."

φιλόξενος (1 Tim 3,2; Tit 1,8)

Aus φιλεῖν und ξένος zusammengesetzt, bedeutet das Wort in jedem
Fall "gastfreundlich". Die Gastfreundschaft galt den Griechen als
heilige Pflicht[122]. So parallelisiert schon Homer diese Tugend
mit der Gottesfurcht (Od 6,121; 8,576: φιλόξεινοι καί σφιν νόος
ἐστὶ θεουδής). Bei Philo wird die Gastfreundschaft Abrahams als
eine Tugend charakterisiert, die allerdings der θεοσέβεια untergeordnet ist (Philo, Abr 114). Als Eigenschaft von Menschen findet
sich φιλόξενος bei Pindar (Pind, Olymp 3,1; Nem 1,20), bei Xenophon (Xenoph, HistGraec VI 1,3: φιλόξενος καὶ μεγαλοπρεπής) und
bei Epiktet (Epict, Diss I 28,23). An der letztgenannten Stelle
wird φιλόξενος und κόσμιος in einer Tugendreihe wie 1 Tim 3,2
genannt. Auch eine Stadt kann φιλόξενος sein (Jos,Vit 142).
Im biblischen Sprachgebrauch begegnet das Wort außerhalb der Past
nur 1 Petr 4,9 als Tugend der Christen angesichts des nahen Endes.
Dies ist wiederum ein Beleg dafür, daß das Anführen von Tugendbegriffen nicht automatisch ein Nachlassen der Naherwartung bedeutet. Sachlich findet sich φιλόξενος auch bei Paulus in der
Röm 12,13 geforderten φιλοξενία (vgl. auch Hebr 13,2).
Der Gebrauch in den Past entspricht wie schon bei den vorher
besprochenen Tugenden der Verwendung in der hellenistischen Umwelt. Daß φιλόξενος nur vom ἐπίσκοπος ausgesagt wird (1 Tim 3,2;
Tit 1,8) berechtigt wegen des exemplarischen Charakters der Aufzählungen nicht, die Aufgabe der Diakone im Wanderapostolat zu
sehen[123].

διδακτικός (1 Tim 3,2)

Im profanen Griechisch findet sich διδακτικός eher selten (z.B.
Philodem Philos, Rhetorica 2 p.22,10). Besonders häufig wird es
jedoch von Philo gebraucht. Abraham ist hier Typus des durch Belehrung zur Vollkommenheit gelangenden Weisen (Philo, Congr 35;
MutNom 83.88; PraemPoen 27; Abr 52: ἡ διδακτικὴ ἀρετή)[124].

---

122 Zur Gastfreundschaft vgl. STÄHLIN, ξένος κτλ.16-24.
123 Gegen LEMAIRE, Dienste 725.
124 Vgl. RENGSTORF, διδάσκω κτλ. 168.

Nicht wörtlich, aber dem Inhalt nach begegnet διδακτικός auch in
den Berufspflichtenlehren (Onosander, de imperatoris officio 1,1:
ἱκανὸς λέγειν) und den Regentenspiegeln (Muson p.35,3: γλῶττης
κρατῶν).

Das im biblischen Griechisch außerhalb der Past nirgends vorkom-
mende Adjektiv ist 1 Tim 3,2 im Gegensatz zu den bisher besprochenen Eigenschaften des ἐπίσκοπος wohl keine von allen Christen
geforderte Tugend, sondern spezifisch für das Amt des Gemeindeleiters[125]. Das ergibt sich daraus, daß die Fähigkeit des autoritativen Lehrens in der Gemeinde und gegenüber den Irrlehrern
im jüngeren Tit im Vergleich zur sonstigen Knappheit der Episkopenspiegel relativ breit ausgeführt ist (vgl. Tit 1,9!) und
in 1 Tim 3,2 durch διδακτικός inhaltlich wieder aufgenommen wird.
Zudem wird 2 Tim 2,24 auch von Timotheus gefordert, διδακτικός
zu sein, womit ebenfalls ein Amtsträger angesprochen ist.

μὴ πάροινος (1 Tim 3,3; Tit 1,7)

Πάροινος (aus παρά und οἶνος = beim Wein gebräuchlich) wird auch
außerhalb des NT häufig mit Kraftakten in Verbindung gebracht
(vgl. die Verbindung mit πλήκτης sowohl 1 Tim 3,3 als auch Tit
1,7); bei Lysias (4,8) tritt πάροινος in Verbindung mit ὀξύχειρ
auf; in den Trinkgedichten des Anacreon ist von μάχαι πάροινοι
die Rede (42/40/,13; vgl. weiters Pratinas 1,8). Meist ist es
adjektivisch von Personen gebraucht (Diog L 1,92: οἰκέτης πάροινος; Luc, Tim 55: μέθυσος καὶ πάροινος), es wird jedoch auch
substantivisch verwendet (Menand, Peric 444: τὸ σὸν πάροινον).

Das Wort findet sich in der biblischen Literatur außerhalb der
Episkopenspiegel zwar nicht, doch wird in der Weisheitsliteratur
öfter vor übermäßigem Weingenuß gewarnt[126].

125 So BROX, Past 144; VÖGTLE, Tugendkataloge 53; LIPPERT, Leben
    30. Kommt auch διδακτικός selbst bei Paulus nicht vor, so
    zählt bei ihm das διδάσκειν zu den Charismen, die nicht je-
    dem bereits durch sein Christsein gegeben sind, sondern nur
    manchen geschenkt werden (Röm 12,7).
126 Vgl. S.109.

Die Meidung der Trunksucht scheint dem Verfasser der Past ein
großes Anliegen gewesen zu sein; denn vor ihr wird sowohl in den
Episkopenspiegeln (1 Tim 3,3; Tit 1,7) als auch im Diakonenspiegel gewarnt (1 Tim 3,8; hier allerdings: μὴ οἴνῳ πολλῷ προσέχοντας). Die in beiden Episkopenspiegeln wiederkehrende Verbindung
mit μὴ πλήκτης weist auf deren Ähnlichkeit hin, die trotz aller
Unterschiede besteht.

μὴ πλήκτης (1 Tim 3,3; Tit 1,7)

Πλήκτης kann sowohl im wörtlichen Sinne "rauflustig" (von πλήσσω
abgeleitet) bedeuten als auch "ungestüm". So werden zumeist Menschen, die von Zorn und Raserei erfüllt sind, als πλήκται bezeichnet (Hippocr, Epistulae 19,11: πλήκται καὶ κακοῦργοι καὶ οὐκ
ἠρεμαῖοι; Aristot, EthEud 1221[b]14: πλήκτης καὶ λοιδορητικὸς ταῖς
κολάσεσι ταῖς ἀπὸ τῆς ὀργῆς). Häufig ist auch die Verbindung
mit μάχιμος (z.B. Plut, VitDecOrat 30,11 /Dion/; Philop 9). Aber
nicht nur Menschen, sondern auch der Wein kann πλήκτης genannt
werden (Plut, De tuenda sanitate 19/132/D: πλήκτης γὰρ ὢν καὶ
ὀξύς; ebenso QuaestConv III Problem 6,2/653/F), ja auch von der
Sonne wird πλήκτης im Sinne von "ungestüm" ausgesagt (Plut, Fac
Lun 2/920/C: μᾶλλον ὀξὺν ἀπαντῶτα καὶ πλήκτην).
In den Lasterkatalogen der hellenistischen Umwelt ist πλήκτης
nicht zu belegen[127], ebensowenig in der biblischen Literatur
mit Ausnahme der Episkopenspiegel.
Für die genaue Begriffsbestimmung in unseren Texten sind wir
bloß auf den näheren Kontext angewiesen, der jedoch beide Möglichkeiten offenläßt, πλήκτης sowohl im wörtlichen Sinn von "rauflustig" als auch im etwas abgeschwächten Sinne von "ungestüm,
wild" zu verstehen[128].

---

127 Vgl. VÖGTLE, Tugendkataloge 241.
128 WEIDINGER, Haustafeln 69, will es im wörtlichen Sinn ver-
    standen wissen; BROX, Past 144, sieht hier nicht die Rohheit
    des Schlägers angesprochen, sondern die Unbeherrschtheit
    im allgemeinen.

ἐπιεικής (1 Tim 3,3)

'Επιεικής wird abgeleitet von τό εἰκός, das Schickliche. Bei Homer findet sich das Wort im Sinne dessen, was entsprechend, angemessen ist, so beispielsweise das Grab (τύμβος: Il 23,246) oder
eine Buße (ἀμοιβή: Od 12,382). Auch die Wendung ὡς ἐπιεικές ("wie
es sich schickt"), begegnet bei Homer (Il 19,147; 23,537; Od 8,
389) und auch das neutrale ἐπιεικές im Sinne von "es ist erlaubt"
(Od 2,207: ἐπιεικές ὀπυιέμεν ἐστὶ ἑκάστῳ).
'Επιεικής kann auch bei Dingen das Vernünftige, das Zweckmäßige
bezeichnen (Hdt 2,22: ἡ δὲ τρίτη τῶν ὁδῶν πολλὸν ἐπιεικεστάτη
ἐοῦσα...; vgl. Plat, Leg 1,650b). Auch Aussagen können vernünftig
und angemessen genannt werden (Plat, Tim 67d: λόγος ἐπιεικής;
Ap 34d; Thuc 3,9: πρόφασις ἐπιεικὴς μηδεμία).
Bei Aristoteles ist τὸ ἐπιεικές oftmals das Gütige im Gegensatz
zu τὸ δίκαιον, und zwar wenn man im Sinne des Gesetzgebers das
Gesetz nicht nach dem Buchstaben, sondern seiner Intention nach
interpretiert (Aristot, EthNic V 14[1137[b]11]: gegenüber dem
δίκαιον ist τὸ ἐπιεικές besser; Rhet A 13[1374[a]26]: τὸ γὰρ ἐπιεικὲς δοκεῖ δίκαιον εἶναι, ἔστιν δὲ ἐπιεικὲς τὸ παρὰ τὸν γεγραμ-
μένον νόμον δίκαιον; im gleichen Sinn Hdt 3,53 u.a.).
Als Eigenschaft von Personen kann ἐπιεικής weiters auch "tüch-
tig" meinen (Hdt 1,85; Xenoph, HistGraec I 1,30 u.a.). Es kann
auch die Vornehmen bezeichnen (Aristot, Pol V 7,8[1308[b]27]: λέγω
δ' ἀντικεῖσθαι τοὺς ἐπιεικεῖς τῷ πλήθει, καὶ τοὺς ἀπόρους τοῖς
εὐπόροις).
Meist wird ἐπιεικής jedoch im Sinne von "vernünftig, mild" gebraucht, also im moralischen Sinne (Plat, Symp 210b; Resp 7,538c;
Thuc 8,93; Isoc 1,48; Aristot, Poet 13,2[1452[b]]). In dieser Bedeutung ist es auch in den Tugendkatalogen zu belegen (Philo,
Virt 87.125; Epict, Diss III 20,11), auch in jenen der Regentenspiegel (Dio Chrys, Or 3,41) und der Berufspflichtenlehren
(Onosander, de imperatoris officio 2,2).
Auch in der zeitgenössischen Literatur des NT findet sich ἐπιεικής meist als Eigenschaft von Menschen, die deren Milde ausdrücken soll[129]: bei Flavius Josephus wird es als Tugend des

---

129 Vgl. PREISKER, ἐπιείκεια 585 f.

Königs ausgesagt (Ant 10,83; 15,14.177.182), sowie von Samuel
(Ant 6,92). Bei Philo wird mit ἐπιεικής die Milde des Gesetzgebers Moses zum Ausdruck gebracht (Virt 81.125.140.148; SpecLeg
4,23; LegGaj 119), die Güte Gottes (SpecLeg 1,97) und die Milde
des Herrschers (Som 2,295).

In der Septuaginta ist es vor allem die Milde Gottes als Herr-
scher, die vorwiegend in der jüngeren alttestamentlichen Literatur mit ἐπιεικής bezeichnet wird (Ps 85,5; Weish 12,18; Bar 2,27;
Dan 3,42; 4,24; 2 Makk 2,22), aber auch die Milde des Königs
(Est 3,13; 2 Makk 9,27 u.a.) und die des Elischa (2 Kön 6,3).

Von besonderer Wichtigkeit ist das Vorkommen von τὸ ἐπιεικές Phil
4,5; was wir bereits bezüglich der Verwendung von νήφειν bei
Paulus feststellen konnten, wird auch durch diesen Text bezüglich
ἐπιεικής erhärtet: das Einfließen hellenistischer Tugendbegriffe
bei Paulus ist durchaus mit der eschatologischen Naherwartung
vereinbar, denn es heißt: "Eure Güte (τὸ ἐπιεικές) werde allen
Menschen bekannt. Der Herr ist nahe." Von daher ist es also problematisch, die Häufung der Tugenden in den Past vorschnell als
Ausdruck einer verblassenden Naherwartung zu werten[130].

Bei Paulus findet sich die ἐπιείκεια 2 Kor 10,1 übrigens auch als
Tugend Christi.

Die Bedeutung von ἐπιεικής in 1 Tim 3,3 ist recht eindeutig:
durch den Gegensatz (ἀλλά) zu πλήκτης und durch die Parallelisierung mit ἄμαχος, die auch Tit 3,2 begegnet, wo ἐπιεικής als
Tugend für alle Christen gefordert wird, liegt die Bedeutung
"mild, gütig" nahe. Das wird sowohl durch die Verwendung von
ἐπιεικής in der zeitgenössischen griechischen Literatur bekräf-
tigt als auch durch das sonstige Vorkommen im NT (Jak 3,17 in
Parallele zu εἰρηνικός; 1 Petr 2,18 parallel zu ἀγαθός und im
Gegensatz zu σκολιός).

---

130 Deshalb urteilt PREISKER, ἐπιείκεια 587, durchaus zurecht:
"In 1 Tim 3,3 steht ἐπιεικής wohl in einem übernommenen
hellenistischen Pflichtenschema, aber es handelt sich um den
Bischof der Gemeinde, der mit Autorität ausgerüstet ist und
als Vertreter der Gemeinde in eschatologischer Gewißheit und
aus eschatologischem Besitz heraus handelt; hier ist ἐπιεικής
noch in seiner urchristlichen Belebung zu fassen." Vgl. auch
GIESEN, ἐπιεικής 66f.

57

ἄμαχος (1 Tim 3,3)

"Ἄμαχος (wörtlich "ohne Kampf") kann einmal in der Bedeutung "unbesiegbar" vorkommen: Menschen gelten als unbesiegbar (Hdt 5,3; Aesch, Pers 856: ὁ γηραιὸς πανταρκὴς ἀκάκας ἄμαχος βασιλεὺς ἰσόθεος Δαρεῖος ἄρχε χώρας), insbesondere auch Frauen (Aristoph, Lys 253: γυναῖκες ἄμαχοι; ebda. 1014: οὐδέν ἐστι θηρίον γυναικὸς ἀμαχώτερον); Städte können uneinnehmbar sein (Hdt 1,84: ἀπότομός τε γάρ ἐστι ταύτῃ ἡ ἀκρόπολις καὶ ἄμαχος); Dinge können unwiderstehlich sein (Aesch, Pers 90: ἄμαχον κῦμα θαλάσσας), auch das Schlechte (Pind, Pyth 2,76: κακόν), ebenso Gefühle (Aesch, Ag 733: ἄμαχον ἄλγος οἰκέταις).

"Ἄμαχος kann jedoch auch ausdrücken, daß jemand nicht am Kampf teilnimmt, zunächst bloß als Feststellung (Xenoph, Cyrop IV 1,16; HistGraec IV 4,9), dann aber auch als Tugend im Sinne von "friedfertig, nicht streitsüchtig" (EpigrGraec 387,6: ἄμαχος ἐβίωσα με[τὰ φί]λων κὲ συνγενῶν)[131].
Im biblischen Schrifttum ist ἄμαχος nur 1 Tim 3,3 und Tit 3,2 belegt. Die Opposition zu πλήκτης und die Parallelisierung mit ἐπιεικής (sowohl 1 Tim 3,3 als auch Tit 3,2) und mit μηδένα βλασφημεῖν (Tit 3,2) legen die Bedeutung "friedfertig" nahe.

ἀφιλάργυρος (1 Tim 3,3)

'Αφιλάργυρος (wörtlich "nicht geldliebend") findet sich stets im Sinn von "nicht geldgierig" von Menschen ausgesagt. Besonders in Inschriften ist es häufig zu belegen (Ditt Syll 325,17; 732,25), aber auch bei Diodor (Diod S 9,11: κατὰ δὲ τὴν πρὸς τὸ κέρδος μεγαλοψυχίαν ἀφιλάργυρος), sowie in den Regentenspiegeln (Dio Chrys, Or 1,21; 3,40: οὐ φιλοχρήματος) und Berufspflichtenlehren (Onosander, de imperatoris officio 1,1; Soranus, Gynaecia 4 p.174, 22).
In der Weisheitsliteratur begegnet öfter die Mahnung, sein Herz nicht an den vergänglichen Reichtum zu hängen[132]. Paulus ermutigt

131 Vgl. zum ganzen auch BAUERNFEIND, μάχομαι κτλ. 533f.
132 Vgl S.109.

die Korinther, sich an der Sammlung für Jerusalem zu beteiligen
(1 Kor 16,1-4; 2 Kor 8;9), wo inhaltlich ebenfalls zu dieser
Tugend aufgerufen wird, ohne daß das Wort ἀφιλάργυρος von Paulus
verwendet wird.
Im NT findet sich diese Tugend neben 1 Tim 3,3 als Anforderung an
den ἐπίσκοπος nur mehr Hebr 13,5 als positive Eigenschaft für
alle Christen. Inhaltlich wird sie auch durch αἰσχροκερδής wiedergegeben (vgl. 1 Tim 3,8; Tit 1,7; 1 Petr 5,2). Offensichtlich
war der Vorsteher nicht nur geistlicher Leiter einer Gemeinde,
sondern schloß sein Amt auch eine gesamtheitliche Obsorge ein.

τοῦ ἰδίου οἴκου καλῶς προϊστάμενον, τέκνα ἔχοντα ἐν ὑποταγῇ, μετὰ
πάσης σεμνότητος (εἰ δέ τις τοῦ ἰδίου οἴκου προστῆναι οὐκ οἶδεν,
πῶς ἐκκλησίας θεοῦ ἐπιμελήσεται;) (1 Tim 3,4-5)

Hier kann - wie bei den übrigen Wendungen - auf eine genaue inhaltliche Bestimmung aus der Umweltliteratur verzichtet werden,
da die Bedeutung dieser Verse eindeutig ist; zudem handelt es
sich nicht um Tugendbegriffe, die deshalb genauer analysiert
werden müssen, da sie für das Thema "Bürgerlichkeit" von besonderer Wichtigkeit sind.
In diesen Versen begegnet ein für die Past typischer Gedanken-
gang: der Vorsteher der christlichen Gemeinde muß zuerst sein
eigenes Haus, seine Familie gut leiten, um dann dem Haus Gottes
dienen zu können. Tit 1,7 wird der Gedanke ähnlich ausgedrückt:
ἀνέγκλητος ὡς θεοῦ οἰκονόμος. Auch die Diakone müssen ihrem
Haus gut vorstehen können (1 Tim 3,12). Der Amtsträger soll also
nicht nur Verkündiger sein, sondern auch Führungsqualitäten besitzen.
Der Schluß vom eigenen Haus auf eine verantwortliche öffentliche
Funktion findet sich auch in der außerbiblischen griechischen
Paränese[133]. In den Past kommt damit ein sehr familiärer Zug in
das Gemeindeverständnis - sie ist die Familie Gottes, die selbst-

---

133 Genaue Angaben bei DIBELIUS-CONZELMANN, Past 43f; Ergänzungen
    dazu bei BROX, Past 145f.

59

verständlich auch einen Hausvater braucht[134]. "Wie man sich im
Hauswesen Gottes verhalten muß" (1 Tim 3,15): dieser Satz könnte
als Überschrift über die gesamte Gemeindeordnung gesetzt werden[135].
In der stark patriarchalisch geprägten Gesellschaft war es auch
wichtig, daß die Kinder in Ordnung sind. Diese Forderung finden
wir sowohl bei den für den ἐπίσκοπος notwendigen Eigenschaften
(1 Tim 3,4) als auch bei den Qualifikationen für die πρεσβύτεροι
(Tit 1,6) und die διάκονοι (1 Tim 3,12).
In all dem wird die Grundtendenz der Past deutlich: christliches
Leben äußert sich nicht nur im Außergewöhnlichen und Besonderen,
sondern in der schlichten Erfüllung des Alltäglichen.

μὴ νεόφυτον, ἵνα μὴ τυφωθεὶς εἰς κρίμα ἐμπέσῃ τοῦ διαβόλου. δεῖ
δὲ καὶ μαρτυρίαν καλὴν ἔχειν ἀπὸ τῶν ἔξωθεν, ἵνα μὴ εἰς ὀνειδισ-
μὸν ἐμπέσῃ καὶ παγίδα τοῦ διαβόλου. (1 Tim 3,6-7)

Das Wort νεόφυτος kommt außerhalb der Past nur im Sinne von "neu
gepflanzt" vor (Aristot, Fragmenta 828; Ps 143,12; Jes 5,7; Ijob
14,9b). Im Zusammenhang des Episkopenspiegels ist es jedoch nur
sinnvoll, wenn es mit "neubekehrt" übersetzt wird[136].

---

134 v.LIPS, Glaube 138, zeigt, daß nicht nur an dieser Stelle,
sondern in den Past allgemein bei der Charakterisierung der
Amtsträger "das Modell des Hausvaters und Erziehers Pate gestanden hat." Zur Entwicklung des Amtes aus der Hauskirche
vgl. HOLMBERG, Paul 106. Auf die Past ist jedoch das Modell
der Hauskirche nicht mehr anzuwenden. Wir treffen hier vielmehr ein fortgeschrittenes Entwicklungsstadium an: es ist
bereits eine größere Gemeinde anzunehmen und auch die Autorität der Amtsträger leitet sich in zunehmendem Maß nicht von
der Funktion des Hausvaters, sondern von übergeordneter Legitimation her. Zur Hauskirche vgl. KLAUCK, Hausgemeinde.
135 Vgl. BROX, Past 157.
136 Bei DIBELIUS-CONZELMANN, Past 44, wird aufgrund dieser Forderung auf das späte Abfassungsdatum der Past hingewiesen:
"...in den ersten Missionsjahren wäre dieses Gebot unausführ-
lich gewesen." Vgl. auch BROX, Past 146. Wie lange einer
als neubekehrt oder neugetauft galt, geht aus den Texten der
Past nicht hervor.

Die Forderung, der ἐπίσκοπος dürfe kein Neubekehrter oder Neugetaufter sein, ist die erste Qualifikation, deren Nennung begründet wird (der V 5 stellt nicht im selben Sinn eine Begründung
dar, sondern eher eine Weiterführung des Gedankens vom eigenen
Hauswesen auf die Kirche hin). Die vorhergehenden Tugenden sind
offensichtlich so selbstverständlich, daß sie keiner näheren
Erläuterung bedürfen. Die Begründung besteht inhaltlich darin, daß
der ἐπίσκοπος nicht τυφωθείς (wörtlich "aufgeblasen, umnebelt")
dem Gericht des Teufels verfallen solle.

Die Anweisung ist aus der Situation der Past heraus zu verstehen;
es ist dies die Frontstellung gegen die Irrlehrer. Sie bedingt
diese Maßnahme. Das läßt sich dadurch erhärten, daß die Irrlehrer
1 Tim 6,4 und 2 Tim 3,4 als τετυφωμένοι beschrieben werden. Um
den Amtsträger vor dieser Fehlhaltung zu schützen (vgl. die
Begründung der Anordnung: ἵνα μὴ τυφωθείς), soll er nicht gleich
als Neugetaufter ein Amt in der Gemeinde bekleiden. Möglicherweise haben negative Erfahrungen mit neubekehrten Gemeindeleitern
den unmittelbaren Anstoß zu dieser Bestimmung gegeben[137].

V 7 wird mit ähnlicher Begründung der gute Ruf des ἐπίσκοπος bei
den Außenstehenden gefordert[138]. Die Verse 6 und 7 werden deshalb
gemeinsam behandelt, weil sie sowohl formal (durch den der AcI -
Konstruktion jeweils folgenden Begründungssatz) als auch inhaltlich (durch ἐμπέσῃ κρίμα /παγίδα/ τοῦ διαβόλου) deutlich parallel
gesetzt sind. Die "Falle (Schlinge) des Teufels" scheint dem Verfasser der Past eine geläufige Wendung zu sein, da sie in gleicher

---

137 Vgl. BROX, Past 146; v.LIPS, Glaube 52, sieht einen Zusammen-
    hang mit 2 Tim 3,14f, wo die Vertrautheit mit den heiligen
    Schriften gefordert wird, was von einem Neuling nicht ver-
    langt werden könne. TRUMMER, Einehe 473, hält die Forderung
    für eine Entsprechung zur Altersbezeichnung bei Onosander, de
    imperatoris officio 1,1: μήτε νέος, μήτε πρεσβύτερος...
138 Das Motiv des guten Rufes bei den Außenstehenden findet sich
    in den Past häufig (1 Tim 6,1; Tit 2,5.8.10); v.UNNIK, Rück-
    sicht 233f, wendet sich mit Recht dagegen, dies als "ein
    typisches Motiv 'christlicher Bürgerlichkeit'" (DIBELIUS-
    CONZELMANN, Past 106) zu bezeichnen:"Es ist ein Zeichen dafür,
    daß man Gott und das Evangelium auch im täglichen Leben voll-
    kommen ernst nahm, daß man die Gefahr sah, daß das Leben eines
    Christmenschen ein Hindernis für das Evangelium sein kann und
    anstatt des Wortes der Sündenvergebung zu neuer Sünde ver-
    anlaßt." (234)

Form auch 2 Tim 2,26 wiederkehrt[139].

σεμνός (1 Tim 3,8.11)

Das Wort σεμνός hat sich aus σεβ-νός entwickelt und ist so von
σεβεῖν abgeleitet. Es wird im klassischen Griechisch sehr häufig
als Eigenschaft der Götter gebraucht: von Thetis (Pind, Nem 5,25),
Apollo (Aesch, SeptcTheb 800), Poseidon (Soph, OedCol 55), Pallas
Athene (Soph, OedCol 1072); auch die Tugend der Götter wird mit
σεμνός bezeichnet (Plut, Aristides 6 I 322a).
Auch heilige Dinge werden σεμνός genannt (ὄργια: Soph, Trach 765;
θέμεθλα Δίκης: Solon 4,14; σεμνὰν θυσίαν: Pind, Olymp 7,42; σεμνὸν ἄντρον: Pyth 9,30; vgl. Olymp 5,18; σεμνὸν δόμον: Nem 1,72;
usw.).
Vor allem wird die Würde des Menschen mit σεμνός zum Ausdruck gebracht (Hdt 2,173; Pind, Olymp 6,68; Aesch, Choeph 975; Eur, Suppl
384; Fragmenta 688), eine Würde, die sich in seinem Verhalten
äußert (Plut, Pomp 23/I 630e/; Philo, LegGaj 296; Pseud-Plat, Def
413e; Jos, Ant 6,332).
Auch die innere Erhabenheit von Dingen, die Menschen benützen,
wird durch σεμνός angezeigt (σεμνοὶ θᾶκοι: Aesch, Ag 519; ἱμάτια:
Aristoph, Pl 940; ταφή: Xenoph, HistGraec III 3,1; u.a.).
Σεμνός kann aber auch "überheblich, stolz" bedeuten (Soph, Ai
1107; Andoc 4,18; Eur, Hipp 93; vgl. auch Med 216); es kann
auch ironisch gemeint sein (Eur, Alc 773; Plat, Soph 249a).
Bei Philo wird σεμνός speziell noch zur Bezeichnung des Lobes des
Gesetzgebers und des Gesetzes verwendet (OpMund 2; SpecLeg 4,179)

---

139 Dazu DIBELIUS-CONZELMANN, Past 44:"Bei κρίμα τοῦ διαβόλου hat
    man ...entweder an das Urteil zu denken, das der Satan,
    dessen Beruf das Verklagen oder Versuchen ist, über den ge-
    fallenen Neophyten heraufbeschwört, oder an das Urteil, dem er
    selbst einst verfiel." Es wird auch auf Parallelen des
    Schlingenmotivs im AT hingewiesen (Spr 12,13; Sir 9,3; Tob
    14,10f) und auch auf Parallelen in der Mythologie, deren Sinn
    jedoch in den Past längst verblaßt ist. JEREMIAS, Past 25,
    verweist auf die Wendung "Schlinge des Teufels" in der
    Qumran-Damaskusinschrift 4,17f: die drei Netze des Teufels
    sind hier Unzucht, Reichtum und Entweihung des Heiligtums
    (d.h. Abfall).

und dient als Beiwort für die geistige Welt im Gegensatz zur sinn-
lichen (SacrAC 49; SpecLeg 1,317; Decal 133)[140].
Σεμνός begegnet weiters in den Regentenspiegeln (Muson p.35,6)
und in den Katalogen der astrologischen Divination (Vett Val 1,22
p.48,1).
In der Septuaginta findet sich σεμνός nur in Spr (6,8; 8,6 u.a.),
2 Makk (6,11.28 u.a.) und 4 Makk (5,36; 7,15 u.a.). Hier hat es
die Bedeutung "heilig"; die Würde vor Gott und den Menschen soll
damit zum Ausdruck gebracht werden (vgl. die Parallelisierung von
σεμνός und ἄγιος 2 Makk 6,28), aber es können weiterhin auch
Dinge wie der Mond (4 Makk 17,5) als σεμνός bezeichnet werden.

Im NT kommt das Wort außer in den Past nur Phil 4,8 vor. Gerade
dieser Vers bei Paulus ist für unseren Zusammenhang von großer
Wichtigkeit, da er, wie noch anhand anderer Begriffe zu zeigen
sein wird, die sprachliche Brücke zu den Past darstellt. Paulus
spricht hier in der Tugendbegrifflichkeit der Past, ja er legt
der Gemeinde ausdrücklich alle Tugendhaftigkeit ans Herz (ὅσα
/ἐστιν/ σεμνά,..., εἴ τις ἀρετή..., ταῦτα λογίζεσθε).
In den Past begegnet σεμνός als Eigenschaft des Diakons (1 Tim
3,8), der weiblichen Diakone (3,11) und der alten Frauen (Tit
2,2). Das dazugehörige Substantiv σεμνότης findet sich dreimal
(1 Tim 2,2; 3,4; Tit 2,7).
1 Tim 3,4 leitet diese Tugend den Diakonenspiegel ein; 3,11 die
Eigenschaften der γυναῖκες. Es ist verglichen mit anderen Qualifikationen (z.B. ἀφιλάργυρος, μὴ πάροινος) ein eher allgemeiner
Begriff und dient daher sowohl als Zusammenfassung des Episkopenspiegels als auch als Einleitung für andere Personenkreise. Durch
das vorangestellte ὡσαύτως wird dies angezeigt.
Der Kontext legt an unseren Stellen für σεμνός die Bedeutung des
würdigen Verhaltens vor Gott und den Menschen nahe.

---

140 Vgl. FOERSTER, σεμνός 193.

μὴ δίλογος (1 Tim 3,8)

Dieses Laster ist in der griechischen Literatur nur sehr spärlich
zu belegen (Poll, Onom 1,118 in einer abweichenden Lesart im textkritischen Apparat). Auch in der biblischen Literatur ist es an
unserer Stelle, wo die Diakone davor gewarnt werden, ein Hapaxlegomenon. Es begegnet allerdings inhaltlich in Regentenspiegeln
(Muson p.35,3: γλῶττης κρατῶν) und auch bei Philo (SacrAC 32:
δίγλωσσος).
Übersetzen wird man es am besten mit "zweideutig, doppelzüngig,
lügnerisch".

(Zu μὴ οἴνῳ πολλῷ προσέχοντας /1 Tim 3,8/ vgl. unter μὴ πάροινος
/1 Tim 3,3/)

μὴ αἰσχροκερδής (1 Tim 3,8; Tit 1,7)

Dieses Wort ist aus αἰσχρός und κέρδος zusammengesetzt und bedeutet in jedem Fall "von schmutziger Gewinnsucht beherrscht".
Αἰσχροκερδής findet sich im außerbiblischen Griechisch häufig
(Hdt 1,187; Eur, Andr 451; Andoc 4,32; Aristot, EthNic IV 1
/1122[a]8.12/; Plat, Resp 3,408c; Test Jud 16,1). Besondere Beachtung verdient der Lasterkatalog Philo, SacrAC 32, in dem ebenfalls
αἰσχροκερδής vorkommt: hier finden sich nicht weniger als 146
Laster. Das zeigt uns, welche Fülle von Möglichkeiten dem Verfasser der Past zur Verfügung gestanden wäre, aus der er nur wenig auswählte. Von den in den Episkopenspiegeln angeführten
Lastern finden sich in diesem Text neben αἰσχροκερδής auch
αὐθάδης, διάβολος, δίγλωσσος (vgl. δίλογος), parallel zum Lasterkatalog 2 Tim 3,2-5 stehen ἄσπονδος, ἀλαζών, διάβολος, ἀπειθής,
φίλαυτος und zu 1 Tim 1,9f ἀσεβής und βέβηλος.
Paulus verwendet αἰσχροκερδής zwar nicht, führt jedoch die Habgier als Laster an (Röm 1,29; vgl. 1 Kor 5,10; 6,10; 2 Kor 9,5).
In den Episkopenspiegeln findet sich αἰσχροκερδής Tit 1,7 (inhaltlich gleich mit ἀφιλάργυρος 1 Tim 3,3) und im Diakonenspiegel
1 Tim 3,8. Auch 1 Petr 5,2 begegnet μηδὲ αἰσχροκερδῶς als Mahnung
an die Presbyter. Dies ist insofern von Bedeutung, als offensichtlich alle amtlich Bestellten mit Gemeindefinanzen zu tun hatten

und sich scheinbar im paulinischen Traditionsbereich ein gewisses gemeinsames Vokabular und Tugendschema für gewisse Stände in der Gemeinde ausbildete. Wenn die Amtsträger nicht gewinnsüchtig sein sollten, so auch deshalb, um sich ganz bewußt von den Irrlehrern abzuheben (vgl. bes. Tit 1,11: αἰσχροῦ κέρδους χάριν).

ἔχοντας τὸ μυστήριον τῆς πίστεως ἐν καθαρᾷ συνειδήσει (1 Tim 3,9)

Diese Forderung ist gerade für unsere Untersuchung wichtig: die bisherigen Eigenschaften könnten ohne weiteres auch von jedem Heiden erfüllt und gefordert werden, wenn man von den Tugenden absieht, die eine Führungsposition voraussetzen (vgl. διδακτικός) und der Forderung, kein Neugetaufter zu sein. Der Glaube wurde als Voraussetzung bisher nicht angesprochen. Freilich ist bereits aus V 5 ersichtlich, daß es nicht nur um die profane Hausgemeinschaft geht, sondern um die ἐκκλησία θεοῦ; auch in der Begründung des μὴ νεόφυτος kündigten sich in der Rede von dem Gericht (der Falle) des Teufels theologische Motivationen an, doch explizit ist erst hier vom Glauben, der sowohl als fides qua als auch als fides quae gefordert wird, die Rede[141]. Die Aufzählung rein "bürgerlicher" Tugenden ist hier endgültig durchbrochen.

καὶ οὗτοι δὲ δοκιμαζέσθωσαν πρῶτον, εἶτα διακονείτωσαν ἀνέγκλητοι ὄντες (1 Tim 3,10)

Die Einleitung καὶ οὗτοι δέ signalisiert wiederum (wie auch ὡσαύτως VV 8.11), daß es sich bei den verschiedenen Qualifikationen nicht um eine genaue Aufgabenabgrenzung durch die Anführung einzelner Tugenden und Laster handelt. Das vorherige Prüfen des Amtsträgers wird vom ἐπίσκοπος ebenso wie von den Diakonen gefordert, obwohl es im Episkopenspiegel nicht aufscheint[142]. Es wird zwar nicht gesagt, worin diese Prüfung besteht, doch legt sich vom Kontext her die Bewährung des alltäglichen Lebens im

---

141 Zu den Begriffen πίστις und συνείδησις vgl. SS.111-116.
142 Dazu BROX, Past 153:"Diese Anweisung kommt inhaltlich der Regel von V 6 gleich, für das Amt keinen Neubekehrten, sondern nur solche Männer zu nehmen, die sich im Glauben hinlänglich ausgewiesen haben."

Glauben nahe[143]. Dies wurde auch in der späteren Kirchenordnung so verstanden (vgl. ConstAp II 3,1 vom ἐπίσκοπος: Δοκιμαζέσθω οὖν, εἰ ἄμωμός ἐστιν περὶ τὰς βιωτικὰς χρείας).

ἀνέγκλητος (1 Tim 3,10; Tit 1,6.7)

'Ανέγκλητος kann von einer Person oder einer Sache ausgesagt werden, gegen die kein ἔγκλημα, keine Anklage, kein Vorwurf erhoben werden kann[144] (von Personen: Xenoph, HistGraec VI 1,13; Ditt Syll 429,14; 491,5; 605,9; von der Stadt: Jos, Ant 17,289; von einer anderen Meinung: Jos, Ant 10,281: ἀνέγκλητον ἐχέτω τὴν ἑτερογνωμοσύνην).

Im kanonischen biblischen Schrifttum begegnet ἀνέγκλητος nur in paulinischen Briefen (apokryph 3 Makk 5,31). Besondere Beachtung verdient 1 Kor 1,8, wo es als Tat Christi an den Gläubigen verstanden wird, daß er sie ἀνεγκλήτους machen wird. Außerdem steht diese Tugend hier, wie wir es schon bei anderen feststellen konnten (vgl. νηφάλιος und ἐπιεικής), in eschatologischem Zusammenhang: die Gläubigen sollen angesichts des Herrentages ἀνέγκλητοι sein [145]. Auch im deuteropaulinischen Kol ist es die Versöhnungstat Christi, die die Menschen ἁγνίους καὶ ἀμώμους καὶ ἀνεγκλήτους macht (1,22).

In den Past wird sowohl vom ἐπίσκοπος (Tit 1,7), als auch von den πρεσβύτεροι (Tit 1,6) und den διάκονοι (1 Tim 3,8) gefordert, ἀνέγκλητοι zu sein. Es ist zunächst Gesamtbezeichnung eines bürgerlich-anständigen Lebens[146] und steht wegen seiner allgemeinen Bedeutung am Beginn der beiden Tugendkataloge Tit 1,6 und 1,7, die den Amtsträger vor dem ἔγκλημα durch die Irrlehrer und die Außenstehenden bewahren sollen.

μὴ διάβολος (1 Tim 3,11)

Aus διά und βάλλειν zusammengesetzt, kommt διάβολος meist als Ei-

---

143 LIPPERT, Leben 33: es handelt sich dabei "um die Beurteilung ihres alltäglichen Lebens durch die Gemeindeleiter."
144 Vgl. GRUNDMANN, ἀνέγκλητος 358; VÖGTLE, Tugendkataloge 55.
145 Vgl. auch die Frage Röm 8,33: τίς ἐγκαλέσει κατὰ ἐκλεκτῶν θεοῦ;
146 Vgl. GRUNDMANN, ἀνέγκλητος 385; VÖGTLE, Tugendkataloge 55.

genschaft von Menschen im Sinne von "verleumderisch" häufig in der
griechischen Literatur vor (Menand, Fragment 803 /878/: οὐκ
ἔστιν οὔτε διάβολος γραῦς ἔνδον; Philodem Philos, Libellus 50,3
im Gegensatz zu φιλόφιλος; Aristoph, Eq 45: πανουργότατον καὶ
διαβολώτατόν τινα; Plut, ab amico internoscatur 19/61/D: τὸ
πολύπραγμον καὶ διάβολον; Thuc 6,15: διαβόλως ἐμνήσθη). Διάβολος findet sich weiters im Lasterkatalog bei Philo, SacrAC 32.

Im AT wird das Wort adjektivisch nicht verwendet. Im NT käme
außerhalb der Past nur Joh 6,70 als adjektivische Verwendung in
Frage (καὶ ἐξ ὑμῶν εἷς διάβολός ἐστιν).
In den Katalogen der Past begegnet διάβολος dreimal, und zwar
1 Tim 3,11 (Diakonissen); 2 Tim 3,3 (Irrlehrer); Tit 2,3 (alte
Frauen) in der Bedeutung "verleumderisch"[147].

## πιστὸς ἐν πᾶσιν (1 Tim 3,11; Tit 1,6)

Πιστός kann von Gott oder den Göttern ausgesagt werden im Sinne
ihrer Zuverlässigkeit (Pind, Nem 10,54: καὶ μὰν θεῶν πιστὸν γένος;
Philo, SacrAC 93: ὁ δὲ θεὸς καὶ λέγων πιστός ἐστιν...; ebenso
RerDivHer 93; LegAll 3,204). In der Bedeutung "treu, zuverlässig"
wird es auch von Menschen gebraucht (Hom, Il 15,331: πιστὸν
ἑταῖρον; Hes, Theogonia 735: φύλακες πιστοί; Pind, Pyth 1,88:
μάρτυρες; Aesch, Prom 969: φῦναι Ζηνὶ πιστὸν ἄγγελον; Xenoph, An
I 5,15: Κῦρος...σὺν τοῖς παροῦσι τῶν πιστῶν ἧκεν; Hdt 1,108:
καλέσας Ἅρπαγον, ἄνδρα οἰκήιον καὶ πιστότατόν τε Μήδων). Als
Eigenschaft von Menschen kann πιστός auch "glaubwürdig" bedeuten (Thuc 3,43: τὸν τὰ ἀμείνω λέγοντα ψευσάμενον πιστὸν γενέσ-
θαι). Gelegentlich kann es auch im Sinne von "echt" vorkommen
(Soph, OedCol 1322: πιστὸς Ἀταλάντης γόνος). Besonders häufig
begegnet πιστός als Eigenschaft von Menschen bei Epiktet (Diss
I 28,20; II 4,2; 10,23; 22,27; IV 1,126 u.ö.).
Πιστός kann substantivisch sowohl neutral (τὸ πιστόν) im Sinne von
Zuverlässigkeit und Sicherheit (Thuc 1,141; 2,40; Eur, Hec
956) als auch maskulin (ὁ πιστός) im Sinne von Treue (Hom, Od 11,

---

147 So auch FOERSTER, διάβολος 80.

456; Soph, Trach 541; Pind, Nem 10,78) verwendet werden[148].
Auch Dinge können mit πιστός als zuverlässig bezeichnet werden
(Hom, Il 3,269: ὅρκια πιστὰ θεῶν; Pind, Olymp 11,6: πιστὸν ὅρκιον;
Aesch, Ag 272.352; SeptcTheb 66; Hdt 8,83), Aussagen können
glaubwürdig genannt werden (Plat, Phaed 107b; Aristot, Rhet A 2
∕1365$^b$29∕; B 1∕1377$^b$23∕).

Auch die Redewendung πιστὸς ὁ λόγος findet sich in der Profanliteratur, allerdings nicht als Zitations- oder Beteuerungsformel
wie 1 Tim 3,1 (Dion Hal, AntRom 3,23; Dio Chrys, Or 45,3).
Πιστὸς ἕν τινι bedeutet "in einer Sache zuverlässig" (vgl. πιστὸς
ἐν πᾶσιν an unserer Stelle; Test Jos 9,2: ἐν σοφροσύνῃ; vgl. auch
Lk 16,10.11.12; 19,17).

Im biblischen Griechisch und bei Philo (PosterC 173 von Abraham)
tritt neben den in der Umweltsliteratur begegnenden Bedeutungen
πιστός auch im Sinne von "gläubig" auf (Sir 1,14; Joh 20,27; Apg
16,1.15; 1 Kor 4,2.17; 7,25 u.a.).

In den Eignungskriterien der Episkopenspiegel ist jedoch nicht
an Gläubigkeit gedacht, sondern an die Zuverlässigkeit: das geht
zunächst aus dem verdeutlichenden ἐν πᾶσιν (1 Tim 3,11) hervor;
Tit 1,6, wo es von den Kindern der Presbyter verlangt wird, ist
diese Bedeutung ebenfalls durch den explikativen Nachsatz gegeben:
μὴ ἐν κατηγορίᾳ ἀσωτίας ἢ ἀνυπότακτα.

(Zu τέκνων καλῶς προϊστάμενοι καὶ τῶν ἰδίων οἴκων ∕1 Tim 3,12∕
vgl. unter 1 Tim 3,4f.)

<u>οἱ γὰρ καλῶς διακονήσαντες βαθμὸν ἑαυτοῖς καλὸν περιποιοῦνται καὶ
πολλὴν παρρησίαν ἐν πίστει τῇ ἐν Χριστῷ 'Ιησοῦ</u> (1 Tim 3,13)

Dieser Vers schließt - dem Einleitungsvers des Episkopenspiegels
1 Tim 3,1 ähnlich - die Eignungskataloge ab. An V 1 erinnert
nicht nur die Wendung καλὸς βαθμός (vgl. καλὸν ἔργον), sondern
Anfang und Ende geben dem untersuchten Text, der sonst eher an-
ordnend ist, auch einen werbenden Charakter[149]. Nicht eindeutig

---

148 Vgl. BULTMANN, πιστεύω 176.
149 Vgl. BROX, Past 155.

zu bestimmen ist, ob καλὸς βαθμός eine schöne Stufe, ein gutes
Ansehen vor Gott oder vor der Gemeinde bezeichnen soll[150]. In der
παρρησία wird zumeist das offene Wort, zu dem der Glaube an Jesus
Christus befähigt, gesehen[151].

(Tit 1,5 bietet weiters keine besonderen Schwierigkeiten. Zu κατὰ
πόλιν vgl. κατ' ἐκκλησίαν in Apg 14,23.)

## μὴ ἐν κατηγορίᾳ ἀσωτίας ἢ ἀνυπότακτα (Tit 1,6)

Alle Qualifikationen, die Tit 1,6 von den Presbytern gefordert
werden, fanden wir schon 1 Tim 3,1-13 und haben wir bereits untersucht. Es muß hier nur der Nachsatz, der sich wegen der Endung
ἀνυπότακτα auf die Kinder bezieht, besprochen werden:
Die ἀσωτία ist eigentlich eine Heillosigkeit; ἀσώτως ἔχειν bedeutet "hoffnungslos krank sein" (Aristot, Probl 33,9 p. 962[b]5;
Plut, QuaestNat 26/II 918d/)[152]. Im übertragenen Sinn wird damit
die Verschwendung ausgedrückt (Plat, Resp 8,560e: ὕβριν καὶ ἀναρ-
χίαν καὶ ἀσωτίαν καὶ ἀναίδειαν; Aristot, EthNic II 7/1107[b]12/).
Öfter begegnet ἀσωτία im Sinne von "Liederlichkeit" in Verbindung
mit dem Weingenuß (Herodian II 5,1: ἀσωτίαις καὶ κραιπάλαις; Test
Jud 16,1; vgl. Eph 5,18: καὶ μὴ μεθύσκεσθε οἴνῳ, ἐν ᾧ ἐστιν
ἀσωτία).
Eine Parallele zu unserer Wendung findet sich Spr 28,7, wo die
ἀσωτία mit der Ehre des Vaters in Zusammenhang gebracht wird:
ὃς δὲ ποιμαίνει ἀσωτίαν, ἀτιμάζει πατέρα.
Im NT steht ἀσωτία außer in den Episkopenspiegeln und Eph 5,18
noch 1 Petr 4,4 und adverbial Lk 15,13.
Tit 1,6 wird ἀσωτία wohl mit Liederlichkeit im allgemeinen zu
übersetzen sein, da bei Kindern übermäßiger Weingenuß eher unwahrscheinlich ist.

---

150 DIBELIUS-CONZELMANN, Past 48, und STROBEL, βαθμός 453f, wollen
    darin das Ansehen vor der Gemeinde ausgesprochen sehen; BROX,
    Past 155, bezieht es auf die Stellung vor Gott. Er lehnt
    es ab, darin eine höhere Stufe in der Ämterhierarchie zu
    sehen.
151 So HOLTZ, Past 86; SCHLIER, παρρησία 881; vgl. auch BEILNER,
    ΠΑΡΡΗΣΙΑ 30.45f.
152 Vgl. FOERSTER, ἀσωτία 504.

Die Forderung, daß die Kinder gehorsam sein sollen (μὴ ἀνυπότακτα) ist ein aus den Haustafeln (Kol 3,20; Eph 6,1-3) und aus der
Weisheitsliteratur (vgl. Sir 33,20) geläufiges Motiv.

μὴ αὐθάδης (Tit 1,7)

Αὐθάδης ist zusammengesetzt aus αὐτός und ἀνδάνειν und bedeutet
so wörtlich "selbstgefällig". Meist wird es jedoch von Menschen
im Sinne von "eigenwillig" ausgesagt (Hdt 6,92: Αἰγινῆται...
αὐθαδέστεροι; Aesch, Prom 907: Ζεύς, καίπερ αὐθάδης φρενῶν) oder
"rücksichtslos, roh" (Aristot, Rhet A 9/1367[a]38/: αὐθάδης parallel mit ὀργίλος /vgl. Tit 1,7!/; Plut, Lycurgus 11: οὐ σκληρὸς
οὐδ' αὐθάδης ὁ Λυκοῦργος). Gelegentlich kann auch ein Tier αὐθάδης genannt werden (Pseud-Xenoph, Cyn 6,25). Vereinzelt bedeutet es auch das Majestätische (Aristot, Rhet Γ 3/1406[b]3/:αἱ
γλῶτται τοῖς ἐποποιοῖς /σεμνὸν γὰρ καὶ αὔθαδες/).
Αὐθάδης begegnet als Laster in den Regentenspiegeln (Dio Chrys,
Or 2, 75 ; Philo, Jos 73).
In der Septuaginta wird Ruben Gen 49,3 als αὐθάδης im Sinne von
"eigenwillig" charakterisiert; Gen 49,7 ist αὐθάδης Attribut des
θύμος; schließlich wird es Spr 21,24 verwendet: θρασὺς καὶ αὐθάδης καὶ ἀλαζὼν λοιμὸς καλεῖται.
Im NT wird αὐθάδης stets auf religiöse Führerpersönlichkeiten bezogen (Tit 1,7 auf den ἐπίσκοπος; 2 Petr 2,10 auf Irrlehrer)[153].
Tit 1,7 legt sich durch die Parallelisierung mit ὀργίλος "rücksichtslos" als Bedeutung nahe, doch auch die eigenwillige Selbst-
gefälligkeit kann damit gemeint sein.

μὴ ὀργίλος (Tit 1,7)

In ὀργίλος steckt das Substantiv ὀργή. Im Sinne von "jähzornig"
beschreibt es durchwegs Menschen (Hippocr, Epid 1,19 werden die
Patienten als ὀργίλοι bezeichnet; Aristot, EthNic II 7/1108[a]7/
wird der Maßlose jähzornig geheißen: ὁ μὲν ὑπερβάλλων ὀργίλος
ἔστω, ἡ δὲ κακία...; Xenoph, de re equestri 9,7 wird das Pferd

---

153 Vgl. BAUERNFEIND, αὐθάδης 506.

mit einem ἄνθρωπος ὀργίλος verglichen).
'Οργίλος findet sich als Laster in den Regentenspiegeln (Dio
Chrys, Or 2,75: ὀργισθείς) und in den Astrologenkatalogen (Vett
Val 2,32 p.104,8).'
In der Septuaginta begegnet es in Ps 17,49 und öfter in Spr (21,
19; 22,24; 29,22).

In den Past wird nicht nur der ἐπίσκοπος vor dem Jähzorn gewarnt
(Tit 1,7), sondern auch von allen Männern wird gefordert, frei
von Zorn und Streit ihre Hände zum Gebet zu erheben (1 Tim 2,8).

φιλάγαθος (Tit 1,8)

Φιλάγαθος (von φιλεῖν und ἀγαθός) ist derjenige, der das Gute
liebt. Diese Tugend begegnet bei Aristoteles (EthM II 14
/1212ᵇ18/) als Gegensatz zu φίλαυτος; bei Philo (VitMos 2,9) in
einem Lasterkatalog: τὸ φιλάνθρωπον, τὸ φιλοδίκαιον, τὸ φιλάγαθον,
τὸ μισοπόνηρον; weiters bei Polybius (VI 53,9: φιλοδόξῳ καὶ φιλ-
αγάθῳ); bei Plutarch gemeinsam mit Tugenden, die auch in den
Episkopenspiegeln angeführt werden (PraecConiug 140 C: φιλάγαθος
καὶ φιλόκαλος /ἀνήρ/ σώφρονα καὶ κοσμίαν /γυναῖκα ποιεῖ/) und
in Ehreninschriften (z.B. IG 2-3 ed. altera 1,2: 1326,8).
In den Regentenspiegeln finden wir φιλάγαθος außer an der bereits
genannten Stelle bei Philo (VitMos 2,9) auch im Aristeasbrief 292.
In der Septuaginta zählt dieses Wort zu den Tugenden der Weisheit (Weish 7,22). Im NT ist φιλάγαθος Tit 1,8 Hapaxlegomenon.

δίκαιος (Tit 1,8)

Δίκαιος bedeutet zunächst, von Menschen ausgesagt, ein rechtschaffenes Leben im allgemeinen (Hom, Od 3,52; 8,575; 9,175:
ὑβρισταί τε καὶ ἄγριοι οὐδε δίκαιοι ἠὲ φιλόξεινοι; Il 11,832:
δικαιότατος κενταύρων; Demosth, Or 3,21: δίκαιος πολίτης; Hdt
2,177: δικαίη ζωή). Im engeren Sinn bezeichnet es einen Menschen,
der den Gesetzen des Staates entsprechend lebt (Hdt 1,96: τῷ
δικαίῳ τὸ ἄδικον πολέμιόν ἐστι; bes. Aristot, EthNic V 1/1129ᵃ34/:
δίκαιος ἔσται ὅ τε νόμιμος καὶ ὁ ἴσος). Die Pflichten gegenüber
den Mitmenschen werden mit δίκαιος besonders dort angesprochen,
wo es mit ὅσιος kombiniert ist (vgl. Tit 1,8!): Plat, Gorg 507b;

Polyb XII 10,8; Plat, Resp 1,331a; Jos,Ant 8,295. Analog zu dieser Verwendung bedeutet τὸ δίκαιον das Recht (Aesch, Prom 189:
τὸ δίκαιον ἔχων Ζεύς; Aristot, EthNic V 7/1134$^b$18/: Τοῦ δὲ πολι-
τικοῦ δικαίου τὸ μὲν φυσικόν ἐστι τὸ δὲ νομικόν; Aristoph, Nu 99:
δίκαια κἄδικα; Demosth, Or 21,67; Thuc 3,54: ἔχομεν δίκαια u.a.).

Δίκαιος kann aber auch die Pflichten gegenüber Gott beziehungsweise den Göttern zum Ausdruck bringen (Aesch, SeptcTheb 598:
δίκαιος im Gegensatz zu δυσσεβέστερος; 610: σώφρων δίκαιος ἀγαθός εὐσεβὴς ἀνήρ; Jos, Ant 12,43 bedeutet es Gottes- und Menschen-
furcht).
Wenn δίκαιος als Attribut von Dingen verwendet wird, so kann es
die verschiedensten Bedeutungen annehmen: so kann ein Streit-
wagen (Xenoph, Cyrop II 2,26: ἅρμα) oder ein Steuerruder (Pind,
Pyth 1,86: πηδάλιον) δίκαιος im Sinne von "gut oder gleichmäßig
funktionierend" genannt werden; eine Folterung wird "gerecht" genannt (Antiphon, Orationes 1,8); Aussprüche werden mit δίκαιος
als "exakt" bezeichnet (Hdt 7,108; Thuc 3,44), ebenso Klafter
(ὀργυιαί: Hdt 2,149).
Wenn Tiere zur Arbeit bereitgestellt werden, so kann dies gleich-
falls mit δίκαιος zum Ausdruck gebracht werden (Xenoph, Mem IV
4,5: ἵππον καὶ βοῦν δικαίους ποιήσασθαι).
Δίκαιος ist ein Hauptbegriff der Tugendlehre und zählt zu den
Kardinaltugenden (vgl. Aesch, SeptcTheb 610), weshalb es zum
festen Bestand der Tugendkataloge in der hellenistischen Literatur gehört (vgl. das häufige Vorkommen in den Regentenspiegeln:
Dio Chrys, Or 1,35; Muson p.33,7.12 u.ö.; Philo, VitMos 2,9:
φιλοδίκαιον; weiters Philo, LegAll 2,18; Sobr 38).
Im AT ist δίκαιος nicht nur allgemeiner Tugendbegriff, sondern
fest mit der Gerechtigkeit Gottes selbst (Gott als δίκαιος: Ex
9,27; Dtn 32,4: δίκαιος καὶ ὅσιος /vgl. Tit 1,8!/; 1 Sam 2,2;
2 Chr 12,6; Ps 114,5; 128,4 u.a.; vgl. auch Jos, Bell 7,323) beziehungsweise mit der Gerechtigkeit des Menschen vor Jahwe inhaltlich verbunden (der Mensch als Gerechter als terminus technicus
für den, der Gottes Willen erfüllt: Gen 6,9; Ijob 1,1.8; 12,4; Ps
36,12.21.25 u.a.; die Gerechten: Tob 13,10; Ijob 22,19; Ps 31,11;
33,16; Weish 3,1 u.a.)[154].

154 Vgl. SCHRENK, δίκαιος 187.

72

Analog zur Profanliteratur wird δίκαιος jedoch auch von Dingen
ausgesagt (Lev 19,36; Dtn 25,15).

Das NT nimmt den alttestamentlichen Gerechtigkeitsbegriff auf:
so ist Jesus selbst ein Gerechter (Mt 27,19), weiters Josef (Mt
1,19), Abel (Mt 23,35), Johannes der Täufer (Mk 6,20), Kornelius
(Apg 10,22), diejenigen, die den Willen Gottes tun, werden δίκαιοι genannt (Mt 5,45; 9,13; 13,17; 25,37.46; Mk 2,17; Lk 5,32
u.a.).

Paulus nennt bekanntlich oft denjenigen δίκαιος, der aus dem Glauben gerecht ist (Röm 1,17; 3,26; Gal 3,11)[155]. Hingegen verwendet
er δίκαιος Phil 4,8 in einem von griechischem Ethos geprägten
Vers. Dem entspricht das Vorkommen in Tit 1,8, wo δίκαιος in einer Reihe griechischer Tugenden steht, ja es bildet sogar gemeinsam mit σώφρων, ὅσιος und ἐγκρατής einen Tugendkatalog, der den
Kardinaltugenden ähnlich ist. Überdies findet sich δίκαιος in den
Past 2 Tim 4,8, wo Gott ein δίκαιος κριτής genannt wird, und 1 Tim
1,9, wo der vor Gott Gerechte damit gemeint ist (also nicht bloß
im Sinne einer allgemeinen Tugendbezeichnung). Durch die Parallele mit ὅσιος wird Tit 1,8 das Schwergewicht eher auf den
Pflichten, die den Mitmenschen gegenüber zu erfüllen sind, liegen[156]; doch schließt das vor allem wegen der Kenntnis des Verfassers von δίκαιος im Sinne des AT (vgl. 1 Tim 1,9) die Pflichterfüllung gegenüber Gott keineswegs aus.


ὅσιος (Tit 1,8)


"Οσιος bezeichnet zunächst Dinge, die - meist durch kultische
Handlungen - mit Göttern in Verbindung stehen (Aesch, Prom 529:
ὁσίαις θοίναις; Soph, Ai 1405: λουτρῶν ὁσίων; Eur, Ba 77: ὁσίοις
καθαρμοῖσιν; ebda. 374: οὐχ ὁσίαν ὕβριν; Hipp 764: οὐχ ὁσίων
ἐρώτων; IphTaur 465: θυσίας ὁσίας).
Es findet sich häufig in Verbindung mit δίκαιος (vgl. Tit 1,8)
und bedeutet dann - zum Unterschied von δίκαιος, das dann das
menschliche Recht ausdrückt - das mit göttlichem Recht Sanktio-
nierte (vgl. Polyb XXII 10,9: τὰ πρὸς τοὺς ἀνθρώπους δίκαια καὶ

---

155 Zur umfangreichen Literatur über δικαιοσύνη bei Paulus vgl.
   KERTELGE, δικαιοσύνη 784-796.
156 Vgl. unter ὅσιος; zu δικαίως Tit 2,12 siehe unter σώφρων.

73

τὰ πρὸς τοὺς θεοὺς ὅσια; weiters Antiphon, Orationes 1,25; Plat,
Polit 301d; Euthyphr 6e). Ὅσιος wird auch mit νόμιμος parallel
gebraucht (Aristoph, Thes 676; Plat, Leg 9,861d). Oft begegnet es
in Verbindung mit ἱερός, wobei dann ὅσιος das göttlich (nur)
Erlaubte oder Profane bedeutet (Thuc 2,52: ἐς ὀλιγωρίαν ἐτράποντο
καὶ ἱερῶν καὶ ὁσίων ὁμοίως; Plat, Resp 1,344a: καὶ ἱερὰ καὶ ὅσια
καὶ ἴδια καὶ δημόσια; ebenso Leg 9,857b; Isoc 7,66: κοσμεῖν τὴν
πόλιν καὶ τοῖς ἱεροῖς καὶ τοῖς ὁσίοις; vgl. auch Demosth, Or
24,9: τῶν ἱερῶν μὲν χρημάτων τοὺς θεούς, τῶν ὁσίων δὲ τὴν πόλιν
ἀποστερεῖ).
Ὅσιος dient weiters zur Bezeichnung von frommen, heiligmäßigen,
gottergebenen Menschen (Aesch, SeptcTheb 1010; Suppl 27; Eur, Med
850; Aristoph, Ra 327.336; Thuc 5,104; Xenoph, An II 6,25 u.a.).
In diesem Sinn kann auch eine ganze Stadt heilig genannt werden
(Eur, El 1320), als pars pro toto auch die Hände (Aesch, Choeph
378; Soph, OedCol 470; vgl. 1 Tim 2,8!).
Gelegentlich wird ὅσιος auch von den Göttern ausgesagt (Orph 77
/76/,2).
Philo hat in seinen Tugendreihen die Kardinaltugenden der Stoiker
durch die ὁσιότης ergänzt (Philo, OmnProbLib 83), wodurch auch
Tit 1,8 beeinflußt sein könnte.
In der Septuaginta wird ὅσιος von dem ausgesagt, der den Bundes-
verpflichtungen nachkommt, also zuerst von Gott selbst (Ps 144,
17; Dtn 32,4), aber meist von Menschen (Dtn 33,8; 2 Kön 22,26;
Ps 11,2; 17,26; 31,6), gelegentlich auch von den Herzen (Spr 22,
11), von den Seelen (Weish 7,27) und auch vom Wort (Am 5,10).
Das NT weist ὅσιος nur sehr selten auf (dreimal in Zitaten: Apg
2,27; 13,35 im Sinne des alttestamentlichen Frommen und 13,34 als
τα ὅσια /=Heilsgaben/). Hebr 7,26 wird der Hohepriester "heilig"
genannt (Jesus); Offb 15,4 und 16,5 wird Gott selbst als ὅσιος
bezeichnet. Bei Paulus findet sich das Wort ähnlich Tit 1,8 in
Verbindung mit δίκαιος, allerdings adverbial gebraucht (1 Thess
2,10).
In den Past begegnet ὅσιος außer Tit 1,8 nur 1 Tim 2,8 in der auch
im profanen Griechisch nachzuweisenden (siehe oben) Verwendung
als Attribut der Hände. Tit 1,8 steht ὅσιος eindeutig in einer
der hellenistischen Literatur sehr geläufigen Tugendreihe und

bedeutet hier das heiligmäßige Leben vor Gott[157].

ἐγκρατής (Tit 1,8)

In ἐγκρατής steckt das Wort το κράτος, die Kraft. Demgemäß hat es
die ursprüngliche Bedeutung "kraftvoll, stark sein" (Soph, Oed
Tyr 941: οὐχ ὁ πρέσβυς Πόλυβος ἐγκρατὴς ἔτι; Aesch, Prom 55:
ἐγκράτει σθένει; Soph, Ant 474: ἐγκρατέστατον σίδηρον; Xenoph,
HistGraec VII 1,23: σώματα ἐγκρατέστατα). Weiters findet es sich
öfter mit Genetivus rei und bedeutet dann "Macht über etwas haben" (Hdt 9,106: τῆς Ἑλλάδος; Soph, Phil 75: τόξων; Ant 715:
ναὸς ἐγκρατῆ πόδα). Schließlich wird es dann verwendet, wenn die
Macht über sich selbst, also die Selbstbeherrschung, ausgedrückt
werden soll (Pseud-Plat, Def 415d: Ἐγκρατὴς ὁ κρατῶν ἀντιτει-
νόντων τῶν τῆς ψυχῆς μορίον τῷ ὀρθῷ λογισμῷ; Aristot, EthNic VII 2
[1145[b]13]: καὶ ὁ μὲν ἀκρατὴς εἰδὼς ὅτι φαῦλα πράττει διὰ πάθος,
ὁ δ' ἐγκρατὴς εἰδὼς ὅτι φαῦλαι αἱ ἐπιθυμίαι οὐκ ἀκολουθεῖ διὰ τὸν
λόγον. καὶ τὸν σώφρονα μὲν ἐγκρατῆ (vgl. Tit 1,8!) καὶ καρτερικόν,
...;vgl. auch Philo, Jos 54). Die Selbstbeherrschung wird speziell
durch Enthaltsamkeit von Speisen, Wein u.ä. gefordert, wobei
ἐγκρατής nun den Sinn von "enthaltsam" bekommt (Plut, Numa 20,7:
ἐγκρατῆ καὶ ὑπερδέξιον τῆς κακίας; Xenoph, Oec 9,11: ἥτις ἡμῖν
ἐδόκει εἶναι ἐγκρατεστάτη καὶ γαστρὸς καὶ οἴνου καὶ ὕπνου καὶ
ἀνδρῶν συνουσίας; Cyrop I 2,8: Διδάσκουσι δὲ καὶ ἐγκρατεῖς εἶναι
γαστρὸς καὶ ποτοῦ).
In der allgemeineren Bedeutung der Selbstbeherrschung (ἐγκράτεια)
findet sich ἐγκρατής als eine der Kardinaltugenden (vgl. Xenoph,
Mem I 5,4; Aristot, EthNic VII 1-11 [1145ff]; EthM II 4-6[1200ff])
und begegnet so häufig in Tugendreihen (in Regentenspiegeln: Philo, VitMos 1,154; weiters Philo, OmnProbLib 84; Virt 182 u.ö.;
Muson p.86,2; Epict, Diss II 10,18; Plut, Amat 767 EF).
Während in der griechisch-profanen Tugendlehre die ἐγκράτεια wie
auch alle anderen Tugenden als Verdienst menschlicher Leistung
betrachtet werden, sind die Tugenden im AT Gabe und Gnade Gottes
(vgl. Weish 8,21: γνοὺς δὲ ὅτι οὐκ ἄλλως ἔσομαι ἐγκράτης, ἐὰν μὴ
ὁ θεὸς δῷ...).

---

157 Vgl. HAUCK, ὅσιος 491.

'Εγκρατής begegnet, wie alle anderen Tugenden, eher in der jüngeren Literatur des AT: im Sinne von "besitzend" (Sir 6,27; 2 Makk
8,30; 10, 15.17; 13,13) oder "festhaltend" (Sir 15,1: am Gesetz)
und auch "selbstbeherrscht" (Sir 26,15).
Als Tugend kommt ἐγκράτεια bei Paulus Gal 5,23 vor, ebenso Apg
24,25 und 2 Petr 1,6. Das dazugehörige Verbum verwendet Paulus
1 Kor 7,9 und 9,25[158].
In den Past findet sich ἐγκρατής nur Tit 1,8 und wird hier mit
"selbstbeherrscht" zu übersetzen sein, da es in einer Reihe mit
traditionellen Kardinaltugenden steht, in der ἐγκρατής stets
diese Bedeutung hat.

ἀντεχόμενον τοῦ κατὰ τὴν διδαχὴν πιστοῦ λόγου, ἵνα δυνατὸς ᾖ καὶ
παρακαλεῖν ἐν τῇ διδασκαλίᾳ τῇ ὑγιαινούσῃ καὶ τοὺς ἀντιλέγοντας
ἐλέγχειν (Tit 1,9)

In diesem Vers wird die Fähigkeit des Lehrens gegenüber den vorhergehenden Tugenden in ungewöhnlicher Breite geschildert. Der
Grund hiefür ist die Bedeutung, die der Verkündigung in der
Ketzerbekämpfung zukommt (vgl. die unmittelbar anschließenden
VV 10-16). Hier wird die spezifische Aufgabe des Amtsträgers beschrieben: er soll sich um die "gesunde Lehre" (ὑγιαίνουσα διδασκαλία)[159] sorgen (ἀντέχομαι)[160], um die Gemeinde zu lehren und
die Gegner zu widerlegen. (Zur Verwendung der einzelnen Worte und
Wortgruppen innerhalb der Past vgl. S.93.)

---

158 Vgl. dazu GRUNDMANN, ἐγκράτεια 340: der Unterschied zwischen
    biblischem und hellenistischem Denken wird an diesen Stellen
    dadurch sichtbar, daß es hier nicht um eine verdienstliche
    Askese geht, sondern um die Übung der ἐγκράτεια um eines Auf-
    trages und der Brüder willen. Zum seltenen Vorkommen von
    ἐγκρατ- im NT vgl. GOLDSTEIN, ἐγκράτεια 915:"Daß die bibli-
    schen Verfasser mit Vokabeln der Wortgruppe ἐγκρατ- so spär-
    lich umgehen, beruht auf ihrer Überzeugung, daß christliche
    Lebensgestaltung keine Frage autonomer Ethik ist, sondern nur
    als Antworthaltung auf die Vorgabe des Heils durch Gott selbst
    zu verstehen ist. Dabei erschien ihnen ἐγκράτεια offensicht-
    lich nur bedingt als geeignetes Instrument, diesen Sachverhalt
    zu verbalisieren."
159 Zur Bedeutung der διδασκαλία in den Past vgl. v.LIPS, Glaube
    47; BROX, Past 107.
160 Bei DIBELIUS-CONZELMANN, Past 100, wird ἀντέχομαι mit "sich
    angelegen sein lassen" übersetzt; BROX, Past 285:"sich sorg-
    fältig, unablässig um etwas bemühen".

1.4 Vergleiche mit verwandten Texten

1.4.1 Vergleich der Episkopenspiegel untereinander

Vergleichen wir die geforderten Eignungen der beiden Texte miteinander, so stechen zunächst die Gemeinsamkeiten hervor: beide
Male geht es um Qualifikationen von Amtsträgern in der Gemeinde;
die erforderlichen Eigenschaften werden katalogartig aufgezählt;
es handelt sich dabei hauptsächlich um durchaus durchschnittliche, für alle geltende Tugenden, die der Vorsteher besitzen soll,
wenngleich wir bei der Wortanalyse festellen konnten, daß manche Eignungen gar nicht so "bürgerlich" sind, wie es bei einem
ersten Lesen scheinen mag.

Bei genauerer Betrachtung sind aber auch Unterschiede zu erkennen[161]: vor allem fällt auf, daß trotz der zunächst so gleich-
artigen katalogischen Aufzählungen nur fünf Anforderungen (nimmt
man den Diakonenkatalog dazu, so sind es sieben) in beiden Texten
wörtlich übereinstimmen, und zwar: μιᾶς γυναικὸς ἀνήρ, σώφρων,
φιλόξενος, μὴ πάροινος, μὴ πλήκτης (μὴ αἰσχροκερδής, ἀνέγκλητος).
Allerdings begegnet auch eine Reihe von Eignungen, die zwar
nicht im Wortlaut identisch, jedoch inhaltlich annähernd gleich-
bedeutend sind: ἀνεπίλημπτος-ἀνέγκλητος, μὴ πάροινος-μὴ οἴνῳ
πολλῷ προσέχοντες, ἄμαχος-μὴ ὀργίλος, ἀφιλάργυρος-μὴ αἰσχροκερδής u.a.

Eine schematische Auflistung soll das Gesagte verdeutlichen: bei
vollkommenem Gleichlaut werden die betreffenden Wörter unter-
strichen, gleichbedeutende Wörter beziehungsweise Wortgruppen
werden mit gleichen Kleinbuchstaben bezeichnet.

---

161 Vgl. dazu die Untersuchungen bei VÖGTLE, Tugendkataloge 51-
54, sowie bei ZIMMERMANN, Methodenlehre 172-174.

1 Tim 3,1-13:                          Tit 1,5-9:

ἐπίσκοπος                              πρεσβύτεροι
a  ἀνεπίλημπτος                       a  ἀνέγκλητοι
   μιᾶς γυναικὸς ἀνήρ                    μιᾶς γυναικὸς ἄνδρες
   νηφάλιος                           f  τέκνα ἔχοντες πιστά,...
   σώφρων
   κόσμιος                            ἐπίσκοπος
   φιλόξενος                          a  ἀνέγκλητος
b  διδακτικός                            μὴ αὐθάδης
c  μὴ πάροινος                        d  μὴ ὀργίλος
   μὴ πλήκτης                         c  μὴ πάροινος
   ἐπιεικής                             μὴ πλήκτης
d  ἄμαχος                             e  μὴ αἰσχροκερδής
e  ἀφιλάργυρος                           φιλόξενος
   τοῦ ἰδίου οἴκου καλῶς προϊστάμενος    φιλάγαθος
f  τέκνα ἔχων ἐν ὑποταγῇ                 σώφρων
   μὴ νεόφυτος                           δίκαιος
   μαρτυρίαν καλὴν ἔχειν                 ὅσιος
                                         ἐγκρατής
διάκονοι                              b  ἀντεχόμενος τοῦ κατὰ
   σεμνοί                                τὴν διδαχὴν πιστοῦ
   μὴ δίλογοι                            λόγου, ἵνα...
c  μὴ οἴνῳ πολλῷ προσέχοντες
e  μὴ αἰσχροκερδεῖς
   ἔχοντες τὸ μυστήριον τῆς πίστεως
      ἐν καθαρᾷ συνειδήσει
   δοκιμαζέσθωσαν πρῶτον
a  ἀνέγκλητοι
   μιᾶς γυναικὸς ἄνδρες
f  τέκνων καλῶς προϊστάμενοι...

γυναῖκες
   σεμναί
   μὴ διάβολοι
   νηφάλιοι
   πισταὶ ἐν πᾶσιν

Die Aneinanderreihung der Qualifikationen erweckt den Eindruck,
daß ein bestimmtes Vokabular vorlag, das unterschiedlich verwendet wurde.

Einige Kriterien kommen besonders oft vor, woraus deren Wichtigkeit hervorgeht: das Untadeligsein (immer am Beginn der Aufzählung), die Zugehörigkeit zu einer Frau, die Besonnenheit, die
Mäßigung im Weingenuß, die Ordnung in finanziellen und materiellen
Angelegenheiten, die gute Kindererziehung.

Es ist zwar anzunehmen, daß der ἐπίσκοπος und die διάκονοι verschiedene Funktionen ausgeübt haben, doch liegt den Eignungskatalogen nichts daran, Unterschiede in den Aufgabenbereichen
festzuhalten (es geht vielmehr um die Einschärfung eines beispiel-
haften Lebensstils): das geht zunächst aus der Partikel γάρ
in Tit 1,7 hervor, beziehungsweise durch das wiederholt gebrauch-
te ὡσαύτως (1 Tim 3,8.11), aber auch durch die Wiederholung ein-
und derselben Qualifikation bei verschiedenen Personenkreisen:
μιᾶς γυναικὸς ἀνήρ beim ἐπίσκοπος, den πρεσβύτεροι und den διάκονοι; sowohl der ἐπίσκοπος als auch die διάκονοι sollen weder
geldgierig noch dem Wein ergeben sein und die Kinder anständig erziehen; sowohl der ἐπίσκοπος (beziehungsweise die πρεσβύτεροι)
als auch die διάκονοι sollen ἀνέγκλητοι sein; die Diakonissen
sollen σεμναί wie die διάκονοι und νηφάλιοι wie der ἐπίσκοπος
sein.


1.4.2 Vergleich mit der Haustafel Tit 2,2-10
Da das Vokabular der Haustafel dem der Episkopenspiegel sehr
ähnlich ist, liegt ein Vergleich nahe. Es ist dabei zu untersuchen, ob sich aus Übereinstimmungen beziehungsweise Divergen-
zen für die Episkopenspiegel und deren Aussageabsicht Folgerungen ziehen lassen. Zunächst seien die Texte einander gegenübergestellt, wobei wiederum wörtliche Übereinstimmungen unterstri-
chen und inhaltlich etwa gleichbedeutende Ausdrücke mit entsprechenden Buchstaben gekennzeichnet werden.

1 Tim 3,1-13

ἐπίσκοπος
   ἀνεπίλημπτος
   μιᾶς γυναικὸς ἀνήρ
   νηφάλιος
   σώφρων
   κόσμιος
   φιλόξενος
(b)διδακτικός
a  μὴ πάροινος
   μὴ πλήκτης
   ἐπιεικής
   ἄμαχος
   ἀφιλάργυρος
e τοῦ ἰδίου οἴκου καλῶς προϊστάμενος
c τέκνα ἔχων ἐν ὑποταγῇ
   μὴ νεόφυτος
   μαρτυρίαν καλὴν ἔχειν
διάκονοι
   σεμνοί
   μὴ δίλογοι
a μὴ οἴνῳ πολλῷ προσέχοντες
   μὴ αἰσχροκερδεῖς
   ἔχοντες τὸ μυστήριον τῆς πίστεως
      ἐν καθαρᾷ συνειδήσει
   δοκιμαζέσθωσαν πρῶτον
   ἀνέγκλητοι
   μιᾶς γυναικὸς ἄνδρες
c/ετέκνων καλῶς προϊστάμενοι καὶ
γυναῖκες,         τῶν ἰδίων οἴκων
   σεμναί
   μὴ διάβολοι
   νηφάλιοι
g πισταὶ ἐν πᾶσιν


Tit 1,5-9

πρεσβύτεροι
   ἀνέγκλητοι
   μιᾶς γυναικὸς ἄνδρες
c τέκνα ἔχοντες πιστά,...
ἐπίσκοπος
   ἀνέγκλητος
   μὴ αὐθάδης
   μὴ ὀργίλος
a μὴ πάροινος
   μὴ πλήκτης
   μὴ αἰσχροκερδής
   φιλόξενος
f φιλάγαθος
   σώφρων
   δίκαιος
d ὅσιος
   ἐγκρατής
(b)ἀντεχόμενος τοῦ κατὰ τὴν
   διδαχὴν πιστοῦ λόγου...


Tit 2,2-10

πρεσβύτες
   νηφάλιοι
   σεμνοί
   σώφρονες
   ὑγιαίνοντες τῇ πίστει..
πρεσβύτιδες
   ἱεροπρεπεῖς
   μὴ διάβολοι
a μὴ οἴνῳ πολλῷ δεδουλω-
            μέναι
(b)καλοδιδάσκαλοι, ἵνα
     σωφρονίζωσιν...
νέαι
   φιλάνδροι
c φιλοτέκνοι
   σώφρονες
d ἁγναί
e οἰκούργοι
f ἀγαθαί
   ὑποτασσομέναι τοῖς
      ἰδίοις ἀνδράσιν
νεώτεροι
   σωφρονεῖν
σύ (Τίτος)
   τύπος καλῶν ἔργων
(b) ἀφθορία ἐν τῇ διδασκα-
          λίᾳ
   σεμνότης
(b) λόγος ὑγιὴς ἀκατά-
        γνωστος,...
δοῦλοι
   ὑποτάσσεσθαι ἰδίοις
      δεσπόταις
   εὐάρεστοι
   μὴ ἀντιλέγοντες
   μὴ νοσφιζόμενοι
g ἐνδεικνύμενοι πᾶσαν
   πίστιν ἀγαθήν

Der Vergleich zeigt etliche wörtliche Übereinstimmungen (νηφάλιος, σώφρων, σεμνός, μὴ διάβολος). Häufiger sind die inhaltlichen Parallelen, wobei die Entsprechung von διδακτικός und καλοδιδάσκαλος in Klammern gesetzt ist (b), da es sich bei dem Gemeindeleiter aus dem Kontext der Past heraus, wie bereits festgestellt wurde, eher um das autoritative Lehren gegenüber der Gesamtgemeinde handelt, während die älteren Frauen die jüngeren in allen Belangen des Lebens gut unterrichten sollen.

Der Vergleich ergibt, daß - wie wir schon bei den Episkopenspiegeln sehen konnten - auch in der Haustafel die Eigenschaften eher exemplarisch für verschiedene Gruppen angeführt werden, andererseits doch auch deutliche Akzentsetzungen zu vermerken sind: bei den Vorstehern der Gemeinde begegnet die Forderung des rechten Lehrens besonders häufig (1 Tim 3,2; Tit 1,9; 2,7f); auch die Tugenden für die jungen Frauen und die Sklaven sind sehr spezifisch auf diese Personenkreise abgestimmt.

Die meisten Übereinstimmungen zwischen den Episkopenspiegeln und den Tugenden der einzelnen natürlichen Stände ergeben sich zu den πρεσβύτες, während es kaum Parallelen zu den Anforderungen an die Sklaven gibt. Das ist wohl deshalb nicht bloß zufällig, da die Amtsträger am ehesten die Rollenerwartung der älteren und damit erfahrenen Männer in der patriarchalischen Gesellschaft zu erfüllen hatten.

Aus dem Vergleich ergibt sich für die Charakterisierung der Gemeindeleiter durch die Episkopenspiegel folgendes:
Wenn auch bereits amtsspezifische Qualifikationen angeführt werden (besonders hinsichtlich der Lehrfähigkeit und der Gemeindeleitung), so muß doch beachtet werden, daß von ihnen keine ethischen Sonderformen (wie etwa besondere Fasten- oder Gebetsvorschriften, Armut und Ehelosigkeit) verlangt sind. Das wird einerseits dadurch deutlich, daß in sittlicher Hinsicht von ihnen die gleichen Eigenschaften gefordert werden wie von den übrigen Gemeindemitgliedern, andererseits auch dadurch, daß die an Titus gerichteten exemplarischen Anweisungen mitten in der Haustafel (und nicht in einem Ämterspiegel) zu finden sind.

Im übrigen ist gerade dieser kurze Eignungskatalog für Titus typisch für die Charakterisierung der Amtsträger in den Past: seine Hauptaufgabe ist das rechte Lehren; in seinem Verhalten soll er τύπος καλῶν ἔργων, also Vorbild für seine Gemeinde sein.

## 1.4.3 Vergleich mit anderen Tugendreihen in den Past

Um den theologischen Stellenwert der Tugenden in den Episkopenspiegeln richtig zu bestimmen, ist es notwendig, die übrigen
Tugendkataloge der Past hinsichtlich ihrer Bedeutung innerhalb
der christlichen Ethik zu untersuchen. Vor allem geht es um die
Frage, ob die Tugenden der Past einer hellenistischen und "bürgerlichen" Selbstgerechtigkeit entsprechen.
Tit 2,11f werden einige traditionelle griechische Tugenden, die
teilweise auch in den Episkopenspiegeln begegnen (σώφρων, δίκαιος), christlich motiviert: primär ist es hier nicht der Mensch,
der sich aus eigener Leistung heraus vervollkommnet, sondern die
χάρις θεοῦ, die "uns dazu erzieht, uns von der Gottlosigkeit und
den irdischen Begierden loszusagen und besonnen (σωφρόνως), gerecht (δικαίως) und fromm (εὐσεβῶς) in dieser Welt zu leben."[162]
Tit 3,4 wird sogar Gott selbst in der Begrifflichkeit der Tugendkataloge beschrieben: ὅτε δὲ ἡ χρηστότης καὶ ἡ φιλανθρωπία ἐπε-
φάνη τοῦ σωτῆρος ἡμῶν θεοῦ,... In der Sicht der Past macht also
die Aneignung der einzelnen Tugenden den Menschen zum Abbild
Gottes !
Der Tugendkatalog für die Reichen (1 Tim 6,17-19) weist einen Zusammenhang von Tugendhaftigkeit und ewigem Leben auf (vgl. auch
1 Tim 6,11f): ein tugendhaftes Leben führt zur ὄντως ζωή.
1 Tim 6,11-14 ist das Tugendstreben im weiteren Kontext durch die
ἐπιφάνεια τοῦ κυρίου motiviert[163].
Aus diesen Vergleichen folgt, daß die Tugendhaftigkeit der Past
mehr ist als Werkgerechtigkeit, die auf eigene Leistung pocht:
sie ist Geschenk Gottes, das der Mensch annehmen soll, um dadurch
Gott ähnlich zu werden und das ewige Leben zu erlangen.

---

162 Dazu BROX, Past 297:"Das Leben des Christen in seinem jewei-
    ligen Stand wird in den Kategorien konventioneller hellenisti-
    scher Ethik beschrieben, unterscheidet sich vom bürgerlichen
    Tugendideal aber grundlegend durch den unvergleichlichen An-
    laß, den das Streben des Christen im Heilshandeln Gottes hat.
    Die Motivation und 'Herkunft' des christlichen Verhaltens in
    der Welt ist das 'Erscheinen', die Epiphanie der Gnade Gottes
    in Jesus Christus (vgl. 2 Tim 1,9f; Tit 3,4)."
163 Vgl. PREISKER, Ethos 146-148.

1.4.4 Vergleich mit den "Ketzerspiegeln" 2 Tim 3,1-9; Tit 1,
10-16
Da die Charakterisierung der Irrlehrer mit einem den Episkopenspiegeln ähnlichen Vokabular erfolgt, liegt es nahe, diese Texte
miteinander zu vergleichen. Dabei fällt auf, daß die Amtsträger
als bewußtes Gegenbild zu den sittlichen Eigenschaften der
Häretiker beschrieben werden:

| Irrlehrer | Gemeindeleiter |
|---|---|
| Tit 1,10-16: | |
| ἀνυπότακτοι | μὴ ἀνυπότακτα (τέκνα: Tit 1,6) |
| διδάσκοντες ἃ μὴ δεῖ | ἀντεχόμενον...πιστοῦ λόγου (Tit 1,9) |
| | διδακτικός (1 Tim 3,2) |
| αἰσχροῦ κέρδους χάριν | ἀφιλάργυροι (1 Tim 3,3) |
| | μὴ αἰσχροκερδεῖς (1 Tim 3,8; Tit 1,7) |
| μεμίανται αὐτῶν καὶ ὁ | ἐν καθαρᾷ συνειδήσει (1 Tim 3,9) |
| νοῦς καὶ ἡ συνείδησις | |
| πρὸς πᾶν ἔργον ἀγαθὸν | καλοῦ ἔργου ἐπιθυμεῖ (1 Tim 3,1) |
| ἀδόκιμοι | |
| 2 Tim 3,1-9[164]: | |
| φίλαυτοι | φιλόξενος (1 Tim 3,2; Tit 1,8) |
| φιλάργυροι | ἀφιλάργυροι (1 Tim 3,3) |
| | μὴ αἰσχροκερδεῖς (1 Tim 3,8; Tit 1,7) |
| ἀλαζόνες | μὴ δίλογος (1 Tim 3,8) |
| γονεῦσιν ἀπειθεῖς | τέκνα ἐν ὑποταγῇ, πιστά (1 Tim 3,4; Tit 1,6) |
| ἀνόσιοι | ὅσιος (Tit 1,8) |
| ἄσπονδοι | ἄμαχος (1 Tim 3,3) |
| διάβολοι | μὴ διάβολος (1 Tim 3,11) |
| ἀκρατεῖς | ἐγκρατής (Tit 1,8) |
| ἀνήμεροι | μὴ πλήκτης (1 Tim 3,3; Tit 1,7) |
| | ἐπιεικής (1 Tim 3,3) |
| ἀφιλάγαθοι | φιλάγαθος (Tit 1,8) |
| τετυφωμένοι | μὴ τυφωθεῖς (1 Tim 3,6) |
| φιλήδονοι | φιλάγαθος (Tit 1,8) |

---

164 Zu diesem Lasterkatalog vgl. McELENEY, Vice Lists 213, der
    jüdisch-hellenistische, stoische und andere ethische Ein-

Die Irrlehrer werden auch 1 Tim 6,5 als gewinnsüchtig charakterisiert (νομιζόντων πορισμὸν εἶναι τὴν εὐσέβειαν). Die Wendung
πάγις τοῦ διαβόλου begegnet sowohl bei den Häretikern (2 Tim 2,26)
als auch beim ἐπίσκοπος (1 Tim 3,7).
Deutlicher als die entsprechenden Gegensätze zwischen den Episkopenspiegeln und dem "Ketzerspiegel" Tit 1,10-16 zeigen die zu dem
Lasterkatalog 2 Tim 3,1-9 bestehenden Affinitäten, daß die Amtsträger in bewußtem Gegensatz zu den Irrlehrern charakterisiert
werden. Das gibt einen wichtigen Hinweis für die Auflistung der
"bürgerlichen" Tugenden in den Episkopenspiegeln: die Gemeindeleiter sollen sich gerade durch die Bewährung in den alltäglichen
Dingen vom Verhalten der Irrlehrer abheben[165].
Besonders hingewiesen sei auf die Bedeutung der καλὰ ἔργα in diesem Zusammenhang: die Häretiker sind für diese untauglich (Tit
1,16), doch der Amtsträger und die Gemeinde werden immer wieder
zu guten Werken ermuntert (1 Tim 3,1; 5,10.25; 6,18; 2 Tim 4,5
u.ö.). Die Irrlehrer geben vor, Gott zu kennen, in ihren Werken
verleugnen sie ihn jedoch (Tit 1,16). Im Gegensatz dazu (und
nicht infolge einer "bürgerlichen" Werkgerechtigkeit) ist es für
die Christen wichtig, sich durch gute Werke auszuzeichnen.
Der Vollständigkeit wegen sei noch hinzugefügt, was bereits bei
der Untersuchung der Forderung, der Amtsträger dürfe kein Neugetaufter sein (1 Tim 3,6; vgl. S.59-61), festgestellt wurde: es
soll durch diese Bestimmung vermieden werden, daß der ἐπίσκοπος
wie die Irrlehrer (vgl. 1 Tim 6,4; 2 Tim 3,4) τυφωθείς, hoch-
mütig wird. Beginnende kirchenrechtliche Anordnungen werden dem-

---

flüsse für derartige Aufzählungen bestimmend hält und es ablehnt, einen bestimmten festen Urkatalog als Quelle dafür anzunehmen (215.217). BROX, Past 254:"Manche der aufgezählten
Laster gehören zum Vokabular der Ketzerpolemik und werden so
auch in den Pastoralbriefen verwendet (z.B.'geldgierig',
'gotteslästerlich','überheblich','undankbar'), doch sind sie
hier nicht deswegen gewählt, sondern sie gehören in die Reihe
allgemeiner Unsittlichkeit hinein." Vgl. auch VÖGTLE, Tugendkataloge 12-15.232-234.
165 Die von LEMAIRE, Dienste 725, vertretene Ansicht, die Qualifikationen der Amtsträger in den Episkopenspiegeln seien
gegen eine beginnende invidia clericalis gefordert, findet
in den Texten keinen Anhaltspunkt.

nach gegen drohende Mißstände gesetzt.

Aus der Beobachtung, daß die Tugenden der Episkopenspiegel in
Gegensatz zur verderbten Sittlichkeit der Irrlehrer stehen, können wir die Folgerung ziehen, daß nicht jedes in den Episkopenspiegeln abgelehnte Laster auf konkrete Mißstände bei den Amtsträgern schließen läßt; denn sie schöpfen - wie alle Tugend- und
Lasterkataloge der Past - aus einer Fülle von möglichen Tugenden
und Lastern und wollen so primär positive Sittlichkeit allgemein
darstellen.

1.4.5 Vergleich mit Berufspflichtenlehren

Der Vergleich mit nichtchristlicher Literatur zeigt, daß der Verfasser der Past den Episkopenspiegeln ähnliche Berufspflichtenlehren gekannt haben muß. Dies zeigt besonders folgendes Beispiel:

Bei Onosander heißt es im ersten Kapitel des Buches περὶ αἱρέσεως
στρατηγοῦ (1,1): Φημὶ τοίνυν αἱρεῖσθαι τὸν στρατηγὸν οὐ κατὰ γένη
κρίνοντας, ὥσπερ τοὺς ἱερέας, οὐδὲ κατ' οὐσίας, ὡς τοὺς γυμνασι-
άρχους, ἀλλὰ σώφρονα, ἐγκρατῆ, νήπτην, λιτόν, διάπονον, νοερόν,
ἀφιλάργυρον, μήτε νέον μήτε πρεσβύτερον, ἂν τύχῃ καὶ πατέρα παί-
δων, ἱκανὸν λέγειν, ἔνδοξον.

Die durchgezogenen Unterstreichungen zeigen drei wörtliche Übereinstimmungen mit den Episkopenspiegeln; drei weitere (verdeutlicht durch die unterbrochenen Linien) sind sinngleich mit Eignungen aus den Past: νήπτης entspricht in etwa νηφάλιος (1 Tim
3,2), die Kinder werden auch in den Episkopenspiegeln dreimal
erwähnt (1 Tim 3,4.12; Tit 1,6); ἱκανὸς λέγειν entspricht διδακτικός (1 Tim 3,2).

Im Gegensatz zu den Episkopenspiegeln fehlt hier jeder religiöse
Bezug. Gemeinsam ist jedoch dies, daß es sich in beiden Fällen um
Auswahlkriterien für Führungspersönlichkeiten handelt.

Bei Onosander folgt für jede der geforderten Eigenschaften eine
eigene Erklärung; das weist darauf hin, daß auch er aus vorgegebenen Tugendreihen schöpft und diese dann für seinen στρατηγός
in Anspruch nimmt[166].

---

166 Vgl. dazu DIBELIUS-CONZELMANN, Past 41.117f; VÖGTLE, Tugend-
    kataloge 78-81, bringt weitere Beispiele für Pflichtenlehren.

Bei Lukian (Salt 81,2) gibt es eine Instruktion für einen voll-
kommenen Tänzer: "Ολως δὲ τὸν ὀρχηστρὴν δεῖ πανταχόθεν ἀπηκριβῶσ-
θαι, ὡς εἶναι τὸ πᾶν εὔρυθμον, εὔμορφον, σύμμετρον, αὐτὸ αὐτῷ
ἐοικὸς ἀσυκοφάντητον, ἀνεπίληπτον, μηδαμῶς ἐλλιπές, ἐκ τῶν ἀρίστων
κεκραμένον, τὰς ἐνθυμήσεις ὀξύν, τὴν παιδείαν βαθύν, τὰς ἐννοίας
ἀνθρώπινον μάλιστα.

Vom Tänzer wird gefordert, daß er "in jeder Beziehung genau unter-
richtet ist, wie alles harmonisch, wohlgestaltet und passend ist,
ihm selbst ähnlich, nämlich nicht verleumderisch, tadellos, nicht
unvollkommen, aus den besten Dingen zusammengestellt, zündend in
den Einfällen, klug für die Erziehung, besonders menschlich in
der Gesinnung."
Der Vergleich mit den Episkopenspiegeln ist nur insofern aufschlußreich, als auch bei Lukian allgemeine Tugenden mit Berufs-
notwendigkeiten verbunden werden[167]. Wörtliche Übereinstimmung
gibt es nur eine, nämlich ἀνεπίληπτος.

1.4.6 Die Episkopenspiegel und die frühchristliche Literatur
Die Tugendaufzählung für Amtsträger in den Past ist in der frühchristlichen Literatur kein isoliertes Phänomen; dies zeigen
mehrfache Anklänge an unsere Texte:
1 Petr 5,1-4 werden die πρεσβύτεροι ermahnt. Es liegt hier zwar
keine so geschlossene Tugendaufzählung vor wie in den Past, doch
begegnet in diesem Text αἰσχροκερδής (V 2) wie in den Episkopenspiegeln (1 Tim 3,8; Tit 1,7); weiters erinnert auch die Forderung τύποι γινόμενοι τοῦ ποιμνίου (V 3) an die Past (vgl. 1 Tim
4,12; Tit 2,7). Dabei muß es sich nicht um direkte Abhängigkeit
handeln, doch zeigt dieser Text, daß in paulinischem Traditions-
gut offensichtlich ähnliche Tugendlisten für Amtsträger mehrfach
verwendet wurden.
In der Didache (Beginn des 2.Jh.) weist ein Text eine gewisse
Ähnlichkeit mit den Episkopenspiegeln auf, was auf eine gemeinsame Vorlage zurückzuführen sein könnte[168]: Χειροτονήσατε οὖν
ἑαυτοῖς ἐπισκόπους καὶ διακόνους ἀξίους τοῦ κυρίου, ἄνδρας πραεῖς

167 Vgl. DIBELIUS-CONZELMANN, Past 41.118.
168 So DIBELIUS- CONZELMANN, Past 5f, wo aus dèn Ähnlichkeiten
    auf beiden vorliegendes Regelgut geschlossen wird.

καὶ ἀφιλαργύρους καὶ ἀληθεῖς καὶ δεδοκιμασμένους (Did 15,1).
Die Nennung von ἐπίσκοποι (im Unterschied zu den Past im Plural)
und διάκονοι ist ähnlich. Auch von ihnen wird verlangt, daß sie
ἀφιλαργύρους seien (vgl. 1 Tim 3,3); δεδοκιμασμένους erinnert an
die Forderung bezüglich der Diakone 1 Tim 3,10: δοκιμαζέσθωσαν
πρῶτον.

Im Polykarpbrief an die Philipper (2.Jh.)[169] finden wir die deut-
lichsten Anklänge an die Episkopenspiegel: Ὁμοίως διάκονοι
ἄμεμπτοι κατενώπιον αὐτοῦ τῆς δικαιοσύνης ὡς θεοῦ καὶ Χριστοῦ
διάκονοι καὶ οὐκ ἀνθρώπων· μὴ διάβολοι, μὴ δίλογοι, ἀφιλάργυροι,
ἐγκρατεῖς περὶ πάντα, εὔσπλαγχνοι, ἐπιμελεῖς, πορευόμενοι κατὰ
τὴν ἀλήθειαν τοῦ κυρίου, ὃς ἐγένετο διάκονος πάντων·...(5,2).
Auf die Anweisungen für die Witwen (4,3) folgen nach einer kurzen
Überleitung durch V 1 diese Anweisungen für die Diakone.
Der Beginn von V 2 mit ὁμοίως (entgegen dem in den Past geläufigen ὡσαύτως 1 Tim 3,8.11) paßt nicht gut zum vorhergehenden Vers
und weist deshalb auf die Verwendung vorgegebenen Textmaterials
hin.
Die Diakone werden ähnlich der uns aus den Past geläufigen Form
charakterisiert: ἄμεμπτος ist zwar den Spiegeln der Past nicht
geläufig, entspricht jedoch in seiner allgemeinen Bedeutung
ἀνεπίλημπτος, ἀνέγκλητος und anderen; die Wendung ὡς θεοῦ καὶ
Χριστοῦ διάκονοι erinnert an 1 Tim 4,6; die vier nun unmittelbar
einander folgenden Worte sind wörtliche Übereinstimmungen mit den
Episkopenspiegeln: μὴ διάβολοι findet sich sowohl bei den γυναῖκες 1 Tim 3,11 als auch bei den πρεσβύτιδες Tit 2,3, μὴ διλόγοι
zu sein wird in den Past von den Diakonen verlangt (1 Tim 3,8),
ἀφιλάργυρος soll nach 1 Tim 3,3 der ἐπίσκοπος sein, ebenso soll
er gemäß Tit 1,8 ἐγκρατής sein; ἐπιμελεῖς erinnert an 1 Tim 3,5,
wonach der ἐπίσκοπος wissen soll πῶς ἐκκλησίας θεοῦ ἐπιμελήσεται;
auch Partizipialkonstruktionen, wie sie bei Polykarp begegnen
(πορευόμενοι κατὰ τὴν ἀλήθειαν τοῦ κυρίου) sind den Episkopenspiegeln geläufig (vgl. 1 Tim 3,4: τοῦ ἰδίου οἴκου καλῶς προϊστάμενος; 3,12 usw.).

---

169 Nach der im Quellenverzeichnis angeführten Ausgabe von J.A.
    FISCHER handelt es sich um den zweiten Polykarpbrief an die
    Philipper.

87

Die Gemeinsamkeiten sind so zahlreich, daß eine Abhängigkeit der Texte anzunehmen ist, sei es unmittelbare Zitation oder eine beiden zugrundeliegende Gemeindeordnung[170].

1.4.7 Vergleich mit den entsprechenden Angaben in der syrischen Didaskalie (Beginn des 3.Jh.) und den Constitutiones Apostolorum (4.Jh.)

In diesen Kirchenordnungen finden wir die Episkopenspiegel in veränderter Form wieder[171]:

1. Die Texte sind gegenüber den Past gelegentlich insofern erweitert, als andere Schrifttexte zur Verdeutlichung herangezogen werden: Const Ap II 2,1 (vgl. Didask II 2,1): "Εστω...μὴ νεόφυτος, ἵνα μὴ τυφωθεὶς εἰς κρίμα ἐμπέσῃ τοῦ διαβόλου, ὅτι πᾶς, ὁ ὑψῶν ἑαυτὸν ταπεινωθήσεται (vgl. Lk 14,11); Const Ap II 3,1 (Didask II 3,1): Δοκιμαζέσθω οὖν, εἰ ἄμωμός ἐστιν περὶ τὰς βιωτικὰς χρείας·γέγραπται γάρ "Μωμοσκοπεῖσθε τὸν μέλλοντα εἰς ἱερωσύνην προχειρίζεσθαι" (Lev 21,17).

2. Einzelne Worte oder Wortgruppen werden verdeutlicht: Const Ap II 2,2: τοιοῦτον δὲ εἶναι τὸν ἐπίσκοπον·μιᾶς ἀνδρὸς γεγενημένον γυναικὸς μονογάμου, καλῶς τοῦ ἰδίου οἴκου προεστῶτα; Const Ap II 1,1 (vgl. Didask II 1,1): zu ἀνέγκλητον, ἀνεπίληπτον (1 Tim 3,2; Tit 1,6) kommt ἀνέπαφον πάσης ἀδικίας ἀνθρώπων hinzu; Const Ap II 2,1 (Didask II 2,1): "Εστω οὖν καὶ "νηφάλιος, σώφρων, κόσμιος", εὐσταθής, ἀτάραχος,"μὴ πάροινος,..."; vgl. auch Const Ap II 4,1 (Didask II 4,1); ebenso Const Ap II 24,7 (Didask II 24,4).

3. Es finden sich auch zusätzliche Qualifikationen: Const Ap II 1,1 (Didask II 1,1): οὐκ ἔλαττον ἐτῶν πεντήκοντα - diese Einschränkung findet sich in den Past für den ἐπίσκοπος nicht; vgl. auch Const Ap II 1,2 (Didask II 1,2): ἔστω οὖν, εἰ δυνατόν, πεπαιδευμένος.

4. In der Witwenregel können auch Unterschiede gegenüber dem

---

170 Die Gemeinsamkeiten zwischen den Past und dem Polykarpbrief sind so groß, daß H.v.CAMPENHAUSEN dadurch zu seiner umstrittenen Polykarphypothese finden konnte (vgl.S.19).
171 BARTSCH, Anfänge 82f, nimmt sowohl eine direkte Abhängigkeit als auch eine gemeinsame Abhängigkeit von anderem kirchenordnendem Material an.

Wortlaut in den Past festgestellt werden: wird 1 Tim 5,9 gefordert, eine Witwe solle mindestens sechzig Jahre alt sein, so wird
in der syrischen Didaskalie das Mindestalter auf fünfzig Jahre
reduziert (Didask III 1,1).

5. In einigen Textteilen werden Wortgruppen beziehungsweise Ge-
dankengänge aus den Past verwendet: Const Ap II 2,3 (Didask II
2,3): οὕτως γὰρ δοκιμαζέσθω (vgl. 1 Tim 3,10), ὁπόταν τὴν χειρο-
τονίαν λαμβάνων καθίσταται ἐν τῷ τόπῳ τῆς ἐπισκοπῆς·εἰ ἔστι
σεμνός (vgl. 1 Tim 3,8.11), πιστός (vgl. 1 Tim 3,11) καὶ κόσμιος
(1 Tim 3,2), εἰ γυναῖκα σεμνὴν καὶ πιστὴν ἔχει ἢ ἔσχηκεν (1 Tim
3,11), εἰ τέκνα θεοσεβῶς ἀναθρέψας (1 Tim 3,4.12; Tit 1,6)...
Im Blick auf das Ziel unserer Untersuchung ist die Feststellung
wichtig, daß die Anordnungen der Past in diesen Schriften nicht
als starre, ein für allemal gültige Regelungen aufgefaßt wurden.
Die Kirche verstand vielmehr diese konkreten Anweisungen durch
die Situation und deren Notwendigkeiten bedingt und scheute sich
nicht, sie neuen Erfordernissen entsprechend zu ändern.


## 1.5 Form und Gattung

Nach eingehenden Textvergleichen soll nun die Form der Episkopenspiegel untersucht werden; im Anschluß daran werden sie einer
Gattung zugeordnet. Unter Form wird die grammatikalisch-syntak-
tische Struktur, der Stil und die Wortwahl verstanden. Zur Verdeutlichung der Struktur werden die Texte nach Sinnzeilen ge-
gliedert. Die Gattungsbestimmung ist die Feststellung der Text-
sorte[172].

---

172 Zur Begriffsbestimmung von "Form" und "Gattung" vgl. KREMER,
    Osterevangelien 41.

1 Tim 3,1-13:

1 (Πιστὸς ὁ λόγος·)
  Εἴ τις ἐπισκοπῆς ὀρέγεται, καλοῦ ἔργου ἐπιθυμεῖ.

2 δεῖ οὖν τὸν ἐπίσκοπον ἀνεπίλημπτον εἶναι,
  + μιᾶς γυναικὸς ἄνδρα,│νηφάλιον│σώφρονα│κόσμιον│φιλόξενον│διδακτικόν,
3 - μὴ πάροινον│μὴ πλήκτην,
  + ἀλλὰ ἐπιεικῆ│ἄμαχον│ἀφιλάργυρον,
4 τοῦ ἰδίου οἴκου καλῶς προϊστάμενον, τέκνα ἔχοντα ἐν ὑποταγῇ, μετὰ πάσης σεμνότητος
5 (εἰ δέ τις τοῦ ἰδίου οἴκου προστῆναι οὐκ οἶδεν, πῶς ἐκκλησίας θεοῦ ἐπιμελήσεται;)
6 - μὴ νεόφυτον, ἵνα μὴ τυφωθεὶς εἰς κρίμα ἐμπέσῃ τοῦ διαβόλου.
7 δεῖ δὲ καὶ μαρτυρίαν καλὴν ἔχειν ἀπὸ τῶν ἔξωθεν,
       ἵνα μὴ εἰς ὀνειδισμὸν ἐμπέσῃ καὶ παγίδα τοῦ διαβόλου.

8 Διακόνους ὡσαύτως σεμνούς,
  - μὴ διλόγους, μὴ οἴνῳ πολλῷ προσέχοντας, μὴ αἰσχροκερδεῖς,
9 + ἔχοντας τὸ μυστήριον τῆς πίστεως ἐν καθαρᾷ συνειδήσει.
10 καὶ οὗτοι δὲ δοκιμαζέσθωσαν πρῶτον, εἶτα διακονείτωσαν ἀνέγκλητοι ὄντες.

11 Γυναῖκας ὡσαύτως σεμνάς,
  - μὴ διαβόλους,
  + νηφαλίους, πιστὰς ἐν πᾶσιν.

12 διάκονοι ἔστωσαν μιᾶς γυναικὸς ἄνδρες, τέκνων καλῶς προϊστάμενοι καὶ τῶν ἰδίων οἴκων.
13 οἱ γὰρ καλῶς διακονήσαντες βαθμὸν ἑαυτοῖς καλὸν περιποιοῦνται
       καὶ πολλὴν παρρησίαν ἐν πίστει τῇ ἐν Χριστῷ Ἰησοῦ.


Tit 1,5-9:

5 Τούτου χάριν ἀπέλιπόν σε ἐν Κρήτῃ,
    ἵνα τὰ λείποντα ἐπιδιορθώσῃ
       καὶ καταστήσῃς κατὰ πόλιν πρεσβυτέρους, ὡς ἐγώ σοι διεταξάμην,
6 εἴ τίς ἐστιν ἀνέγκλητος,
       μιᾶς γυναικὸς ἀνήρ,
       τέκνα ἔχων πιστά, μὴ ἐν κατηγορίᾳ ἀσωτίας ἢ ἀνυπότακτα.
7 δεῖ γὰρ τὸν ἐπίσκοπον ἀνέγκλητον εἶναι ὡς θεοῦ οἰκονόμον,
  - μὴ αὐθάδη,│μὴ ὀργίλον,│μὴ πάροινον,│μὴ πλήκτην,│μὴ αἰσχροκερδῆ,
  + ἀλλὰ φιλόξενον│φιλάγαθον│σώφρονα│δίκαιον│ὅσιον│ἐγκρατῆ,
       ἀντεχόμενον τοῦ κατὰ τὴν διδαχὴν πιστοῦ λόγου,
       ἵνα δυνατὸς ᾖ καὶ παρακαλεῖν ἐν τῇ διδασκαλίᾳ τῇ ὑγιαινούσῃ
       καὶ τοὺς ἀντιλέγοντας ἐλέγχειν.

Der Episkopenspiegel 1 Tim 3,1-7 wird durch einen sentenzartigen Satz eingeleitet[173]. Die folgenden Aussagen sind als AcI-Konstruktion abhängig von δεῖ. In V 2 sind die Eignungen asyndetisch aneinandergereiht (nur μιᾶς γυναικὸς ἀνήρ fällt aus der Reihe der Adjektiva heraus). In diesem Vers werden nur positive Qualifikationen genannt (ἀνεπίλημπτος, μιᾶς γυναικὸς ἀνήρ, νηφάλιος, σώφρων, κόσμιος, φιλόξενος, διδακτικός - im Text durch /+/ gekennzeichnet). Den Bestimmungen geht eine Tugend mit sehr allgemeiner Bedeutung voran (ἀνεπίλημπτος). Dies ist auch bei den übrigen Eignungskatalogen der Episkopenspiegel der Fall (vgl. die im Text unterstrichenen Worte), wodurch der Charakter der Aufzählungen angedeutet wird. Daß εἶναι 1 Tim 3,2 schon nach der ersten Qualifikation steht, kann als Hervorhebung dieser Eignung angesehen werden; doch es entspricht eher einer stilistischen Eigenart des Verfassers, das Hilfsverb bei Aufzählungen an deren Anfang zu setzen (vgl. 2 Tim 3,2; Tit 1,7.10; 2,2).

V 3 beginnt mit negierten negativen Kriterien (μὴ πάροινος, μὴ πλήκτης - dies wird im Text durch /-/ angezeigt), diesen werden mit ἀλλά positive entgegengestellt (ἐπιεικής, ἄμαχος, ἀφιλάργυρος, τοῦ ἰδίου οἴκου καλῶς προϊστάμενος, τέκνα ἔχοντα ἐν ὑποταγῇ). V 4 werden die adjektivischen Bestimmungen durch Partizipialkonstruktionen, die immer noch von δεῖ abhängig sind, ersetzt (προϊστάμενον, ἔχοντα). V 5 unterbricht die von δεῖ abhängige Aufzählung mit einer den V 4 verstärkenden Frage. In V 6 werden sowohl die AcI-Konstruktion als auch die adjektivischen Bestimmungen wieder aufgenommen. Diese negierte adjektivische Qualifikation (μὴ νεόφυτος) wird als erste begründet. V 7 wird erstmals δεῖ wiederholt. Die zweite Satzhälfte ist eine Parallelkonstruktion zu V 6b, verdeutlicht durch die Wiederholungen von ἐμπέσῃ und διάβολος.

In V 8 beginnen die Kriterien für die Diakone. Hier wird die AcI-

---

173 Vgl. DIBELIUS-CONZELMANN, Past 43. HASLER, Past 26, nennt die einleitende Wendung (εἴ τις) eine "Merkformel", wobei es sich bei Merkformeln um moralische oder organisatorische Weisungen handelt, die konkrete Einzelfälle in der Gemeinde ansprechen und sich zu allgemeingültigen Regeln, Grundsätzen und Verhaltensnormen ausformulieren.

Konstruktion weitergeführt; dabei wird das Verbum δεῖ nicht eigens angeführt (elliptische Konstruktion). Die Qualifikationen
werden nun gemischt in positiven und negativen Adjektivbestimmun-
gen und Partizipialkonstruktionen weitergeführt. V 10 wird der
AcI mit einem imperativischen Satzgefüge (Imperativ Präsens)
abermals (vgl. V 5) durchbrochen. Die ersten beiden Worte der Wendung καὶ οὗτοι δὲ δοκιμαζέσθωσαν erwecken beim Leser den Eindruck,
daß schon beim ἐπίσκοπος von einer vorhergehenden Prüfung die
Rede war, was jedoch nicht der Fall ist. Das ist ein deutlicher
Hinweis dafür, daß es sich bei sämtlichen Kriterien nicht um
eine vollständige, sondern um eine exemplarische Aufzählung handelt. Außerdem sind die einzelnen Qualifikationen (darauf weisen die Anschlüsse mit ὡσαύτως 1 Tim 3, 8.11 hin) keine für den
jeweiligen Personenkreis spezifischen Erfordernisse.
V 11 wird die AcI-Konstruktion bei den Eignungskriterien der
γυναῖκες ein letztes Mal (wiederum elliptisch) aufgegriffen. V 12
ist die von δεῖ abhängige Konstruktion endgültig aufgegeben; der
präsentische Imperativ von V 10 wird wieder aufgenommen. An den
nun folgenden Eigenschaften dürfte dem Verfasser besonders gelegen sein, da ihretwegen die διάκονοι nochmals angeführt werden,
obwohl die Eignungen für sie bereits in V 10 abgeschlossen zu
sein schienen. Der Diakonenspiegel endet ähnlich mit einem sentenzartigen Satz, wie der Episkopenspiegel in V 1 begonnen hat
(auffällig ist die Parallele βαθμὸν καλόν und καλοῦ ἔργου).

Der Presbyter- beziehungsweise Episkopenspiegel Tit 1,5-9 ist
wesentlich kürzer und auch einfacher konstruiert. Nach einer einleitenden Situationsangabe (V 5) folgen im Nominativ Presbyter-
tugenden, die in den Episkopenspiegeln öfter begegnen[174]: diese
sind sowohl adjektivisch (ἀνέγκλητος) als auch substantivisch
(μιᾶς γυναικὸς ἀνήρ, ἐν κατηγορίᾳ ἀσωτίας) und partizipial (ἔχων),
positiv und negativ formuliert, wobei die Kinder relativ aus-

---

174 ἀνέγκλητος: vgl. Tit 1,7; μιᾶς γυναικὸς ἀνήρ: vgl. 1 Tim 3,2.
12; τέκνα ἔχων πιστά: vgl. 1 Tim 3,4.12.

führlich charakterisiert werden (auch ἀνυπότακτα bezieht sich auf
sie). Auffällig ist, daß es (mit Ausnahme von ἀνέγκλητος) dieselben Kriterien sind, die bei den Diakonen "nachgeholt" und weiters
auch im Episkopenspiegel 1 Tim 3,4f relativ breit ausgeführt wurden; sie waren offensichtlich besonders wichtig.
V 7 setzt zwar die vorangegangene Aufzählung der Eignungen (an-
geschlossen durch γάρ) fort, doch wird eine neue Amtsbezeichnung
(der ἐπίσκοπος) eingeführt; außerdem wechselt hier die Satz-
konstruktion: es folgt wie in 1 Tim 3,2-11 eine von δεῖ abhängige
AcI-Konstruktion, die in der Folge auch durchgehalten wird. Die
Kriterien wirken nun eher geordnet, obwohl auch hier - wie in
allen Ämterspiegeln der Past - außer der Zusammenstellung von positiven und negativen Qualifikationen inhaltlich keine genaue
Ordnung festzustellen ist[175]. ᾿Ανέγκλητος wird näher beschrieben
durch ὡς θεοῦ οἰκόνομος, V 7 folgen ausschließlich negative Bestimmungen, V 8 - durch ἀλλά entgegengesetzt - nur positive Eigenschaften. Waren es ab V 7 immer Adjektiva, die katalogartig
angeführt wurden, so beginnt mit V 9 eine Partizipialkonstruktion,
die mit einem durch ἵνα eingeleiteten Nebensatz (vgl. 1 Tim 3,6.7)
eine Begründung erhält. In Tit ist diese Begründung positiv, er-
munternd: der ἐπίσκοπος soll die Gemeinde ermahnen und die Irrlehrer überführen können (in 1 Tim 3,6.7 ist die Begründung pro-
hibitiv: das Schlechte soll von vornherein vermieden werden).
In den Episkopenspiegeln dominieren die katalogischen Aufzählungen positiver und negierter negativer Eignungskriterien für die
Amtsträger. Die Untersuchung des Satzbaues zeigte in den meist
sehr langen Sätzen einige Konstruktionsbrüche (vor allem in 1 Tim
3,1-13). Die Forderungen eines guten Ehe- und Familienlebens sind
an exponierter Stelle zu finden: die Anweisung, nur eines Weibes
Mann zu sein, findet sich stets am Beginn von Eignungskatalogen
(wenn man von den allgemeinen einleitenden Begriffen ἀνεπίλημπτος
und ἀνέγκλητος absieht); Tit 1,6 wird das geordnete Familienleben an den Anfang der Auflistungen gestellt; zudem werden
diese Kriterien relativ breit ausgeführt (vgl. 1 Tim 3,4f.12; Tit
1,6). Im Gegensatz zu der sonst knappen Form der einzelnen For-

---

175 So auch SPICQ, Past 433. Die bei LOCK, Past 36, angeführte
    Ordnung ist zu gekünstelt.

derungen werden auch jene Eignungen näher erläutert, die für den
Amtsträger spezifisch oder besonders wichtig sind: er soll kein
Neugetaufter sein (1 Tim 3,6) und bei den Außenstehenden einen
guten Ruf haben (1 Tim 3,7); er soll gläubig sein und vor der
Amtsausübung eingehend geprüft werden (1 Tim 3,9f); er soll sich
an die rechte Lehre halten (Tit 1,9).

Aufgrund der bereits erfolgten inhaltlichen Bestimmung der einzelnen Begriffe und Wendungen gilt es nun zu erheben, was die Texte
eigentlich wollen: welcher "rote Faden" durchzieht den Gedanken-
gang [176]?
Bei den Episkopenspiegeln handelt es sich in der Hauptsache um
instruktive Texte, was vor allem durch die geforderten Eignungen
deutlich wird[177], aber auch durch die Anordnung an Titus, in den
Städten Älteste einzusetzen (Tit 1,5); gelegentlich wird die
Instruktion durch eine Argumentation präzisiert (vgl. 1 Tim 3,6.7;
Tit 1,9). Der Text 1 Tim 3,1-13 hat jedoch durch die Rahmenverse
auch werbenden Charakter[178].
Bei oberflächlichem Lesen scheint es sich um ein bloß "bürgerlich"-durchschnittliches Tugendideal zu handeln; doch es gibt -
wenn auch vereinzelt - Eignungen, die aus diesem Schema herausfallen: vor allem die Forderung, die Diakone sollten "am Geheim-
nis des Glaubens festhalten" (1 Tim 3,9) geht sicherlich über
jedes hellenistische Tugendideal hinaus; auch die Bestimmung,
der ἐπίσκοπος dürfe kein Neugetaufter sein (1 Tim 3,6) paßt
nicht dazu, ebenso die Lehrbefähigung κατὰ τὴν διδαχήν (Tit 1,9).
Andererseits handelt es sich aber weder ausschließlich um spezifisch christliche Tugenden noch um Berufstugenden im engeren
Sinne.
Man wird allen Anforderungen nur dann gerecht, wenn eine vier-
fache Aussageabsicht angenommen wird :
Primär geht es um die bewußte Alternative zu den Häretikern: das
wurde bereits ausführlich bei der Gegenüberstellung der Episkopenspiegel mit den "Ketzerspiegeln" (2 Tim 3,1-9; Tit 1,10-16)[179]

---

176 Vgl. die bei STOCK, Umgang 30-32, ausgeführte Methode.
177 Vgl. BERGER, Exegese 78.
178 Vgl. BROX, Past 155.
179 Vgl. SS.82-84.

gezeigt und wird auch durch den Schluß und die Fortsetzung von
Tit 1,5-9 deutlich (der ἐπίσκοπος soll die Irrlehrer überführen,
die dann ausführlich beschrieben werden).

Zweitens weist 1 Tim 3,7 eindringlich darauf hin, daß es auch um
das Zeugnis christlichen Lebens vor den Außenstehenden geht[180].
Daraus erklären sich die "bürgerlichen" Tugenden: gerade in der
vorbildlichen Sittlichkeit, die auch die Fernstehenden als solche
erkennen, sollen die Ungläubigen die prägende Kraft des christlichen Glaubens erfahren und so zu Christus finden !

Es geht drittens um ein anständiges Leben vor Gott: der ἐπίσκοπος
ist οἰκονόμος θεοῦ (Tit 1,7) und die ἐκκλησία, die er verwaltet,
ist οἶκος θεοῦ (1 Tim 3,15); es geht nicht nur um sein Haus, sondern um die ἐκκλησία θεοῦ (1 Tim 3,5).

Es geht schließlich auch um die Vorbildlichkeit vor der Gemeinde:
der Amtsträger wird dazu angehalten, sich um die ἐκκλησία θεοῦ
zu kümmern, er muß die Gemeinde in entsprechender Form gemäß der
"gesunden Lehre" unterweisen können (1 Tim 3,2; Tit 1,9).

Der Vergleich mit verwandten Textsorten ergibt als nächststehende
Parallele die Gattung der Berufspflichtenlehren. Diesen werden
unsere Texte in der Fachliteratur auch zugeordnet[181]. Ganz exakt
ist diese Bezeichnung jedoch nicht, da es sich eigentlich nicht
primär um Pflichten, sondern um Eignungen handelt[182]: Tit 1,5
werden Eignungen als Kriterien genannt, nach denen Titus "in den
Städten Presbyter einsetzen" soll; 1 Tim 3,1 geht es um das anzu-

---

180 Dazu VÖGTLE, Tugendkataloge 56:"Wenn der Apostel die natür-
lich-sittliche Unantastbarkeit des Bischofskandidaten so
eindringlich verlangt, so wohl auch wiederum wegen der Zeit-
verhältnisse. Er muß nicht nur rechnen mit der wachsenden
Kritik und Häresie im Innern der Kirche, sondern, worauf die
letzte Forderung in 1 Tim 3,7 weist, mit dem Zeugnis der
außerhalb der christlichen Gemeinschaft Stehenden. Dieses
gründet sich aber lediglich auf den privaten natürlich-sitt-
lichen Wandel des Einzelnen."
181 ZIMMERMANN, Methodenlehre 167, zählt sie zu den "Pflichten-
katalogen", VÖGTLE, Tugendkataloge 1 passim, zu den "Pflich-
tenlehre".
182 Das trifft übrigens auch auf den Text bei Onosander, de
imperatoris officio 1,1-17 zu, wo es um die αἵρεσις στρατηγοῦ
geht.

strebende Amt des ἐπίσκοπος (ὀρέγεται, ἐπιθυμεῖ); die Forderung,
kein Neugetaufter zu sein (1 Tim 3,6) ist nur als Eignung, nicht
aber als Pflicht sinnvoll; 1 Tim 3,10 wird von der - der Amtsausübung vorhergehenden - Prüfung gesprochen. (Natürlich werden
viele Voraussetzungen, unter denen man ein Amt erhält, später zu
Pflichten.) Demnach ist die Gattung der Episkopenspiegel mit
"Eignungskatalogen" zu bestimmen.


1.6 Tradition und Redaktion


Da bei der synchronen Betrachtung der Texte gewisse Spannungen
festgestellt werden konnten (der unvermittelte Einsatz Tit 1,7
und die Konstruktionsbrüche 1 Tim 3,1-13) ist es angebracht, nach
diachronen Ursachen dafür zu suchen.
Zunächst liegt die Annahme nahe, daß der Episkopenspiegel Tit 1,
7-9 der ursprünglichere ist. Das ergibt sich aus der größeren
syntaktischen Geschlossenheit gegenüber 1 Tim 3,1-13; außerdem
ist der Text in 1 Tim um den Diakonenspiegel und die Anweisungen
an die Frauen erweitert; schließlich ist durch die Forderung, der
Amtsträger dürfe kein Neugetaufter sein (3,6), ein deutlicher Ansatz zu einschränkenden Verordnungen, die ein fortgeschrittenes
Entwicklungsstadium der Gemeinde erkennen lassen, gegeben.
Es ist jedoch auch mit einem den Past vorliegenden Episkopenspiegel zu rechnen: stilistisch legt der unvermittelte Einsatz
von Tit 1,7 diese Annahme nahe; ein weiterer Hinweis ergibt sich
daraus, daß die Vorsteher außerhalb der Episkopenspiegel in den
Past immer als πρεσβύτεροι bezeichnet werden (1 Tim 4,14; 5,17.
19; Tit 1,5), während in unseren Texten die Bezeichnung ἐπίσκοπος
verwendet wird (1 Tim 3,2; Tit 1,7). Die Vorlage hat der Verfasser jedoch so gestaltet, daß sich die Episkopenspiegel - das
ergaben die einzelnen Wortanalysen - literarisch vollkommen in
den Gesamtrahmen der Past eingliedern.
Die Urform der Episkopenspiegel war wohl eine von δεῖ abhängige
AcI-Konstruktion, die Kriterien in Form von Adjektiva vom ἐπίσκοπος aussagte. Mit großer Wahrscheinlichkeit sind die Forderungen
des geordneten Hauswesens (nur eine Frau zu haben, die Kinder
ordentlich zu erziehen) redaktionelle Ergänzung des Autors: das
wird durch die besonders breite Ausführung 1 Tim 3,4f nahe-

gelegt, weiters durch den "Nachtrag" zum Diakonenspiegel (1 Tim
3,12), der aus dem grammatikalischen Rahmen fällt; zudem wird es
dadurch deutlich, daß diese Kritérien gleich am Beginn des
Presbyterspiegels (Tit 1,6) genannt werden, bevor noch auf vorgeformtes Material zurückgegriffen wird; schließlich weist noch
das Herausfallen von μιᾶς γυναικὸς ἀνήρ aus der Adjektivreihe
1 Tim 3,2 sowie das häufige Vorkommen dieser Anforderungen (vgl.
1 Tim 3,2.4.5.12; Tit 1,6) darauf hin.
Ob die Wendung ὡς θεοῦ οἰκονόμον (Tit 1,7) und Tit 1,9 der re-
daktionellen Tätigkeit des Verfassers der Past zuzuschreiben
sind, läßt sich nur vermuten: das Motiv des οἰκονόμος θεοῦ könnte
auf paulinische Tradition zurückzuführen sein (vgl. 1 Kor 4,1.2;
1 Petr 4,10), der Wortbestand von Tit 1,9 ist typisch für den
Autor der Past (διδαχή: 2 Tim 4,2; λόγος πιστός: 1 Tim 1,15; 3,1;
4,9; 2 Tim 2,11; Tit 3,8; παρακαλεῖν: 1 Tim 1,3; 2,1; 5,1; 6,2;
2 Tim 4,2; Tit 2,6.15; διδασκαλία ὑγιαίνουσα: 1 Tim 1,10; 2 Tim
4,3; Tit 2,1; ἀντιλέγοντες: Tit 2,9; ἐλέγχειν: 1 Tim 5,20; 2 Tim
4,2; Tit 1,13; 2,15).

Zusammenfassung

Dem Verfasser der Past diente bei der Abfassung der Eignungskataloge für die Amtsträger ein vorgeformter Episkopenspiegel als
Vorlage. Von den beiden Episkopenspiegeln der Past (1 Tim 3,1-13;
Tit 1,5-9) ist Tit 1,5-9 der ursprünglichere.
Die meisten in unseren Texten angeführten Tugenden und Laster
finden sich auch in profanen Tugend- und Lasterkatalogen (besonders in den Regentenspiegeln und den Berufspflichtenlehren). Dennoch geht es in den Episkopenspiegeln um mehr als ein rein inner-
weltliches Tugendstreben, das die Selbstvervollkommnung aus eigener Kraft zum Ziel hat:
Das geht zunächst aus der Bewertung der Tugenden in den Past insgesamt hervor: In erster Linie ist es nicht der Mensch, der sich
Tugenden erwirbt, sondern die Gnade Gottes, die ihm diese schenkt
(vgl. Tit 2,11f); durch ein tugendhaftes Leben wird der Christ
zum Abbild Gottes, der selbst in der Begrifflichkeit der Tugendkataloge beschrieben wird (vgl. Tit 3,4); die Aneignung der Tugenden führt zum ewigen Leben (1 Tim 6,19) und ist motiviert durch

die Epiphanie Christi (vgl. 1 Tim 6,14; Tit 2,11).

Daß es sich bei den Tugenden und Lastern der Episkopenspiegel nicht nur um die Aufnahme traditionellen profanen Gutes handelt geht auch daraus hervor, daß einige Eigenschaften in den Katalogen der Umwelt nicht begegnen (z.B. νηφάλιος, μιᾶς γυναικὸς ἀνήρ, μὴ νεόφυτος).

Aus der Analyse der einzelnen Qualifikationen ist ersichtlich, daß die Tugenden gar nicht so "bürgerlich" sind, wie sie auf den ersten Blick scheinen mögen; denn einige begegnen bereits in den echten Paulusbriefen und sind dort als Tugenden angesichts der Parusie Christi beziehungsweise des hereinbrechenden Eschatons zu finden (vgl. ἀνέγκλητος, νηφάλιος, ἐπιεικής). Im übrigen kommen fast alle Tugenden der Episkopenspiegel vereinzelt bei Paulus vor, der ja - wie die Past - ebenfalls Tugend- und Lasterkataloge verwendet (Röm 1,29; Gal 5,19 u.a.), sodaß die Past darin etwas fortsetzen, was Paulus selbst (vgl. bes. Phil 4,8) begonnen hatte. Außerdem ist zu bedenken, daß der Verfasser der Past die Septuaginta kannte (vgl. 1 Tim 4,13; 2 Tim 3,15), die die autonomen hellenistischen Tugendbegriffe in die theonome jüdische Ethik rezipierte (vgl. bes. die Worterklärung zu ἐγκρατής).

Dennoch besteht kein Zweifel daran, daß die meisten der geforderten Qualifikationen ihrem Inhalt nach bloß durchschnittlich- "bürgerliche" Eigenschaften darstellen. Die Gründe dafür sind: es geht in den Episkopenspiegeln nicht nur um den Aufweis einer tiefen Spiritualität gegenüber Gott und innerhalb der Gemeinde, sondern in erster Linie (bedingt durch die Situation, in der sie geschrieben wurden) um einen alternativen Lebensstil zu dem der Irrlehrer und um eine werbende Lebensführung vor denen, "die draußen sind" (vgl. 1 Tim 3,7). Die Außenstehenden konnten die Christen nur mit den Maßstäben beurteilen, die sie selbst als Kriterien sittlich guten Handelns erkannten. Ein weiterer Grund liegt wohl in einer positiven Sicht "christlicher Bürgerlichkeit": daß die Gemeinde in einer bereits fortgeschrittenen Situation die Erfüllung der täglichen Pflichten als genuine Form der Nachfolge Christi erkannte.

Für den Amtsträger ergibt sich daraus: es darf für ihn keine Trennung zwischen privatem und amtlichem Handeln geben; er ist in allen Lebensbereichen von Gott in den Dienst genommen; sein Privatleben darf nicht im Widerspruch zur Lehre stehen, die er zu verkünden hat. Werden von ihm auch keine ethischen Sonderformen verlangt, soll er doch das für alle Christen Gültige vorbildlich befolgen.

Schließlich darf nicht übersehen werden, daß es auch außerhalb der Past den Schriften des NT vorrangig niemals darum geht, spezielle ethische Sonderformen zu begründen[183], sondern die positive Sittlichkeit als Frucht des Seins in Christus zu interpretieren.

Im folgenden Kapitel werden jene ethischen Aussagen der Past behandelt, die für eine "bürgerliche" Sittlichkeit relevant sind. Diese werden den ethischen Anweisungen Jesu in den synoptischen Evangelien und jenen des Apostels Paulus in seinen echten Briefen gegenübergestellt. Anschließend wird jeweils nach Gründen für die Akzentverschiebung gefragt.

---

183 Vgl. dazu die Diskussion um eine sogenannte "autonome christliche Moral": AUER, Moral 27; GRÜNDEL, Ethik 30; STRECKER, Ziele 11. SCHRAGE, Einzelgebote 187-210, weist allerdings darauf hin, daß die christliche Motivation doch auch inhaltliche Akzente setzen kann. Zur Beurteilung der "autonomen Moral" vom NT her vgl. DAUTZENBERG, Ethik 43-55.

# 2 ETHIK IN DEN PAST

## 2.1 Besitz- und Ehelosigkeit

J e s u s  hat einzelne Menschen (nicht alle: vgl. Mk 5,18f; 8,
26)[1] in seine engere Nachfolge gerufen[2]. Diese Nachfolge bedeutete für den Jünger die Lebensgemeinschaft mit dem Herrn und die
Aufgabe, zu verkündigen (vgl. Mk 3,14f). Da Jesus und die Botschaft vom Reich Gottes ganz im Zentrum seines Lebens zu stehen
hatten, mußten sich manche auf den Ruf Jesu hin aus all ihren
Bindungen lösen, die ihnen bisher Geborgenheit schenkten, um ganz
dem Reich Gottes zu leben.

So finden wir die Aufforderung zum Besitzverzicht im Munde Jesu
(Mk 10,21par[3]); sein Nachfolgeruf ließ manche ihren Beruf aufgeben (Mk 1,16-20[4]; 2,14); wir finden die Beteuerung der Jünger,
alles verlassen zu haben (Mk 10,28-31par), um mit dem zu gehen,
der selbst besitzlos war (Mt 8,20). Wie dieses Verlassen von
allem tatsächlich aussah, ist schwer rekonstruierbar[5].

---

1 Jesus forderte nicht von jedem die einzigartige Bindung an seine Person, wohl aber war für alle die an seine Person geknüpf-
  te Botschaft des herannnahenden Gottesreiches und die damit
  geforderte Umkehr verbindlich: vgl. dazu HENGEL, Nachfolge
  66-69; SCHWEIZER, Jüngerschaft 79.
2 Aus der Fülle der Literatur über "Nachfolge" seien angeführt:
  SCHÜRMANN, Jüngerkreis 45-60; BRACHT, Jüngerschaft 143-165;
  KRETZER, Frage 218-230; BLINZLER, Ehe 20-40; BALTENSWEILER,
  Ehe; KRETSCHMAR, Beitrag 27-67; PESCH, Berufung 1-31; ZIMMER-
  MANN, Christus 241-255; HENGEL, Eigentum; BETZ, Nachfolge;
  HAHN, Nachfolge 7-36; STROBEL, Jüngerschaft 37-77; SCHWEIZER,
  Jüngerschaft 78-94; DEGENHARDT, Lukas; SCHELKLE, Jüngerschaft;
  SCHNACKENBURG, Nachfolge; NIEDERWIMMER, Askese; v.CAMPENHAUSEN,
  Askese 114-156.
3 Vgl. dazu EGGER, Nachfolge; BLINZLER, Stellungnahme 346-349;
  DEGENHARDT, Leben 159-168. Zur Frage des sozialen Motivs im
  NT vgl. DIBELIUS, Motiv 178-203.
4 Zur Historizität des Textes vgl. PESCH, Berufung 18.
5 Vgl. HAHN, Nachfolge 27. Vom Haus des Petrus ist auch nach
  seiner Berufung die Rede (Mk 1,29), ebenso vom Haus des Levi
  (Mk 2,15); die Jünger hatten 200 Denare bei sich (Mk 6,37);
  Jesus selbst wurde von Frauen unterstützt (Lk 8,3) - wegen
  des literarischen Charakters dieser Texte ist andererseits
  vor übereilten Schlußfolgerungen bezüglich der Besitzverhält-
  nisse Vorsicht geboten.

Der Aufruf zum Besitzverzicht durch Jesus bedeutete jedoch keine
prinzipielle Ablehnung des Materiellen, auch nicht des Besitzes[6].
Christsein ist nicht nur in Besitzlosigkeit möglich.
Die Preisgabe aller bisherigen Bindungen ließ manche auch von
ihrer Familie Abschied nehmen (vgl. Mk 10,29par). Es darf wohl
mit Sicherheit vorausgesetzt werden, daß Jesus selbst _ehelos_ war;
ob alle Jünger diese Lebensform für immer wählten, kann den Texten des NT nicht mit Sicherheit entnommen werden[7], doch spricht
die Radikalität der Aussagen über die Nachfolge eher dafür (bes.
Mk 10,29; vgl. auch 1,18.20).

Im Gegensatz zur Forderung des Besitzverzichtes findet sich keine
eindeutige Aufforderung zur Ehelosigkeit in echten Jesusworten:
die Beifügung der Frau Lk 14,26; 18,29 ist eindeutig sekundär und
auch die für die Ehelosigkeit meist zitierte Stelle Mt 19,12
(der "Eunuchenspruch") ist keineswegs eindeutig auf die Forderung
der Ehelosigkeit hin zu deuten[8].

---

6 Vgl. dazu die Angaben bei HENGEL, Eigentum 31-38; DEGENHARDT,
  Lukas 214:"Die Aufforderung zum Besitzverzicht ist in den Be-
  rufungsgeschichten jeweils aus einer konkreten Situation heraus zu einem bestimmten Menschen gesagt; allgemeine Regeln
  darüber hat Jesus, soweit wir wissen, nicht aufgestellt."Ebenso BETZ, Nachfolge 30.
7 Dabei wird häufig auf die Erwähnung der Schwiegermutter des
  Petrus (Mk 1,30par) hingewiesen und auf 1 Kor 9,5, wonach
  die Apostel, die Brüder des Herrn und Kephas nach Ostern
  verheiratet gewesen wären. Letzteres wird zumeist im Anschluß
  an BAUER, Uxores 96, vetreten (so DAUTZENBERG, Verzicht 215;
  SCHELKLE, Geist 116; KRETSCHMAR, Beitrag 28; SCHÜRMANN, Jüngerkreis 55; SCHRAGE, Frau 144; usw.). Anders jedoch BEUTLER,
  ἀδελφή 71. PESCH, Simon-Petrus 22, hält es für denkbar, daß
  Petrus der einzige verheiratete Jünger Jesu gewesen sei.
8 Die meisten Exegeten schließen sich der Ansicht von BLINZLER,
  Ehe 38, an, wonach Jesus mit diesem Spruch (seine?) und seiner
  Nachfolger Ehelosigkeit gegenüber den Gegnern verteidigt habe
  (so auch SCHELKLE, Ehe 187; SCHÜRMANN, Jüngerkreis 55; SCHRAGE,
  Frau 144); v.CAMPENHAUSEN, Askese 136, hält den Spruch nicht
  für ein ursprüngliches Jesuswort und gelangt zuletzt zu dem
  Urteil:"In der älteren, allen Evangelien gemeinsamen Schicht
  der Überlieferung spielt die geschlechtliche Askese...noch gar
  keine Rolle." Kritisch gegenüber BLINZLER weist KRETZER, Frage
  218-230, darauf hin, daß es in den VV 10-12 weiter um die Ehe
  auf Dauer geht und nicht um Ehelosigkeit. Das (textkritisch
  allerdings ein wenig problematische) Wort τοῦτον V 11 bezieht
  sich meist auf Vorhergehendes (BLINZLER muß diese Schwierig-

Diesen Befund stützt auch die Aussage des Paulus:"Was die Frage
der Ehelosigkeit angeht, so habe ich kein Gebot vom Herrn."(1 Kor
7,25a). Obwohl wir durchaus annehmen dürfen, daß Jesus und seine
Jünger - ob alle, sei dahingestellt - um des Himmelreiches willen
auf die Ehe beziehungsweise auf deren Fortführung verzichtet haben, stand die Forderung der Ehelosigkeit sicher nicht im Zentrum
seiner Verkündigung. Die positive Sicht der Ehe läßt darauf
schließen, daß Jesus auch in ihr eine authentische Erfüllung
des Willens Gottes sah (vgl. Mk 10,2-12 = Mt 19,3-9; Mt 5,32;
Lk 16,18; u.a.)[9].
Daß der Apostel P a u l u s von dem Ideal der Ehelosigkeit be-
geistert war und deshalb dafür warb, ist über jeden Zweifel erhaben (vgl. 1 Kor 7,7.8.25-40)[10]. Seine Motivation ist die ungeteilte Hingabe an den Kyrios (7,32), sowie die eschatologische
Erwartung (7,29). Doch auch die Ehe ist für ihn eine positive
Möglichkeit christlicher Existenz (7,27.36 u.a.).
Die Frage des Besitzverzichtes steht bei Paulus am Rande[11]. Er

---

keit mit der künstlichen Annahme einer Versumstellung durch
Mattäus erklären). KRETZER stützt seine Deutung durch Vergleiche mit Mt 19,16-26, wo das anschließende Jüngergespräch
ähnlich abläuft und das Vorangegangene verstärkt und Mt 13,11,
wo eine ähnliche Terminologie gebraucht wird und das folgende
Bildwort V 12 ebenfalls - wie Mt 19,12 - den vorausgehenden
Gedanken unterstreicht. Die größte Schwierigkeit, die sich
bei der Annahme, hier gehe es um Ehelosigkeit, ergibt, ist die,
daß es sich in V 10 sicher um eine Weiterführung des Vorangehenden handelt. Vom Kontext her ist die Annahme einer Verstärkung des vorherigen Gespräches über die Ehe viel wahrscheinlicher, was auch durch Mt 5,27-30 bestätigt wird; dort fügt
Mattäus ebenfalls zur Verstärkung des vorher über die Ehe Ge-
sagten "Selbstverstümmelungssprüche" an, die ursprünglich
nicht da standen (vgl. Mt 18,9; Mk 9,47). Hier handelt es sich
allerdings - im Gegensatz zu Mt 19,12 - um Imperative.
9 Bei aller positiven Beurteilung der Grundaussage von NIEDER-
WIMMER, Askese 10, die Askese stünde am Beginn und nicht erst
am Ende der christl. Anfänge, erheben sich doch durch das Gesagte Bedenken gegen die Auffassung, die Ehe sei für die
paulinischen Gemeinden gar problematisch gewesen (ebda.65).
10 Vgl. dazu NIEDERWIMMER, Askese 64-124; BALTENSWEILER, Ehe 186f;
SCHRAGE, Stellung 125-154; SCHELKLE, Ehe 189-194; v.CAMPEN-
HAUSEN, Askese 138; MESSNER, Ehe 53-133.
11 Vgl. HENGEL, Eigentum 43-49.

verzichtete selbst auf den Unterhalt seitens der Gemeinden (vgl.
1 Kor 9), nahm aber Unterstützungen gern an (Phil 4,15). Er forderte nicht völlige Aufgabe des Besitzes, mahnt aber zur Freigebigkeit (Röm 12,13; 2 Kor 8,6r15 u.a.) und warnt vor Habgier
(Röm 1,29; 1 Kor 5,10f u.a.). Er trifft sich mit der Intention
Jesu, wenn er das Eigentum eschatologisch relativiert (1 Kor
7,30f).

In den P a s t  ist von Ehelosigkeit nur 1 Tim 5,11 die Rede; dieser Vers ist aber einigermaßen dunkel[12]. Im Vordergrund steht
hier nicht die Abwertung der Ehelosigkeit, sondern deren Glaub-
würdigkeit. Schlechte Erfahrungen haben offensichtlich den Verfasser gegnüber jungen ehelosen Frauen skeptisch gemacht.

Ein eheloses Leben dürfte bei den fiktiven Adressaten Timotheus
und Titus vorausgesetzt sein, obwohl dies nirgends ausdrücklich
erwähnt wird: zunächst ist die geforderte Mobilität der Apostelschüler ein erstes Indiz für deren Ehelosigkeit (1 Tim 1,3; 2 Tim
4,9; Tit 1,5; 3,12); weiters ist das Schweigen über Frau und Familie der Mitarbeiter Pauli wohl nicht bloß zufällig - wenn
"Paulus" von Onesiphorus spricht, erwähnt er auch dessen Familie
(2 Tim 1,16; 4,19), Priska und Aquila werden gemeinsam angeführt
(2 Tim 4,19), während Timotheus und Titus stets allein angesprochen und auch gegrüßt werden (Tit 3,15); 2 Tim 1,5 werden Großmutter und Mutter des Timotheus genannt, seine Frau jedoch nicht.

Wegen des pseudepigraphen Charakters der Past läßt sich natürlich
aus diesen Beobachtungen nicht die Ehelosigkeit der tatsächlich
angesprochenen Amtsträger beweisen, aber es ist mitzubedenken,
daß ehelose Mitarbeiter Pauli der Gemeinde als Vorbild (1 Tim
4,12; Tit 2,7) hingestellt werden.

Wenn wir die Familienethik der Past mit der Praxis Jesu und dem
Leben des Paulus vergleichen, so liegt das "Verbürgerlichte" der
Past nicht darin, daß sie diese Familienethik entwickeln (sowohl
Jesus als auch Paulus haben die Ehe und die Familie als durchaus
positive Möglichkeiten christlicher Selbstverwirklichung aner-

---

12 Vgl. dazu den Abschnitt über die Witwen SS.163-167.

kannt), sondern im fast völligen Schweigen über das Ideal der
Ehelosigkeit.

Wir haben demnach in den Texten der Past nach Ursachen für dieses
Zurücktreten der Ehelosigkeit zu suchen. Einen Anhaltspunkt bietet uns 1 Tim 4,3, wo gesagt wird, daß die bekämpften Irrlehrer
die Ehe verbieten. Somit liegt es nahe, im fast völligen Fehlen
der Ehelosigkeit eine Gegenreaktion auf die Position der Häretiker
zu vermuten[13]. 1 Tim 5,11-15 werden Mißstände bei ehelosen Frauen
geschildert: auch sie können das Zurücktreten des ursprünglichen
Ideals beeinflußt haben. Schließlich ist die gegenüber Jesus und
Paulus bereits fortgeschrittene Situation der Past zu bedenken:
das junge Christentum mußte sich zunehmend mit den natürlichen
Ordnungen dieser Welt auseinandersetzen und sich fragen, wie der
Christ in diesen Gegebenheiten dem Willen Christi gemäß zu leben
hat[14].

Analog zur Ehelosigkeit ist die Stellung zum Besitzverzicht in
den Past zu sehen. Die radikale Forderung, alles zu verlassen,
steht in einer Situation, in der die Familie der Normalfall ist,
nicht im Vordergrund. Dennoch wird vor den Gefahren des Reichtums
gewarnt (1 Tim 6,6-10)[15]. Die Habsucht ist "die Wurzel aller Übel"
(1 Tim 6,10). Die auch bei Paulus anzutreffende eschatologische
Relativierung des Reichtums findet sich 1 Tim 6,17 wieder. Es
wird von den Reichen jedoch nicht das Aufgeben des gesamten Besitzes gefordert, sondern das Teilen (1 Tim 6,18), um sich so
"einen Schatz als sichere Grundlage für die Zukunft zu sammeln"
(1 Tim 6,19 in deutlicher Anlehnung an Mt 6,20; 19,21; Lk 12,33).
Die Schärfe der Besitzlosigkeit Jesu und seiner Jünger ist durchaus im Sinne einer praktikablen Familienethik durchgehalten, wenn
es heißt:"Wenn wir Nahrung und Kleidung haben (=das Notwendigste),
soll uns das genügen." (1 Tim 6,8)

---

13 So auch VÖLKL, Christ 334.
14 Dazu SCHLATTER, Glaube 412:"Es wäre nicht richtig, wenn die Betonung der natürlichen Pflichten nur als Gegensatz gegen die
   asketische Unnatur der gnostischen Heiligkeitsregeln verstanden würde; der Gang der Gemeinde wies durch sich selbst auf
   dieses Ziel."
15 HENGEL, Eigentum 63, macht auf den popularphilosophischen
   Hintergrund des Textes aufmerksam. Seine Behauptung, die Freiheit gegenüber dem Besitz in den Past "diene weniger einem positiven Ziel...als der Abwehr schädlicher Begierden" (63) ist

## 2.2 Ethos und Kerygma

Signifikant für die Ethik der Past ist die Verschmelzung von Haustafeln und Gemeindeordnung[16]; denn dadurch wird die Einheit zwischen Alltag und Gemeindeleben deutlich. Es braucht hier jedoch
nicht eigens aufgezeigt zu werden, daß weder die Verwendung
dieser sogenannten "Haustafeln"[17] noch die Tugend- und Lasterkataloge[18] Symptome einer Verweltlichung oder einer biederen
Weltanpassung darstellen. Beide sind durch bewußte Auswahl aus
vorgefundenen Motiven und spezifische Akzentsetzungen dem christlichen Kerygma dienstbar gemacht worden[19].

Die Ethik der Past ist auch auf den guten Ruf der Gemeinde und
damit des Evangeliums bei "denen, die draußen sind" (1 Tim 3,7 u.
a.) bedacht und somit durch ein gutes Lebenszeugnis des einzelnen
"indirekt missionarisch"[20] ausgerichtet (vgl. auch die Betonung
des allgemeinen Heilswillens Gottes 1 Tim 2,4.6; 4,10; Tit 2,11).

---

jedoch unrichtig: vgl. besonders 1 Tim 6,19.
16 LIPPERT, Leben 27, macht darauf aufmerksam, daß dies nicht nur
   in 1 Tim der Fall ist, sondern auch in der Haustafel Tit 2,
   1-10, da hier einerseits auch Anweisungen an den Amtsträger beinhaltet sind (V 7f), als auch das Ansehen der Gemeinde durch
   die Außenstehenden stark betont wird (VV 5.8.10). Das ist Konsequenz einer positiv verstandenen "christlichen Bürgerlichkeit".
17 Der Ausdruck "Haustafel" ist eigentlich nicht ganz entsprechend, da auch Anweisungen bezüglich des Verhaltens gegenüber
   dem Staat darin zu finden sind (zur Kritk an dem Ausdruck vgl.
   STROBEL, Begriff 100 Anm.41; SCHRAGE, Christen 64 Anm.141, u.
   a.), doch soll er als bereits in der Fachliteratur eingebür-
   gerter Begriff auch hier beibehalten werden. Zu den Haustafeln
   vgl. vor allem WEIDINGER, Haustafeln; kritisch dazu SCHRAGE,
   Ethik 21; KÄHLER, Frau 94; BALTENSWEILER, Ehe 217, u.a. LÜHR-
   MANN, Haustafeln 83-97, ordnet die Haustafeln religionsge-
   schichtlich den Schriften "Über die Ökonomie" zu.
18 Zu den Tugend- und Lasterkatalogen vgl. VÖGTLE, Tugendkataloge;
   WIBBING, Tugendkataloge; KAMLAH, Form; McELENEY, Vice Lists
   203-219; CONZELMANN, 1 Kor 128-130; NAUCK, Herkunft 16.
19 Vgl. MERK, Glaube 99, die in den Anmerkungen 17 und 18 angeführte Literatur, sowie das Kapitel über die Episkopenspiegel.
20 Vgl. LIPPERT, Leben 47.

Die Ethik Jesu stand ganz unter dem Zeichen der herannahenden
Gottesherrschaft[21]; bei Paulus folgt der Imperativ des Handelns
aus dem Indikativ des Heils in Christus (Röm 6,11f.18f; Gal 5,24f;
1 Kor 5,7 u.a.)[22], die Paraklese ist eschatologisch motiviert[23].
Die sittlichen Anweisungen stehen also nicht isoliert, sondern
sind Frucht des Kerygmas, Ethik ist nicht Selbstzweck und auch
nicht aus sich heilsbewirkend, sondern Folge des Neuwerdens kraft
der Erlösungstat Gottes.

Bezüglich der Past muß festgestellt werden, daß die ethischen
Weisungen einen breiten Raum einnehmen, sodaß die kerygmatischen
Aussagen fast verschwinden. Dennoch ist in vielen Texten der
Rückbezug zum Kerygma ganz ausdrücklich gegeben, wenn auch mit
dem Unterschied zu Paulus, daß in den Past zuerst ethische Mahnungen an die Gemeinde gerichtet werden, die nachträglich im
Kerygma verankert werden: so wird die Forderung des Gebetes für
alle Menschen (1 Tim 2,1f) anschließend mit dem allgemeinen Heils-
willen Gottes motiviert (2,3-6); die Anweisungen an die Männer
und Frauen (1 Tim 2,8-15), an den ἐπίσκοπος (3,1-7) und die διάκονοι (3,8-13) werden mit der nachgetragenen "Überschrift" versehen:"Falls ich länger ausbleibe, sollst du wissen, wie man sich
im Hauswesen Gottes verhalten soll,..." (3,15) - das wird durch
eine kerygmatische Formel bestätigt (V 16). Besonders deutlich
ist diese nachträgliche Verankerung im Anschluß an die Haustafel
Tit 2,1-10 zu beobachten (VV 11-15) - dieser Text wird zurecht
von vielen als Schlüsselstelle zum Verständnis und zur letzten
Begründung der Ethik in den Past betrachtet[24] (im Unterschied zu
hellenistisch-selbstgefälligem Tugendstreben ist es Gott selbst,
dessen Gnade uns zu einem tugendhaften Leben erzieht). Schließlich sei noch auf die Begründung der Anordnung, sich den Machthabern unterzuordnen (Tit 3,1-7), hingewiesen. Der Ethik kommt
demnach in den Past zwar ein breiter Raum zu, aber von einer Los-
lösung der Sittlichkeit aus dem Kerygma kann keine Rede sein.

21 Vgl. MERKLEIN, Gottesherrschaft 63passim.
22 Vgl. z.B. EICHHOLZ, Theologie 265-278.
23 Vgl. GRABNER-HAIDER, Paraklese.
24 So PESCH, Bürgerlichkeit 28-33; TRUMMER, Paulustradition 240;
   VÖLKL, Christ 325; dazu BULTMANN, Theologie 536:"...damit ist
   doch der Imperativ als im Indikativ begründet verstanden,
   wenngleich die paulinische Paradoxie nicht zum Ausdruck
   gebracht ist."

Der wichtigste Grund für die starke Ausprägung der Ethik scheint
die Vorliebe des Hellenismus, insbesondere der Stoa, für ethische
Fragen zu sein[25]: kein vornehmlich griechisch denkender Mensch
wäre auf die Idee gekommen, sich für den Glauben an Jesus Christus
zu interessieren, wenn dieser nicht zu hoher Sittlichkeit befähig-
te.
Damit hängt der Stil der Ketzerbekämpfung eng zusammen: die Irrlehrer werden in ethischen Kategorien beschrieben (vgl. 1 Tim 6,
2b-5; 2 Tim 3,1-9; Tit 1,10-16) - die Amtsträger und die Gemeinde
werden angewiesen, ihr Leben in positivem Gegensatz dazu zu
führen. Dabei soll die Orthodoxie durch Orthopraxie bestätigt
werden (vgl. bes. Tit 1,6)[26].
Letztlich ist auch die fortgeschrittene Situation zu berücksichtigen: die Gemeinde setzt sich mit der Frage auseinander, wie sich
Christsein in den Gegebenheiten des Alltags legitim verwirklichen
läßt.


## 2.3 Ethik und Eschatologie

Häufig wird das Zurücktreten der Naherwartung für die Ausbildung
der "bürgerlichen" Ethik verantwortlich gemacht[27].
F.MUSSNER hat jedoch bereits bezüglich des "Frühkatholizismus" im
allgemeinen skeptisch gefragt:"War wirklich die Parusieerwartung
als sogenannte Naherwartung das eigentliche Problem der Urkirche ?"[28]
Bezüglich der paulinischen Verkündigung hat W.SCHRAGE eindrucksvoll gezeigt, daß die konkreten Einzelgebote des Apostels, die

---

25 STELZENBERGER, Beziehungen 60:"Die Disziplin, die in der Stoa
   die meiste Pflege fand, ist die Ethik."
26 Vgl. TRUMMER, Paulustradition 172.
27 Bei DIBELIUS-CONZELMANN, Past 32, wird die "christliche Bürgerlichkeit" als "Ethik der Regulierung der Zeit bis zur Parusie,
   die nicht mehr als kurz empfunden wird," verstanden. Vgl. dazu
   auch KÄSEMANN, Amt 127; v.LIPS, Glaube 99f; ganz extrem STUHL-
   MACHER, Verantwortung 182:"Die Eschatologie hat mit Naherwartung nichts mehr zu tun."
28 MUSSNER, Ablösung 166.

ja auch bereits Ansätze einer "bürgerlichen" Ethik darstellen,
insofern sie das Kerygma mit den konkreten Alltagsgegebenheiten
konfrontieren, nicht das Ergebnis eines Enteschatologisierungs-
prozesses sind (vgl. Röm 13,1-7; 1 Kor 5;7,12-16; 11,2-16.17-34;
14,34-36 u.a.)[29].
P.TRUMMER hat auch bezüglich der Past Bedenken gegen die Annahme
einer Aufgabe der eschatologischen Erwartung geäußert[30].

Zunächst ist festzuhalten, daß die Texte der Past niemals die Problematik der Parusieverzögerung anklingen lassen. Aussagen, die
mit einer längeren Dauer dieser Weltzeit zu rechnen scheinen, gehören sämtlich zu den Personalnotizen der Briefe (z.B. schreibt
"Paulus" 1 Tim 3,15:"Falls ich länger ausbleibe..."; vgl. auch
1 Tim 4,13), die bei Annahme der Unechtheit für den Verfasser in
der Vergangenheit einzuordnen sind. Die Past bieten insgesamt keinen Hinweis darauf, daß die Entwicklung einer "bürgerlichen"
Ethik auf die Preisgabe der Naherwartung zurückzuführen ist, wenn
auch explizit von Naherwartung nie die Rede ist.
Eschatologische Begriffe und Wendungen sind in den Past jedoch
durchgängig festzustellen:
Das für die Eschatologie der Past charakteristische Wort ἐπιφάνεια kann sowohl das Erscheinen Jesu in dieser Weltzeit (2 Tim
1,10) als auch seine Wiederkunft (1 Tim 6,14; Tit 2,13) bezeichnen[31]. Auf diese Epiphanie beruft sich der Verfasser: wer sie
erwartet, für den liegt der "Kranz der Gerechtigkeit" bereit
(2 Tim 4,8)[32]. Timotheus soll seinen Auftrag "bis zur Epiphanie
unseres Herrn Jesus Christus" erfüllen (1 Tim 6,14); Tit 2,13

29 SCHRAGE, Einzelgebote 13-26; vgl. auch LÜHRMANN, Haustafeln 96.
30 TRUMMER, Paulustradition 227-229.
31 Vgl. v.LIPS, Glaube 89; BULTMANN, Theologie 535; BULTMANN/
   LÜHRMANN, φαίνω κτλ. 11; DIBELIUS-CONZELMANN, Past 78; OBER-
   LINNER, Epiphaneia 202, macht zurecht darauf aufmerksam, daß
   die ἐπιφάνεια aufgrund der verschiedenartigen Verwendungen das
   Christusgeschehen als ganzes und nicht nur einzelne Stationen
   umfaßt; anders MÜLLER, ἐπιφάνεια 111, der an allen sechs Stellen die Ankunft Christi am Jüngsten Tag gemeint sieht.
32 Anhand dieses Textes weist OBERLINNER, Epiphaneia 200f, darauf
   hin, daß die ἐπιφάνεια auch Gegenwartscharakter hat, u.zw.
   dadurch, daß sie eine das Leben bestimmende und prägende Wirk-
   lichkeit ist.

spricht vom "Warten auf die selige Hoffnung und die Epiphanie."
Daß man sich dessen bewußt ist, in der eschatologischen Zeit zu
leben, die die letztlich entscheidende ist, wird auch 2 Tim 3,1
ersichtlich: "In den letzten Tagen (ἐν ἐσχάταις ἡμέραις) werden
schwere Zeiten anbrechen."[33] Diese Tage sind offensichtlich
schon gegenwärtig, da sie durch das Auftreten der Irrlehrer gekennzeichnet sind.

Die Paraklese der Past ist ebenfalls eschatologisch motiviert:
der εὐσέβεια ist das gegenwärtige und das zukünftige Leben ver-
heißen (1 Tim 4,8; vgl. auch Tit 2,13; 3,7)[34]. Eine Preisgabe der
eschatologischen Erwartung ist in den Past nicht festzustellen[35].


## 2.4 Die Ethik der Past und die alttestamentliche Weisheitslitera-
tur


Zahlreiche Parallelen weisen darauf hin, daß die "bürgerliche"
Moral der Past der alttestamentlichen Weisheitsliteratur nahe
steht[36]. Gerade die "bürgerlichen" Texte der Past finden ihre
Entsprechungen in den Weisheitsbüchern. Dabei braucht jedoch kei-
ne direkte Abhängigkeit vorzuliegen; denn es gibt kaum wörtliche
Zitate[37], es sind vielmehr Motivparallelen und die grundsätzliche
Einstellung zur Welt, die den Geist der alttestamentlichen Weis-
heitsliteratur atmen[38].

---

33 Vgl 1 Tim 4,1: ἐν ὑστέροις καιροῖς...
34 Vgl. dazu GRABNER-HAIDER, Paraklese 105-107.
35 TRUMMER, Paulustradition 228, spricht sogar von einer "stär-
   keren Rückbindung der Past an die authentisch paulinische Eschatologie" im Vergleich zu den Deuteropaulinen. Anders SAN-
   DERS, Ethics 81:"The eschatology of these letters is, with few
   exceptions, notable by its absence,..." (er verkennt leider
   auch sonst die Eigenart der Past und bemißt sie einseitig von
   den echten Paulinen her).
36 v.RAD, Weisheit 113, gibt dementsprechend als sozialen Hintergrund für das Buch der Sprüche eine "wohlhabende bäuerliche
   und bürgerliche Gesellschaft" an.
37 SPICQ, Past 216:"Les citations expresses de l'Ancien Testament
   sont rares dans les Pastorales..."
38 BERGER, Exegese 170, warnt prinzipiell davor, im NT zu rasch
   direkte Abhängigkeiten von Texten des AT entdecken zu wollen,
   da das AT im NT meist als Reflex spätjüdischer Wirkungsge-
   schichte alttestamentlicher Texte verarbeitet wird.

Bereits C.SPICQ hat ansatzweise darauf hingewiesen, wenn er
schreibt:"Saint Paul instruit et encourage Timothée et Tite comme
jadis le Siracide ses disciples;..."[39]. Auch auf Parallelen zu den
Makkabäerbüchern hat er aufmerksam gemacht, gerade hinsichtlich
der "bürgerlichen Moral"[40]. Für uns geht es darum, systematisch
nach Entsprechungen zur "bürgerlichen" Ethik der Past zu suchen.
Bereits bei der Analyse der einzelnen Tugenden in den Episkopenspiegeln ist aufgefallen, daß diese Eigenschaften besonders in
der jüngeren alttestamentlichen Literatur, insbesondere der Weisheitsliteratur, begegnen. Hier sollen die zahlreichen Motivparallelen aufgezeigt werden.
Die positive Sicht alles Geschaffenen, vor allem der Speisen,
wenn sie mit Maß genossen werden, kommt immer wieder zum Ausdruck (Sir 39,16.27.33; 42,22; Koh 8,15; 9,7 u.a.; vgl. 1 Tim
4,3f). Vor übermäßigem Weingenuß wird gewarnt (Sir 31,25; Spr
20,1; 21,17; 23,20.31;' 31,4 u.a.; vgl. 1 Tim 3,3.8; Tit 1,7),
doch in rechtem Maß wird er empfohlen (Sir 31,27; 40,20; vgl.
1 Tim 5,23).
Ebenso positiv wird der Besitz beurteilt (Spr 3,9.16; 10,4; 12,11;
13,7; 22,4; Sir 13,24); andererseits wird davor gewarnt, den
Reichtum als höchstes Gut anzusehen (Spr 11,28; 15,16; 16,8; Koh
1,3; 5,9-11; Weish 5,1 u.a.; vgl. 1 Tim 6,17), vielmehr gilt es,
zu teilen und gegenüber den Ärmeren wohltätig zu sein (Spr 11,25f;
28,27; Sir 29,10f; vgl. 1 Tim 6,18), hier allerdings mit dem
Unterschied zu den Past, daß die Weisheitsliteratur dafür einen
innerweltlichen Lohn verspricht, die Past hingegen einen "Schatz

---

39 SPICQ, Past 218; besonders die Parallelen zur Einstellung
   gegenüber dem Reichtum werden hier aufgezeigt (vgl. 221f);
   SPICQ verweist weiters auf die Parallele zum Schweigegebot
   für die Frauen (1 Tim 2,11f) in Sir 25,24, auf die Anweisungen
   zur Kindererziehung Sir 30,1-13 (vgl. 1 Tim 3,4.12 u.a.) und
   auf den Umgang mit Irrlehrern Sir 8,3-5 (222).
40 ebda. 220:"En tout cas, la soi-disant 'morale-bourgeoise' des
   Pastorales est remarquablement semblable à celle des Juifs
   persécutés et des martyrs de la période machabéenne !"

110

als sichere Grundlage für die Zukunft, um das wahre Leben zu erlangen" (1 Tim 6,19).

Es wird nicht das Radikale gesucht, sondern die vernünftige Mitte[41]:"Gib mir weder Armut noch Reichtum, nähr mich mit dem Brot, das mir nötig ist" (Spr 30,8; vgl. 1 Tim 6,8). Auch die Begründung dafür ist gleich:"Wie er aus dem Leib seiner Mutter herausgekommen ist - nackt, wie er kam, muß er wieder gehen" (Koh 5,14; ähnlich auch 2,18; Ijob 1,21; vgl. 1 Tim 6,7).

Die Anweisungen bezüglich des eigenen Hauses und der Familie sind zahlreich: oftmals wird geboten, die Eltern zu ehren (Spr 19,26; 20,20; 23,22; 28,24; 30,11; Sir 3,1-16; 7,27f u.a.; vgl. 1 Tim 5,4; 2 Tim 3,2), die Kinder in Zucht und Ordnung zu halten (Spr 29,15; Sir 7,23; 16,1-3; 22,3; 42,9-14 u.a.; vgl. 1 Tim 3,4; Tit 1,6), die schweigsame Frau wird gelobt (Sir 26,14; vgl. 1 Tim 2,12)[42], vor der zänkischen Frau gewarnt (Spr 21,9.19; 27,15). Frauen und Kinder haben sich unterzuordnen (Sir 30,1-13; 33,20; Spr 19,18; 23,13; 29,17; vgl. 1 Tim 2,12; 3,4; Tit 1,6; 2,5), ebenso die Sklaven (Spr 29,21; Sir 33,26; 42,5 u.a.; vgl. 1 Tim 6,1; Tit 2,9), die jedoch in der Weisheitsliteratur nicht direkt angesprochen werden (es werden vielmehr an ihre Herren Anweisungen zu ihrer Behandlung gegeben[43]). Ein alter Mann darf nicht beschimpft werden (Sir 8,6; vgl. 1 Tim 5,1). Einige Male finden wir auch die Weisung, eine Frau solle nicht durch äußeren Prunk,

---

41 v.RAD, Weisheit 116f, beschreibt die Haltung, die hinter den Texten der Weisheitsliteratur steht, folgendermaßen:"Ein unnützes Engagement soll man meiden, unnötigen Konflikten aus dem Wege zu gehen ist nicht ehrlos, und man soll nicht mehr erstreben, als die Verhältnisse hergeben. Hier weiß man um die Gefahren aller Extreme und alles Radikalen, wohl auch um die eines ethischen Radikalismus."
42 Eine auffallende Parallele bezüglich der Begründung des Schweigegebotes der Frau in 1 Tim 2,14 findet sich Sir 25,24, wo ebenfalls der Frau allein die Schuld am Sündenfall zugesprochen wird. Es wäre jedoch falsch, der Weisheitsliteratur generell eine negative Sicht der Frau zuzuschreiben (vgl. Spr 18,22; 19,14; 31,10-31; Sir 26,1-4 u.a.).
43 v.RAD, Weisheit 104:"Es ist die Welt, wie sie sich vom Standpunkt des Freien aus darstellt und nicht von dem des Sklaven, des Deklassierten oder gar des kaum zur Gemeinschaft gerechneten Verkrüppelten oder Verstümmelten."

sondern durch Gottesfurcht imponieren (Spr 31,30; Sir 7,19; vgl.
1 Tim 2,9f).
Der Weise ist auf seinen guten Ruf, auf seine Ehre bedacht (Sir
31,23f; Spr 22,1; vgl. 1 Tim 3,7; 5,14 u.a.)[44], er ist gastfreundlich (Ijob 31,32; Sir 29,22; vgl. 1 Tim 3,2; Tit 1,8).
In der Weisheitsliteratur fehlt weder der Tugend- (Weish 7,22f)
noch der Lasterkatalog (Weish 14,25f), der Begriff ἀρετή findet
sich Weish 5,13; 4,1; 8,7; Spr 1,7, ebenso die für die Past wichtigen Ausdrücke συνείδησις (Weish 17,10; Sir 42,18/als varia
lectio/) und εὐσέβεια (Spr 1,7; 13,11; Weish 10,12; Sir 49,3).

Ob es sich bei Spr 7,11, wo die Dirne als eine, die nicht im Haus
bleibt, charakterisiert wird, um eine Parallele zu 1 Tim 5,13, wo
die junge Witwe ähnlich beschrieben wird, handelt, mag dahingestellt bleiben; ebenso unsicher ist es, ob die Anweisung Sir 4,23,
zur rechten Zeit das Wort nicht zurückzuhalten, eine Entsprechung
zu 2 Tim 4,2 darstellt.
In der grundsätzlichen Einstellung zur eigenen Person entspricht
wohl der Rat des Verfassers der Past an "Timotheus", aus Gesund-
heitsgründen Wein zu trinken (1 Tim 5,23), der Anweisung, auf die
eigene Gesundheit zu achten (Sir 30,14f), sowie einer gesunden
Selbstliebe (Sir 14,11; 18,19).


2.5 Die ethischen Grundbegriffe der Past

Um den Stellenwert der Ethik in den Past zu erfassen, werden die
dafür charakteristischen Begriffe untersucht.

πίστις und ἀγάπη

Für Paulus ist πίστις "die Haltung des Menschen, in der er das
Geschenk der δικαιοσύνη θεοῦ empfängt und in der sich die göttliche Heilstat an ihm verwirklicht."[45] Wie schon oft festgestellt

---

44 v.RAD, Weisheit 112:"Bei Sirach wird die Ehre sogar als das
   höchste aller Güter bezeichnet (Sir 41,12f)."
45 BULTMANN, Theologie 315.

wurde, hat der Begriff πίστις in den Past eine andere Bedeutung
als bei Paulus: πίστις ist hier eher Glaubensinhalt und in morali-
scher Hinsicht eine Tugend neben anderen[46]. Bezeichnend dafür ist
die Parallelisierung der πίστις mit διδασκαλία (1 Tim 4,6; 2 Tim
3,10)[47] und mit ἀλήθεια (1 Tim 2,7; 2 Tim 2,18; 3,8; Tit 1,1)[48],
wobei auch das rationale Element in den Vordergrund tritt (vgl.
die Verbindung mit νοῦς 2 Tim 3,8 und ἐπίγνωσις Tit 1,1). Der
Glaube kann wie die Lehre "gesund" sein (Tit 1,13; 2,2). "Glauben"
und "lernen" stehen in Zusammenhang (2 Tim 3,14). Schließlich wird
die πίστις in Tugendkatalogen angeführt (1 Tim 4,12; 6,11; 2 Tim
2,22; Tit 2,2).

Ein weiterer Unterschied zu Paulus besteht darin, daß πίστις in
den Past als feste Größe erscheint, während sie sich bei Paulus
individuell konkretisiert (Röm 4,19; 14,1 ist der Glaube schwach;
in den Past hat er "gesund" zu sein: Tit 1,13; 2,2)[49].

Trotz allem schließt der Glaubensbegriff der Past ganz bewußt an
Paulus an[50]. Das kommt besonders 2 Tim 3,15 zum Ausdruck (...σοφί-
σαι εἰς σωτηρίαν διὰ πίστεως τῆς ἐν Χριστῷ ᾿Ιησοῦ)[51]. Πίστις hat
hier - wie bei Paulus - soteriologische Relevanz; überdies finden
wir hier auch die typisch paulinischen Wendungen διὰ πίστεως (Röm
1,12; 3,25.30 u.a.) und ἐν Χριστῷ ᾿Ιησοῦ (Röm 3,24; 6,11.23 u.a.).
Paulus hätte allerdings eher δικαιωθῆναι verwendet, obwohl ihm
die Verbindung σώζειν und πιστεύειν nicht fremd ist (Röm 1,16;
1 Kor 1,21; 2 Thess 2,13).

---

46 BULTMANN, Theologie 534:"Πίστις hat...durchweg den abgeschlif-
   fenen Sinn von 'Christentum','christliche Religion' gewonnen
   und kann je nach dem Zusammenhang die fides qua oder quae cre-
   ditur bedeuten..., ja, es kann geradezu die rechte Lehre bezeichnen...Als rechte Gläubigkeit verliert πίστις den die
   christliche Existenz begründenden Charakter und wird zu einer
   Tugend." vgl. ders., πιστεύω κτλ. 214; v.LIPS, Glaube 31.52;
   MERK, Glaube 93; TRUMMER, Paulustradition 237; LINDEMANN, Paulus 143.
47 Vgl. den entsprechenden Exkurs bei v.LIPS, Glaube 30f.
48 Vgl. den Exkurs ebda.31-38.
49 ebda. 71.
50 LOHFINK, Theologie 77, unterstreicht die bewußte Bindung der
   Past an Paulus.
51 Das gesteht auch v.LIPS, Glaube 27, zu, der im allgemeinen
   eher die Unterschiede zu Paulus betont.

Auch bei Paulus ist πίστις nicht nur Glaubenshaltung, sondern
ebenso inhaltlich bestimmt (vor allem Gal 1,23; 1 Kor 15,14.17)[52].
Weiters schließen die Past durch die häufige Zusammenstellung von
πίστις und ἀγάπη an den Apostel an (1 Kor 13,13; 2 Kor 8,7; Gal
5,6.22; 1 Thess 3,6; 5,8; 2 Thess 1,3; Phlm 5); doch auch mit
anderen Tugenden kann πίστις bei Paulus vorkommen (1 Kor 13,13;
Gal 5,22f). Sie kann auch mit γνῶσις, einem rationalen Begriff,
in einer Aufzählung stehen (2 Kor 8,7)[53].

Daß der Glaube in den Past nicht nur als Glaubensinhalt verstanden wird, zeigen besonders die Verbindungen mit ἀνυπόκριτος
(1 Tim 1,5; 2 Tim 1,5)[54], aber auch die Parallelisierung von
πίστις und ἀγάπη (1 Tim 1,5.14; 2,15; 4,12; 6,11; 2 Tim 1,13;
2,22), sowie πίστις und συνείδησις (1 Tim 1,19; 3,9).

Die jeweils exakte Bestimmung, ob bei dem Wort πίστις nun die
fides quae oder die fides qua im konkreten Fall gemeint ist, ist
oft unmöglich. Es ist sogar durchaus wahrscheinlich, daß immer
beides gemeint ist. Dies wird sowohl durch 2 Tim 3,10f, wo πίστις
mit Lebenshaltungen und auch mit der Lehre (διδασκαλία) in Verbindung gebracht wird, als auch durch die Verwendung bei Paulus
(2 Kor 8,7) nahegelegt[55].

Trotz der Akzentverschiebung gegenüber Paulus zeigt die Verwendung von πίστις in den Past auch durchaus dynamische Züge: der
Glaube ist kein endgültiger Besitz, sondern man muß darin "bleiben" (1 Tim 2,15; 2 Tim 3,14); "Timotheus" soll den Glaubenskampf

---

52 Vgl. BULTMANN, Theologie 318f.
53 LINDEMANN, Paulus 143, sieht auch in den häufigen Vorkommen
   von πιστεύειν/πίστις (6/33mal) ein Indiz für die bewußte Bindung an die Paulustradition.
54 SCHIERSE, Kennzeichen 83:"Der ungeheuchelte Glaube entspricht
   ...am ehesten dem, was Paulus den 'Glauben' nennt, der 'sich
   durch Liebe wirksam erweist' (Gal 5,6)."
55 2 Tim 3,10f in Verbindung mit: διδασκαλία, ἀγωγή, πρόθεσις,
   μακροθυμία, ἀγάπη, ὑπομονή, διωγμοί, παθήματα; 2 Kor 8,7:
   λόγος, γνῶσις, σπουδή, ἀγάπη, χάρις. Vgl. SCHLATTER, Glaube
   408:"Ist vom 'Glauben' die Rede, so ist nie nur an den Gedan-
   kenkreis gedacht, der seinen Grund und Inhalt bildet, sondern
   immer auch an das persönliche Verhalten, durch das jener an-
   geeignet ist." Ebenso v.LIPS, Glaube 39:"Auch wenn πίστις
   objektiven Sinn als Glaubensinhalt annimmt, ist offensichtlich das subjektive Moment noch mitgedacht..."

kämpfen (1 Tim 6,12), "Paulus" hat nach diesem Kampf den Glauben bewahrt (2 Tim 4,7), der nicht frei verfügbar ist, sondern letztlich μυστήριον (1 Tim 3,9) bleibt.

In den Texten der Past können einige Gründe für die in Richtung Glaubensinhalt und Ethik gegebene Begriffsverschiebung gefunden werden:

Aufschlußreich ist zunächst Tit 1,13; hier wird ersichtlich, daß auch den Irrlehrern ein Glaube zuerkannt wird, doch dieser Glaube ist eben nicht "gesund". Daraus ergibt sich die charakteristische Akzentsetzung der Past: im Gegensatz zum "kranken" Glauben der Häretiker soll nun der "gesunde" Glaube, der sich durch den Inhalt ausweist, vor Augen geführt werden[56].

Die stark ethische Ausrichtung der πίστις liegt darin begründet, daß im Sinne der Gesamtkonzeption der Past (und darin besteht das Positive ihrer "Bürgerlichkeit") der rechte Glaube sich durch gute Werke ausweisen muß. Dieser enge Konnex kommt besonders deutlich 1 Tim 5,8 zum Ausdruck, wo die Vernachlässigung eines selbstverständlichen Liebesdienstes (die Sorge um die eigenen Hausgenossen) mit Glaubensverleugnung gleichgesetzt wird, ja mehr noch: wer dies unterläßt, ist "schlechter als ein Ungläubiger"[57].

Zusammenfassend läßt sich sagen: die Verwendung des Begriffes πίστις in den Past weist eine bereits bei Paulus vorgebildete Akzentverschiebung gegenüber den paulinischen Schriften in Richtung Glaubensinhalt und Glaubenstugend auf, die durch die Situation der Gemeinde, an die die Briefe gerichtet sind, bestimmt ist: die Situation des falschen und auch des geheuchelten Glaubens.

Was vom Glaubensbegriff in den Past gesagt wurde, gilt analog für die Verwendung von ἀγάπη. Zu Unrecht wird diesbezüglich der Vorwurf erhoben, in den Past wäre die Liebe als allumfassende Lebensgestaltung im Gegensatz zu Paulus verschwunden und würde

---

56 MERK, Glaube 93:"Dem civis christianus im Sinne der Past...ist damit (scil. mit dem Glauben) die Ausgangsbasis für den Kampf gegen die gnostische Irrlehre gegeben."
57 Vgl. auch Tit 2,10, wo allerdings mit πίστις einfach "Treue" gemeint sein kann; ebenso 1 Tim 5,12 und in allen Tugendlisten. Auch für Paulus drückt sich der Glaube in Liebe aus: vgl. Gal 5,6.

hier in Regeln gefaßt[58] oder auch, die Liebe wäre in 1 Tim "only formally present"[59].

Erstens bedeutet das Vorkommen in Tugendreihen nicht automatisch eine Abwertung (auch bei Paulus begegnet ἀγάπη in Tugendreihen: 1 Kor 13,13; 2 Kor 6,6; Gal 5,22); weiters wird auch in den Past an der Priorität der Liebe festgehalten (vgl. bes. 1 Tim 1,5; aber auch 1 Tim 1,14; 2,15; 4,12; 2 Tim 1,13), was vor allem durch deren häufige Nennung hervorgestrichen wird (10mal).

## συνείδησις

Die συνείδησις gehört nach M.DIBELIUS zu den Begriffen, welche die "christliche Bürgerlichkeit" bezeichnen. Demgemäß lasse der Autor der Past "das gute Gewissen zu den Grundlagen eines geruhigen Christenstandes gehören; er wertet es also ähnlich unserer Volksmoral als das 'beste Ruhekissen' und blickt dabei auf das Ziel des ruhigen Lebens in Gottseligkeit und Ehrbarkeit,..."[60].

Eine genauere Untersuchung dieses Begriffes in den Past läßt jedoch gegen dieses Verständnis kritisch werden: συνείδησις begegnet nämlich keineswegs nur im Zusammenhang eines ruhigen Lebens; 1 Tim 1,18f wird Timotheus zum Kampf "mit gutem Gewissen" aufgefordert (ἵνα στρατεύῃ ἐν αὐταῖς τὴν καλὴν στρατείαν ἔχων πίστιν καὶ ἀγαθὴν συνείδησιν,...); auch 1 Tim 3,9 klingt nicht "bürgerlich" (ἔχοντες τὸ μυστήριον τῆς πίστεως ἐν καθαρᾷ συνειδήσει).

Συνείδησις begegnet bereits bei Paulus häufig (Röm 2,15; 9,1; 13,5; 1 Kor 8,7 u.a.), und zwar im umfassenden Sinne als "erkennendes und handelndes Selbstbewußtsein"[61]. Während das Ge-

---

58 So PREISKER, Ethos 200.
59 So SANDERS, Ethics 81.
60 DIBELIUS, Past 12; kritisch dagegen MAURER, σύνοιδα 917; TRUMMER, Paulustradition 236; SCHIERSE, Kennzeichen 82.
61 Vgl. MAURER, σύνοιδα 917; bei Paulus ist das Gewissen mehr als das volkstümliche böse Gewissen und auch nicht der hellenistisch-jüdische ἔλεγχος (vgl. ebda.916).

wissen bei Paulus "schwach" sein kann (1 Kor 8,7), wird es in den
Past ausschließlich mit καθαρός beziehungsweise ἀγαθός kombiniert
(1 Tim 1,5.19; 3,9; 2 Tim 1,3), jedoch nur dann, wenn es um das
Gewissen der Gläubigen geht. Das hat seinen Grund wohl - ähnlich
wie bei πίστις - darin, daß auch den Gegnern ein Gewissen zuge-
billigt wird (1 Tim 4,2; Tit 1,15).
Kontrovers ist der Ursprung des Begriffes συνείδησις in den Past:
ist er von Paulus übernommen[62] oder stammt er aus der hellenistischen Popularethik[63]? Das eine muß das andere nicht ausschließen:
es ist durchaus möglich, daß die Past hier einen von Paulus her
bekannten Begriff aufnehmen (wobei dieser ihn bereits der hellenistischen Umwelt entnehmen konnte[64]) und ihn in die Sprache der
Popularphilosophie miteinbeziehen.
Auffällig ist die häufige Verbindung von συνείδησις mit πίστις
(1 Tim 1,5.19; 3,9; im weiteren Kontext auch 4,2). Das reine beziehungsweise gute Gewissen ist also das mit dem Glauben über-
einstimmende Gewissen, während das gestörte Gewissen heuchlerisch
ist (1 Tim 4,2; Tit 1,15f) und keine dem Glauben entsprechenden
Handlungsweisen nach sich zieht[65].

εὐσέβεια

Sehr bürgerlich klingt für uns der in den Past häufig verwendete
Begriff "Frömmigkeit"[66]. Wir verstehen darunter vielfach ein ver-

---

62 So MAURER, σύνοιδα 917; TRUMMER, Paulustradition 236.
63 So v.LIPS, Glaube 64.
64 Vgl. STELZENBERGER, Beziehungen 213: Paulus hätte den Begriff
   aus der Stoa übernommen; der Gewissensbegriff, der in der Stoa
   jedoch autonom und individualistisch ist, wird bei Paulus
   theonom (vgl. auch S.215).
65 Demnach definiert v.LIPS, Glaube 65, die συνείδησις in den Past
   als "Bewußtsein der Übereinstimmung zwischen Glauben und Handeln." Vgl. MAURER, σύνοιδα 917:"Das gute Gewissen ist somit
   mehr als nur das unbescholtene leere Gewissen, aber auch mehr
   als das schlichte reine Herz des alttestamentlichen Frommen. Es
   ist mit großer Wahrscheinlichkeit damit zu rechnen, daß der
   Verfasser der Pastoralbriefe an die Erneuerung des Menschen
   durch die Neuschöpfung im Glauben denkt, die die gesamte
   christliche Existenz umfaßt."
66 Vgl. dazu BULTMANN, Theologie 534; BROX, Past 174-177;
   FOERSTER, εὐσεβής κτλ. 175-184; FIEDLER, εὐσέβεια κτλ. 212-
   214; v.LIPS, Glaube 80-87; SPICQ, Past 482-492.

äußerlichtes christliches Leben. Nach H.CONZELMANN gehört die
Frömmigkeit in den Past zu den Faktoren "der Regulierung der Zeit
bis zur Parusie, die nicht mehr als kurz empfunden wird." Sie ist
Ausdruck der "bürgerlichen Ethik" der Past[67].
Daß unser Begriff von "Frömmigkeit" nicht mit dem der Past identisch ist, zeigen einige Stellen ganz deutlich: 2 Tim 3,5 wird
unterschieden zwischen der μόρφωσις εὐσεβείας und deren δύναμις:
es geht also nicht bloß um ein veräußerlichtes Christentum, sondern um einen dynamischen Begriff. Die εὐσέβεια ist zwar ein
der hellenistischen Ethik entnommener Ausdruck (so kann εὐσέβεια
in einer Reihe von Tugenden aufscheinen: vgl. 1 Tim 6,11);
doch beinhaltet sie auch die spezifisch christliche Glaubenswahrheit, wenn 1 Tim 3,16 vom μυστήριον τῆς εὐσεβείας gesprochen
werden kann[68]. Von der popularphilosophischen Bedeutung ist εὐσέβεια dadurch unterschieden, daß es nicht der Mensch selbst ist,
der von sich aus die εὐσέβεια erstreben kann, sondern die Gnade
Gottes, die ihn dazu erzieht (vgl. Tit 2,12).
Absolut nicht bürgerlich ist es, wenn es heißt, daß jene, die
εὐσεβῶς leben wollen, mit Verfolgungen zu rechnen haben (2 Tim
3,12). Εὐσέβεια ist kein statischer Begriff, denn Timotheus ist
dazu aufgerufen, sich darin zu üben (γυμνάζειν: 1 Tim 4,7) und
sie zu erstreben (δίωκε: 1 Tim 6,11).
Wenn durch die Aufnahme des Begriffes εὐσέβεια die Achtung und
Hochschätzung der natürlichen Ordnungen betont wird (vor allem
1 Tim 5,4), so kommt gerade dadurch das positive Verständnis
"christlicher Bürgerlichkeit" in den Past zum Ausdruck: gegenüber
der Weltverneinung der Irrlehrer (1 Tim 4,3) besteht authentisch
gelebtes Christentum darin, sich in den alltäglichen Dingen zu
bewähren, nicht im Gegensatz zum Kerygma, sondern in dessen
legitimer Erfüllung.

---

67 Vgl. DIBELIUS-CONZELMANN, Past 32.
68 v.LIPS, Glaube 80-84, weist gegen FOERSTER, εὐσέβεια 181, anhand der Texte 1 Tim 6,5; 2 Tim 3,5.12 nach, daß es nicht nur
um eine bestimmte Weise der Lebensführung geht, sondern daß
die Verhaltensweise auch in engem Zusammenhang mit der Erkennt-
nis der Glaubenswahrheit steht (vgl. auch die Verbindung von
εὐσέβεια mit ἐπίγνωσις ἀληθείας Tit 1,1 und διδασκαλία 1 Tim
6,3).

## 2.6 Die Bitte um ein "ungestörtes und ruhiges Leben" (1 Tim 2,2)

Dieser Text wird häufig als Ausdruck "christlicher Bürgerlichkeit" in den Past interpretiert[69]. Hier wird nämlich ein "ungestörtes und ruhiges Leben in aller Frömmigkeit und Rechtschaffenheit" gepriesen. Um dieses zu erhalten, sollen die Christen "Bitten, Gebete, Fürbitte und Danksagung" (V 1) für alle Mächtigen vor Gott bringen.

Ähnlich wie Tit 3,1 und Röm 13,1-7[70] (vgl. auch 1 Petr 2,13f), wo die Unterordnung unter die Obrigkeit verlangt wird, verwendet der Verfasser der Past hier Elemente der Haustafeltradition[71]. In keinem der Texte wird jedoch einer servil-unterwürfigen Haltung gegenüber den Machthabern das Wort geredet[72].

---

69 DIBELIUS-CONZELMANN, Past 32f, und BROX, Past 124f, bringen zu diesem Text ihre Exkurse über "christliche Bürgerlichkeit"; vgl. auch v.CAMPENHAUSEN, Christen 186f.
70 Diesen Text sieht WENDLAND, Ethik 61, als den Ansatzpunkt einer bürgerlichen Ethik bei Paulus schlechthin. Vor allem wird in der Fachliteratur wiederholt auf das völlig unpaulinische Fehlen einer unmittelbaren christologischen Begründung hingewiesen (vgl. KÄSEMANN, Interpretation 213; SCHMITHALS, Römerbrief 192; SCHRAGE, Christen 55). So fehlt es auch nicht an Überlegungen, diesen Abschnitt aus dem echten Corpus der Paulusbriefe zu streichen (vgl. die Literaturzusammenstellung zur Interpolationsthese bei SCHRAGE, Christen 51 Anm. 105; der Verfasser entscheidet sich selbst jedoch gegen die Annahme einer Interpolation; ebenso KÄSEMANN, Interpretation; SCHMITHALS, Römerbrief 197, vertritt die Ansicht, Röm 13,1-7 hätte seinen jetzigen Platz erst durch den Redaktor der ältesten Briefsammlung erhalten, doch "es gibt keine zwingenden inhaltlichen Gründe, die Paulus als Autor bzw. als Tradent von Röm 13,1-7 prinzipiell ausschließen."); vgl. zu diesem Text auch v.CAMPENHAUSEN, Auslegung 81-101.
71 Bezüglich Röm 13,1-7 vgl. SCHRAGE, Ethik 10; bezüglich der Past vgl. DIBELIUS-CONZELMANN, Past 30f; BARTSCH, Anfänge 35f, weist nach, daß die Anfügung der Machthaber einem üblichen Sprachgebrauch entspricht, ähnlich der Wendung "senatus populusque Romanus"; vgl. auch WEIDINGER, Haustafeln 63, der aufzeigt, daß es üblich war, in der sittlichen Ermahnung τι πρὸς πατρίδα καθῆκον hinzuzufügen.
72 Bei Paulus geht dies schon aus dem Kontext hervor (vgl. Röm 12, 2.14): SCHRAGE, Christen 59, führt gegen eine servile Haltung Pauli 2 Kor 6,5; 11,23-25.32f an. Zu den Begriffen ὑποτάσσομαι und ὑποταγή vgl. KÄSEMANN, Interpretation 214:"'Υποταγή ist jener Gehorsam, den man als in einem bestimmten τάγμα befindlich schuldet, also aus vorgegebenen irdischen Verhältnissen

Bei der Interpretation von 1 Tim 2,2 ist zu beachten, daß die Bitte für die Machthaber der Fürbitte für alle Menschen untergeordnet ist und daß im ganzen Abschnitt eigentlich das Heil aller Menschen im Vordergrund steht (vgl. die oftmalige Verwendung von πάντες VV 1.2.4.6)[73].

Fürbitte und Danksagung[74] scheinen zunächst sehr "bürgerlich" begründet zu sein (V 2), doch letztlich erfolgt die Anordnung aus dem Kreuzestod Christi heraus (V 5)[75].

Eine ähnlich "bürgerliche" Stelle gibt es auch im ältesten Paulusbrief:"Setzt eure Ehre darein, ruhig zu leben (ἡσυχάζειν), euch um die eigenen Aufgaben zu kümmern und mit euren Händen zu arbeiten, wie wir euch aufgetragen haben. So sollt ihr vor denen, die nicht zu euch gehören, ein rechtschaffenes (εὐσχημόνως) Leben führen und auf niemanden angewiesen sein" (1 Thess 4,11f)[76].

Vergleicht man die beiden, sich auf das Verhalten zur Obrigkeit beziehenden Texte der Past miteinander, so ist 1 Tim 2,2 gegenüber Tit 3,1 insofern verändert, als bei letzterem der Gehorsam (ὑποτάσσεσθαι) angeordnet wird, während 1 Tim bloß zu Gebeten und Danksagungen auffordert, wobei auch sonst nicht nur Röm 13,1, sondern auch 1 Petr 2,13 bei der entsprechenden Weisung ὑποτάσσο-

---

heraus, während ὑπακοή einfach den Gehorsam als Leistung bezeichnet." KAMLAH, ῾Υποτάσσεσθαι 243:"Es ist dabei nicht die Absicht, Verhältnisse zu ordnen, weder im konservativen noch im reformierenden Sinne; vielmehr will die urchristliche Ermahnung dazu aufrufen, daß jeder unter seinen Bedingungen den Willen Gottes tut." Bezüglich der Past weist SCHELKLE, Jerusalem 139, darauf hin, daß sakrale Kaiserprädikate hier auf Christus angewendet werden (1 Tim 6,14f; 2 Tim 1,10; Tit 2, 11-13; 3,4). MIKAT, Bemerkungen 330:"...gerade dadurch, daß Christen und Kirche für sich selbst in der Zeit der Verfolgung beten, machen sie auch wiederum deutlich, daß sie dem unterstellt bleiben, zu dem gebetet wird, und so liegt alleine schon in der Tatsache des Gebets für die politische Herrschaft ihre Begrenzung beschlossen." Zur späteren Entwicklung der Bitte vgl. v.CAMPENHAUSEN, Christen 197.
73 Vgl. BARTSCH, Anfänge 35f; TRUMMER, Paulustradition 142; BROX, Past 126.
74 Die Annahme von HOLTZ, Past 53, εὐχαριστία wäre hier bereits terminus technicus für die Mahlgemeinschaft, ist unzureichend begründet.
75 So auch TRUMMER, Paulustradition 143.
76 Vgl. LAUB, Paulus 24.

μαι steht. Wurde hier vorsichtiger formuliert, weil sich Konflikte
mit staatlicher Gewalt anbahnten ?

Die "Bürgerlichkeit" des Textes wird weiters relativiert, wenn die
Bedeutung der Tugendbegriffe (hier εὐσέβεια und σεμνότης) in den
Past mitbedacht wird (sie sind Ausdruck der Gottebenbildlichkeit
des Menschen[77]) und wenn εὐσέβεια im Sinne einer dynamischen
Gläubigkeit[78] verstanden wird.

Besonders aufschlußreich sind die Parallelen zu 1 Tim 2,2 in der
Weisheitsliteratur des AT, wo ebenfalls ein ruhiges Leben das
Ideal des wirklich Weisen darstellt (Sir 28,16; Koh 4,6; Spr
11,12; 17,1), doch nicht im Sinne einer etablierten Bürgerlichkeit, die selbstgenügsam von den Schwierigkeiten dieser Welt
nichts wissen möchte, sondern im Gegensatz zu einem Lebenswandel,
der immer nur auf Streit und Aufruhr bedacht ist (vgl. auch Spr
17,11.14.19; 18,6; 20,3)[79].

Zieht man all diese Beobachtungen in Betracht, wird man 1 Tim 2,2
zumindest nicht im abwertenden Sinne "bürgerlich" nennen dürfen.


Zusammenfassung


Daß die Ethik in den Past einen relativ breiten Raum einnimmt, ist
erstens durch das Denken ihrer hellenistischen Umwelt bestimmt,
in dem ethische Kategorien eine große Rolle spielen; zweitens
durch die Frontstellung gegen die Irrlehrer: eine gute Lebensführung soll den rechten Glauben ausweisen; drittens trägt auch
die gegenüber Jesus und Paulus fortgeschrittene Situation dazu
bei, daß sich die Christen mit den natürlichen Ordnungen dieser

---

77 Vgl. S.81.
78 Vgl. SS.116f.
79 SPICQ, Past 219, sieht 1 Tim 2,2 in 2 Makk vorgezeichnet:
   "C'est la même vie de paix, de tranquillité et de sécurité,
   nécessaires au libre exercice de la religion, qu' Antiochus
   veut accorder aux Juifs et que saint Paul souhaite obtenir des
   princes (2 Makk 11,22-25.30)."

Welt verstärkt auseinandersetzen. Diese Gründe sind auch entscheidend für die Ausbildung einer Familienethik, die keinen Gegensatz,
wohl aber eine Akzentverschiebung gegenüber Jesus und Paulus darstellt.

Die Ethik der Past ist wie bei Paulus im Kerygma verankert; ein
Unterschied besteht bloß darin, daß (anders als bei Paulus) der
Imperativ des Handelns in den Past meist erst nachträglich im In-
dikativ des Heils begründet wird.

Die ethischen Begriffe der Past erwiesen sich bei näherer Untersuchung nicht so "bürgerlich", wie sie bei oberflächlicher Betrachtung erscheinen.

Die Texte der Past bieten keinen Ansatzpunkt für die Vermutung,
ein Nachlassen der eschatologischen Erwartung als Grund für die
Ausbildung der "bürgerlichen" Ethik anzunehmen. Diese schöpft
vielmehr zahlreiche Motive aus der alttestamentlichen Weisheitsliteratur. Wird diese als geistiger Hintergrund für den Verfasser
der Past angenommen, so läßt sich aufgrund von Parallelen auch
zeigen, daß 1 Tim 2,2 nicht so "bürgerlich" ist, wie dies vielfach vertreten wird.

3 AMT UND RECHT IN DEN PAST

3.1 Das Amt in den Past

In diesem Abschnitt soll keine vollständige biblische Amtstheologie der Past entwickelt werden. Es geht hier lediglich um die Frage, ob das Amt in den Past eine Folge ihrer "verbürgerlichten" Ethik ist. Wird infolge eines etablierten Lebensstils und einer formalisierten Glaubensauffassung die Verantwortung auf einige wenige abgeschoben ? Geschieht eine Entmündigung der Gemeinde ? Weiters ist nach der Legitimität des Amtes von Jesus und Paulus her zu fragen.
Methodisch wird im Gegensatz zu den Ausführungen über Ethik und Recht von den Past (und nicht von Jesus und Paulus) ausgegangen, da die wichtigsten Aspekte des Amtes in den Past bereits bei der Untersuchung der Episkopenspiegel aufgezeigt wurden; zudem handelt es sich bei den Ämtern der Past nicht bloß um Akzentverschiebungen gegenüber Jesus und Paulus, sondern um etwas wesentlich Neues, sodaß auch die Ansätze dazu bei Jesus und Paulus besser von der entwickelten Form her beschrieben werden können.

3.1.1 Die Ämter in den Past
Bezüglich der Funktionen des ἐπίσκοπος, der πρεσβύτεροι und der διάκονοι zeigte die Untersuchung der Episkopenspiegel: es gibt in den Past noch keine klare Abgrenzung der einzelnen Ämter wie in der späteren kirchlichen Hierarchie (Bischof - Priester - Diakone). Dennoch sind wesentliche Elemente eines Amtsverständnisses gegeben: die Amtsträger haben in erster Linie die autoritative Verkündigung und die Gemeindeleitung inne; dabei sind sie jedoch nicht bloß Repräsentanten der Gemeinde, sondern bilden ein gewisses Gegenüber, denn sie werden nicht von der Gemeinde ernannt oder gewählt, sondern von legitimierten Autoritäten eingesetzt (vgl. 1 Tim 5,22; 2 Tim 2,2; Tit 1,5); es gibt bereits eine Ordination (1 Tim 5,22) und Bezahlung (1 Tim 5,17), sowie eine beschränkte Immunität (1 Tim 5,19); in sittlicher Hinsicht werden vom Amtsträger keine außergewöhnlichen Lebensformen verlangt, er soll

jedoch Vorbild für die Gemeinde sein[1].

Timotheus und Titus sind als Amtsträger in unsere Überlegungen mit
einzubeziehen, da die Past pseudepigraphe Schriften darstellen
und so die Aussagen über die Apostelschüler das Amtsverständnis
der tatsächlichen Adressaten widerspiegeln[2].

Bei der Betrachtung der Ämter des Timotheus und des Titus muß zunächst beachtet werden, daß es sich dabei noch nicht um ausgeprägte Ämter handelt[3]. Ein deutlicher Hinweis dafür ist das Fehlen eines Amtstitels[4]. Auch an der Feststellung bezüglich des oder
der Ordinanden ist der Verfasser offensichtlich nicht interessiert:
so wird Timotheus 2 Tim 1,6 von Paulus ordiniert, 1 Tim 4,14 jedoch vom Presbyterium[5]. Weiters ist zu bedenken, daß die Past
einerseits den Eindruck erwecken, als handle es sich bei den Ämtern der Apostelschüler um eine vorübergehende Aufgabe (2 Tim
4,9.21; Tit 3,12); 1 Tim 6,14 scheint andererseits eine dauernde
Stellung vorausgesetzt zu werden[6].

In den Past zeichnen sich bereits deutliche Ansätze zu einer
Sukzessionsvorstellung ab: Paulus, beziehungsweise das Presbyterium, ordiniert Timotheus (1 Tim 4,14; 2 Tim 1,6), und dieser legt
wiederum anderen die Hände auf (1 Tim 5,22). Doch darf dabei
nicht übersehen werden, daß es dem Verfasser der Past nicht in
erster Linie um eine Sukzession des Amtes geht, sondern um die
authentische Weitergabe der Lehre, die durch "Sukzession" gesi-

---

1  Zum ganzen vgl. oben SS.34-43.
2  STENGER, Timotheus 253f, spricht von einer "doppelten Pseudo-
   nymität" der Past.
3  Dazu ROLOFF, Apostolat 251:"Es zeigt sich, daß die Past an einer kirchenrechtlichen Einordnung der Apostelschüler überhaupt nicht interessiert zu sein scheinen."
4  Auch die Bezeichnung des Timotheus als εὐαγγελιστής 2 Tim 4,5
   ist nicht als feste Amtsbezeichnung anzusehen (vgl. ROLOFF,
   Apostolat 251).
5  Das ergibt sich unter anderem daraus, daß 2 Tim persönlicher
   gehalten ist als 1 Tim (vgl. v.LIPS, Glaube 242f; ROLOFF,
   Apostolat 259).
6  Zu einseitig urteilt STENGER, Timotheus 265:"Die fiktive Brief-
   situation sieht die Aufgabe der Apostelschüler als zeitlich
   begrenzt an. Sie haben einen bestimmten Auftrag vom Apostel
   erhalten und nehmen kein eigentliches lokales oder überlokales
   Amt wahr."

chert werden soll[7]. Die Erwähnung der Ordination deutet darauf
hin, daß mit den Ämtern von Timotheus und Titus gegenwärtige Verhältnisse angesprochen werden; denn es ist unwahrscheinlich, daß
ein Ortspresbyterium einen Apostelschüler in sein Amt eingesetzt
hätte (vgl. 1 Tim 4,14)[8].

Obwohl die einzelnen Ämter in den Past noch im Werden begriffen
sind, lassen sich doch wesentliche Merkmale eines Amtes gerade
bei der Untersuchung der Aufgaben der Apostelschüler nachweisen.
Ihre wichtigste Aufgabe ist die autoritative Verkündigung. Timotheus und Titus haben dafür zu sorgen, daß keine Irrlehren eindringen (1 Tim 1,3.10; 4,1 u.a.); sie sind dazu beauftragt, die
"gesunde Lehre" rein zu erhalten (1 Tim 4,13; Tit 2,1); sie sollen Menschen finden, die fähig sind, wiederum andere zu lehren
(2 Tim 2,2). Die Verkündigungsaufgabe wird mit verschiedenen Ver-
ben ausgedrückt: κηρύσσειν, διδάσκειν, λαλεῖν, παρακαλεῖν, παραγγέλλειν (1 Tim 4,11.13; 6,20; 2 Tim 1,8.13; 2,2; 4,2.5)[9]. Das
Glaubensmysterium wird immer wieder in kurzen Formeln zusammen-
gefaßt (1 Tim 1,15-17; 2 Tim 1,6-11 u.a.). Bei der Ordination
würde offensichtlich noch eine Zusammenfassung der christlichen
Lehre "vor vielen Zeugen" gegeben (1 Tim 6,12[10]; 2 Tim 2,2). Der
Dienst an der wahren Lehre ist das Hauptanliegen der Past, sodaß
die Verkündigung auch für die Amtsträger vorrangig ist[11].
Wie bereits bezüglich der übrigen Amtsträger festgestellt wurde,
so sind auch die Apostelschüler im Verständnis der Past nicht
einfach Repräsentanten der Gemeinde[12]. Ihre Autorität leitet sich

---

7 Darauf macht LOHFINK, Normativität 104, aufmerksam (vgl. auch
  v.LIPS, Glaube 278; ZMIJEWSKI, Pastoralbriefe 107; WEGENAST,
  Verständnis 143; MICHEL, Grundfragen 99). Er wendet sich gegen
  die von BROX, Amt 124, vertretene Aussage:"In den Past
  herrscht das Amtsprinzip..."; ebenso ders., Probleme 83; v.
  CAMPENHAUSEN, Amt 116. Für die Kirchenordnungen gilt analog zu
  den Ämtern dasselbe: vgl. KEARNEY, Anstöße 732.
8 Vgl. MARTIN, Dienst III 57; ROLOFF, Apostolat 259.
9 Vgl. SCHLIER, Grundelemente 175; ders., Ordnung 132.139.
10 Dieser Text ist nach KÄSEMANN, Formular 101-108, eine Ordinationsparänese; anders v.LIPS, Glaube 177-180.
11 So BROX, Past 147; v.CAMPENHAUSEN, Amt 119; SCHLIER, Ordnung
   139; LOHSE, Ordination 97; v.LIPS, Glaube 132-135: hier werden besonders die terminologischen Parallelen zum Lehren des
   Hausvaters aufgezeigt.
12 v.IERSEL, Wort 623, geht sogar so weit, zu behaupten, nur in
   den Past hätte ein einzelner Entscheidungsgewalt und nicht die
   ganze Gemeinde. Der Befund bezüglich der Autorität Pauli ist

126

nicht primär von ihr her, sondern von der Bevollmächtigung durch
den Apostel (vgl. 1 Tim 1,3; 2 Tim 1,6; 2,2; Tit 1,5 u.a.)[13]. Dies
ist vor allem durch die Frontstellung gegen die Irrlehrer bedingt,
die in der Gemeinde tätig sind.

Eng mit der Verkündigungsaufgabe verbunden ist die disziplinäre
und organisatorische Gemeindeleitung. Die Ordnung in der Gemeinde
soll den Geist der "rechten Lehre" fördern. So ist der Apostelschüler dazu angehalten, den Gebetsdienst zu ordnen (1 Tim 2,
1-15); er soll die Frauen anweisen, sich bescheiden zu kleiden
(1 Tim 2,9) und sich den Männern unterzuordnen (1 Tim 2,12); er
soll ihnen das Lehren verbieten (1 Tim 2,12); er hat die Oberaufsicht über die anderen Amtsträger inne (1 Tim 3,1-13; 5,17-22;
Tit 1,5-9); er regelt den Witwenstand (1 Tim 5,3-16).

Der Vorsitz beim Gottesdienst wird nur angedeutet (1 Tim 4,13;
etwa auch 2 Tim 3,16); unklar bleibt auch, ob es sich dabei um
Eucharistiefeiern handelt[14].

Wenn man alle Funktionen von Timotheus und Titus zusammenfaßt, so
ist es nicht verwunderlich, daß man später ihre Stellung nur als
die eines Bischofs verstehen konnte[15].

In ethischer Hinsicht finden wir bezüglich der Apostelschüler das
gleiche Bild wie bei den übrigen Ämtern: es werden keine ethischen Sonderformen verlangt, doch in der Erfüllung des für alle
Christen Gültigen soll der Amtsträger Vorbild sein (1 Tim 4,12;
Tit 2,7; vgl. auch 1 Petr 5,3). Bezeichnenderweise steht die ethische Mahnung an Titus mitten in einer Haustafel (Tit 2,7f), also
gar nicht von den anderen christlichen Ständen abgehoben[16].

---

dabei ungenügend (vgl. 1 Kor 4,21; 2 Kor 10,2.11; 13,2.10 u.
a.), ebenso die Beurteilung der Autorität der Apostel in der
Apg (vgl. 15,6).

13 ZMIJEWSKI, Pastoralbriefe 111: Timotheus und Titus repräsen-
tieren in den Past das Moment der Kontinuität.
14 Es ist eher an die Verkündigung im Wortgottesdienst zu denken:
vgl. v.LIPS, Glaube 149.
15 Vgl. LOHSE, Ordination 87; FREUNDORFER, Past 205; DIBELIUS-
CONZELMANN, Past 47:"Nicht zu vergessen ist bei alledem, daß
die Gemeindeordnung in den Past tatsächlich eine monarchische
Spitze in der Stellung des betreffenden Adressaten hat,..."
Vgl. dazu auch die Subscriptio zu 2 Tim: πρὸς Τιμόθεον β' τῆς
Ἐφεσίων ἐκκλησίας ἐπίσκοπον πρῶτον χειροτονηθέντα...(vgl. den
textkritischen Apparat bei NESTLE/ALAND).
16 Vgl. TRUMMER, Paulustradition 223f.

### 3.1.2 Versuch einer Definition des Amtes

Unterschiedliche Ergebnisse und Beurteilungen in der Literatur über das Amt im NT beruhen häufig darauf, daß von einem unklaren Amtsbegriff ausgegangen wird. Es ist nicht einerlei, ob man das Amt in so weitem Sinne faßt wie beispielsweise W.EGGER, der praktisch jede Funktion innerhalb der Gemeinde, die auf Dauer als Sonderstellung übertragen wird, als "Amt" versteht[17], oder ob man als Amt - um das andere Extrem zu nennen - nur ein ausgeprägtes katholisches Amtsverständnis (mit Verkündigungs- und Leitungsautorität, sakramentaler Vollmacht, Sukzession, character indelebilis usw.) akzeptiert.

In unserem Zusammenhang ist es wichtig, eine Definition zu finden, in der gerade der strittige Punkt in der Diskussion um den "Frühkatholizismus" hinsichtlich des Amtes deutlich wird. Es geht ja auch bei den Vertretern der protestantischen Position nicht darum, ein Amt generell als Abfall zu bezeichnen; der kritische Punkt scheint vielmehr da zu liegen, wo sich das Amt nicht mehr bloß als Funktion innerhalb der Gemeindecharismen versteht, sondern als autoritatives Gegenüber zur Gemeinde.

Außerdem soll die Definition möglichst gut geeignet sein, die Unterschiede der Entwicklungsstufen in den einzelnen Schriften des NT bis hin zu den Ämtern der Past besser verdeutlichen zu können. Deshalb orientiert sie sich am Amtsbegriff der Past.

Im folgenden wird also unter Amt im vollen Sinne jede durch anerkannte Garanten der Glaubensverkündigung bevollmächtigte Autorität in Verkündigung und Gemeindeleitung gegenüber einer bereits bestehenden Gemeinde verstanden.

Die Charakterisierung der Gemeinde als "bereits bestehende"

---

17 Vgl. EGGER, Mitarbeiter 15:"Unter 'Amt' ist eine bestimmte Aufgabe, die dauernd, in einer von der Gemeinde/Kirche anerkannten Form (gegebenenfalls durch einen Titel, eine Amtsbezeichnung, z.B. 'diakonos') als Sonderstellung übertragen ist (u. U. durch Handauflegung) zu verstehen." Ein Amt hat demnach schon der inne, der das Lokal für die Versammlung hergibt oder der reisenden Glaubensbrüdern Unterkunft gewährt (ebda.). Ein ungeklärter Amtsbegriff führt bei VENETZ, Kirche 154, so weit, das Jawort der Brautleute als in engerem Sinne amtliches Tun zu bezeichnen.

(wobei natürlich klar ist, daß Gemeinde in gewissem Sinne nie
fertig, sondern stets im Werden begriffen ist) geschieht bewußt
deshalb, da niemand die Legitimität und Notwendigkeit einer autoritativen Verkündigung einzelner als Erstverkündiger in Missions-
gebieten bestreitet. Doch gerade die Autoritätsausübung gegenüber
Mitchristen ist strittig, wenn die Gemeinde bereits eine Zeitlang
besteht. Aus demselben Grund wird auch die Bevollmächtigung durch
bereits anerkannte Garanten der Glaubensverkündigung (in der Kirche des Anfangs zunächst die Erstzeugen von Jesu Auferstehung) in
der Definition gefordert.
Ausgeklammert werden sakramentale Funktionen, da diese im NT für
die Amtsträger kaum nachgewiesen werden können und die Definition
dadurch unzweckmäßig eingeengt würde[18].
Unsere Begriffsbestimmung geht weiters vom Faktischen aus. D.h.
ein Amt in unserem Sinne liegt nicht erst dann vor, wenn der Amtsträger einen festen Titel führt oder auf eine bestimmte Weise
legitimiert ist (z.B. durch Handauflegung), sondern es kommt auf
die faktische Ausübung des autoritativen Gegenübers in Lehre und
Leitung an.
Die unbeschränkte Dauer der Amtsausübung ist vor allem bei der
Priorität der autoritativen Verkündigung wohl für den einzelnen
Amtsträger von Bedeutung (ein autoritativer Verkündiger wird dies
in der Regel auf Dauer bleiben), doch in der konkreten Gemeindesituation können die Autoritäten wechseln.

---

18 Dazu SCHLIER, Grundelemente 175:"Nach dem Neuen Testament wird
das Amt des Presbyteros und des Episkopos nicht erst dadurch
ein priesterliches, daß es das Opfer Christi speziell in der
Eucharistie vergegenwärtigt." Vgl. auch SCHELBERT, Priester 22;
BLANK, Priester 164. LOHFINK, Diakone 387:"Es gibt im NT schon
eine reiche Amtstheologie, aber es gibt keinen einzigen Text,
in dem die Eucharistiefeier mit einem Amt in Verbindung gebracht wird." Von den Argumenten, die BLÄSER, Amt 40-46, für
die Verbindung von Amt und Sakramentenspendung im NT anführt,
ist m.E. einzig das stichhaltig, daß die Eucharistiefeier
schon aus ihrer Analogie zur Paschamahlfeier heraus eines Hausvaters bedurfte, der der Feier vorstand (vgl.ebda.S.45f). Es
ist übrigens durchaus anzunehmen, daß die Amtsträger auch z.
Zt. der neutestamentlichen Schriften sakramentale Vollzüge
leiteten, doch das Amtsverständnis kann biblisch nicht primär
von der Sakramentenspendung her konzipiert werden (so auch
BLÄSER, Amt 34).

## 3.1.3 Soziologische Aspekte

Betrachtet man die Entwicklung von Amt und Institution aus der
Sicht der Soziologie, so ist ein Amt - wird es seinem ursprünglichen Sinn entsprechend ausgeübt - nichts Einschränkendes, sondern im Gegenteil etwas, das neue Möglichkeiten eröffnet. Institution entsteht nämlich dort, wo sich gewisse Dinge bewährt haben.
Um sich den immer erneuten Prozeß der Durchsetzung des Bewährten
zu ersparen, institutionalisiert es die Gesellschaft, damit sie
einerseits Erreichtes bewahrt und gleichzeitig frei wird für neue
Möglichkeiten, die das Erreichte voraussetzen[19].

Das bedeutet für die Entwicklung des Amtes: es bewährte sich eben
sehr bald in den christlichen Gemeinden, daß Menschen, die von
Jesus über autorisierte Zeugen her in der rechten Tradition standen, die "rechte Lehre" gegenüber der Subjektivität des einzelnen[20] und gegenüber den Irrlehrern schützten und aus diesem Geist
heraus die Gemeinden auch in den praktischen Dingen des Gemeinde-
lebens leiteten.

Um das Amt für spätere Generationen in seiner ursprünglichen Funktion als Garant der rechten Tradition zu bewahren, bedarf es der
Legitimation. Diese erfolgte in der jungen Kirche durch autorisierte Verkündiger (die Apostel als Auferstehungszeugen und deren

19 BERGER-LUCKMANN, Konstruktion 56, sprechen zunächst von der
   Habitualisierung bestimmter Handlungen, was bedeutet,"daß die
   betreffende Handlung auch in Zukunft ebenso und mit eben der
   Einsparung von Kraft ausgeführt werden kann." Die Habitualisierung geht jeder Institutionalisierung voraus, die dann gegeben ist,"sobald habitualisierte Handlungen durch Typen von
   Handelnden reziprok typisiert werden."(58) Vgl. dazu auch
   HOLMBERG, Paul 169:"Institutionalization can well be said to
   begin with the interaction of only two persons,..." Er weist
   auch nach, daß eine gewisse Institutionalisierung auch für
   sogenannte "charismatische Gruppen" gilt (176).
20 Dazu KEHL, Kirche 318:"Um die Subjektivität des Menschen von
   der ständigen Versuchung einer hybriden Selbstrechtfertigung
   zu befreien, um jede kirchliche Gemeinschaftsbildung vor dem
   Aberglauben einer Autonomie der Heilsvermittlung (nämlich
   durch den eigenen,'vollkommeneren' Vollzug der Liebe und des
   Glaubens) zu bewahren, bedarf die Kirche des Institutionellen,
   also des Amtes, der Sakramente, der Tradition, des Dogmas, des
   Rechtes."

Mitarbeiter)[21].

Unter soziologischem Gesichtspunkt ist eine stärker werdende Institutionalisierung auch durch das Anwachsen von Gruppen gerechtfertigt: je größer eine Gemeinschaft wird, umso mehr bedarf sie
der Organisation und der Institution. Daß es sich in den Past bereits um eine größere Gemeinde handelt, wurde bereits festgestellt[22].

Eng damit verbunden ist auch die Notwendigkeit, daß ideell geein-
te Gruppen in der Auseinandersetzung mit anderen Geistesströmun-
gen im Laufe der Zeit immer mehr Fachleute brauchen, die sich darum bemühen, die geistige Position ihrer Gruppe gegenüber anders-
artigen Richtungen abzugrenzen. Diese Notwendigkeit ist in den
Past durch die Irrlehrer-Situation gegeben.

### 3.1.4 Ansätze zur Amtsentwicklung bei Jesus und Paulus

Weder Jesus noch Paulus haben ein Amt im Sinne der Past eingesetzt, d.h. sie haben niemals - soweit wir dies aus den Texten
des NT zu erheben vermögen - ein Gemeindemitglied zum autoritati-

---

21 Zur Legitimation vgl. BERGER-LUCKMANN, Konstruktion 74: die
Legitimation kann nur dann in ihrer Berechtigung auch für spätere Generationen akzeptabel sein, wenn das Fortbestehen einer Institution sich "auf ihre gesellschaftliche Anerkennung
als 'permanente' Lösung eines 'permanenten' Problems" gründet.
Bezüglich der Legitimation in der Kirche des Anfangs vgl.
KEHL, Kirche 169:"Die apostolische Überlieferung, in der das
Evangelium Jesu Christi seine ursprüngliche kirchliche Gestalt
annahm, ist von Anfang an um ihrer inhaltlichen Identität willen auch auf eine formale und zunehmend institutionalisierte
Autorität angewiesen. Diese zeigt sich bereits beim neutestamentlichen Verständnis des Apostolates (gerade auch bei Paulus!): Die Legitimation der apostolischen Verkündigung wird
mit der Sendung des Auferstandenen begründet, welche als solche ja nicht aus dem aktuellen Vollzug der Verkündigung und
ihrem Inhalt erkennbar und nachprüfbar, sondern für die Gemeinde formal vorgegeben ist. Analog dazu - wobei jedoch die je
größere Verschiedenheit nicht die Ähnlichkeit und damit die
theologische Bedeutsamkeit aufhebt !- wird bereits im Neuen
Testament die Legitimation besonders instituierter Presbyter
und Episkopen durch die Handauflegung eingeführt. Im nachapostolischen Kirchen- und Traditionsverständnis geht diese Form
der Legitimation vor allem auf die Bischöfe über." Vgl. auch
HOLMBERG, Paul 170-172.
22 Vgl. S.27.

ven (Lehr-) Gegenüber seiner Gemeinde ernannt. Von daher stellt
sich die Frage: Ist das Amt in den Past eine Folge ihrer "Verbürgerlichung", stellt diese Entwicklung einen Abfall gegenüber Jesus und Paulus dar,oder gibt es schon bei ihnen Ansätze, deren
konsequente Weiterführung unter Berücksichtigung der speziellen
Situation, in der die Past verfaßt wurden, das Amt in den Past
rechtfertigt ?

Gegenüber einseitigen Institutionskritikern weist H.U.v.BALTHASAR
darauf hin, daß mit dem konkreten Wie der Menschwerdung Gottes
in Jesus Christus bereits Institution im weitesten Sinne geschaffen ist[23].

Der markanteste Ansatzpunkt für eine Amtsentwicklung bei Jesus
ist darin gegeben, daß er bereits zu Lebzeiten einen engeren
Kreis von Menschen um sich sammelt, dem er das überträgt und anvertraut, was er selbst tut[24]. Dies zeigen vor allem die Konstituierung der Zwölf (Mk 3,13-19par)[25] und deren Aussendung

---

23 v.BALTHASAR, Pneuma 225f:"Wo ökonomisch die liebende Bereitschaft des Sohnes zum Vater sich in Gehorsam hinein entäußerte
(der aber keine Entfremdung der liebenden Bereitschaft, sondern nur deren Metamorphose in eine soteriologische Gestalt
ist), dort muß der Aspekt der Subjektivität des Geistes eine
entsprechende Verbergung in seinen objektiven Aspekt hinein
mitvollziehen, damit der ökonomische Gehorsam allererst möglich wird. Dies erklärt die dem Sohn vorangehende Initiative
des Geistes: durch sie muß die Instanz geschaffen werden, der
gegenüber Gehorsam geleistet werden kann: schon im Akt der
Menschwerdung selbst, in die der Sohn sich verfügen läßt, wie
im Menschgewordenen, der dem Vater nunmehr in dessen Repräsen-
tation oder Objektivierung durch den Geist gegenübersteht. Diese Repräsentierung des Vaters durch seinen von ihm ausgehenden,
aber primär ihn objektiv vorstellenden Geist ist die Folge und
Entsprechung zu der in den Modus des menschlichen Gehorsams
sich (kenotisch) entäußernden Liebe des Sohnes zum Vater. In
dieser soteriologischen Modalisierung des Verhältnisses zwischen Vater, Sohn und Geist liegt der Ursprung für alles, was
im theologischen Sinn als Institution bezeichnet werden kann:
sie ist die Metamorphose der Liebe dort, wo absolute in ökonomische Trinität übergeht, ist aber deswegen keine Entfremdung
dieser Liebe."

24 So HAHN, neutestamentliche Grundlagen 16; HENGEL, Nachfolge 83.
Vgl. dazu die Aussendungsreden Mk 6,6b-13; Mt 10,5-15; Lk 9,
1-6; 10,1-16.

25 PESCH, Mk I 204: Die Zwölf sind Schöpfung Jesu und bereits in
vormarkinischer Tradition verankert,"sie werden von ihm - wie
Mose und Aaron von Gott (1 Kön 12,6), wie Israels Richter von
Mose (Ex 18,25) und wie Priester durch den König (1 Kön 13,33;
2 Chr 2,17) - zu Amtsträgern gemacht." Die Einsetzung der

(Mk 6,6b-13par)[26]. In diesem Kreis kommt dem Petrus eine Vorrangstellung zu (vgl. Mt 16,13-20par; Mk 16,7; Joh 21,15-23 u.a.)[27].
Es wäre allerdings mißverständlich, bei der Bestellung der Zwölf
schon von einer Amtseinsetzung im Sinne der Past zu sprechen; hier
handelt es sich vielmehr um eine eschatologische Zeichenhandlung

---

Zwölf durch Jesus wird mit breitem Konsens als historisch zuverlässig betrachtet: SCHWEIZER, Gemeinde 22; SCHELKLE, Dienste
230; v.CAMPENHAUSEN, Apostelbegriff 248; RIGAUX, Zwölf 299;
ROLOFF, Apostolat 150; MEYE, Jesus 209passim; weitere Literatur zur Frage der Historizität der Zwölf bei HASENHÜTTL, Charisma 38 Anm.1. Dagegen wird die Identifizierung der Zwölf mit
den Aposteln als spätere, vor allem durch Lukas vetretene Sicht
anerkannt (vgl. vor allem Lk 6,13): so z.B. SCHELKLE, Dienste
230; v.CAMPENHAUSEN, Apostelbegriff 243. Zur Herleitung der
Bezeichnung "Apostel" vom jüdischen Schaliach-Institut vgl.
RENGSTORFF, ἀπόστολος 406-446; kritisch dazu HASENHÜTTL, Charisma 171; SCHMITHALS, Apostelamt 85-99; KLEIN, Apostel 22-38;
HENGEL, Nachfolge 92. KIRK, Apostleship 249-264, versucht die
verschiedenen Verwendungen des Apostelbegriffs im NT als innere
Einheit zu erfassen. Zur weiteren Diskussion um den urchristl.
Apostolat vgl. auch KASTING, Anfänge 61-81.
Der Kreis der unmittelbaren Begleiter Jesu deckte sich nicht
mit dem der Zwölf. Eine genaue Abgrenzung zwischen den Zwölf
und den übrigen Jüngern bei Mk ist schwierig. BRACHT, Jüngerschaft 156, versucht es so: Bei Mk sei die ekklesiale Dimension
dadurch bestimmt, daß in den Jüngern seine angesprochene Gemeinde repräsentiert ist, während die Zwölf "auf Legitimierung
der gegenwärtigen Verkündigung im Sinne der Kontinuität mit
der Geschichte Jesu" hinzielen; ebenso SCHMAHL, Zwölf 127f.
Daß es nicht nur die Zwölf waren, die Jesus begleiteten, wird
auch durch die Nachwahl des Mattias in der Apg (1,16-26) deutlich: nach dem lukanischen Apostelverständnis gilt nur ein
Zeuge des irdischen Lebens Jesu und seiner Auferstehung als
Apostel: vgl. HAENCHEN, Apg 165; schließlich wird auch von
Frauen im Gefolge Jesu berichtet (Mk 15,40f; Lk 8,1-3): vgl.
SCHELKLE, Geist 148.
Die Vollmachtsübertragung wird öfter anhand des Begriffes ἐξουσία zum Aufweis der Kontinuität Jesus-die Zwölf-Paulus verwendet: Jesus "lehrt wie einer, der Macht hat" (Mk 1,22par),
ebenso erhalten die Zwölf die Vollmacht über die unreinen
Geister (Mt 10,1par) und auch Paulus beruft sich auf seine ἐξουσία (2 Kor 10,8; 13,10): vgl. SCHIERSE, Wesenszüge 49-52.
26 Vgl. KIRCHSCHLÄGER, Wirken 191-203.
27 TRILLING, Amt 541:"Petrus gilt als Bürge für authentische Para-
dosis." HAHN, Petrusverheißung 560, räumt Petrus eine besondere Stellung und weitreichende Bevollmächtigung ein; ebenso
ders., biblische Grundlagen 31-33; ROLOFF, Apostolat 161-165;
PESCH, Simon-Petrus 21passim; ders., Stellung 240-245; ders.,
Mk I 205. HAHN, Petrusverheißung 560, betont jedoch auch mit
Recht, daß es sich bei Petrus nicht um eine Amtseinsetzung im
engeren Sinn handelt.

Jesu, die seine Sendung zum Haus Israel darstellen soll[28]. Wenn
wir es hier auch nicht mit einem Amt im Sinne unserer Definition
zu tun haben (es fehlt vor allem die Autorität gegenüber einer
bereits bestehenden Gemeinde), so existiert doch ein Kreis von
Menschen, die aufgrund ihrer Nähe zu Jesus nach Ostern eine ganz
natürliche Autorität in den jungen Gemeinden besaßen.
Die Zwölf waren es, die als autorisierte Zeugen auftraten (z.B.
Apg 2,14)[29]. Ihre Stellung anerkennt auch Paulus (Gal 2,2.6.9).
Sie hatten neben der Verkündigungsfunktion von Anfang an auch
die organisatorische Leitung der jungen Gemeinde inne (Apg 4,35;
5,2; 6,2)[30]. Bemerkenswert ist auch die ständige Verbindung neu-
gegründeter Gemeinden und des neubekehrten Paulus mit der Jerusalemer Urgemeinde (Apg 8,14; 9,26.32; 11,22 u.a.; 2 Kor 8;9; Gal
2,1-10).

Die Zwölf faßten ihr "Amt" jedoch nicht als Monopol auf, sondern
sie konnten auch delegieren (Apg 6,1-7). Auch einer, der nicht
zu dem Zwölferkreis gehörte, konnte eine führende Stellung erlangen, wie das Beispiel des Herrenbruders Jakobus zeigt (vgl.
Gal 1,19; 2,9 u.a.)[31].

---

28 ROLOFF, Apostolat 150, sieht in ihrer Richterfunktion "die
Existenz des neuen Gottesvolkes bereits in zeichenhafter Vor-
ausdarstellung in Geltung gesetzt." (vgl. auch HENGEL, Nachfolge 67). Zur Zeichenhaftigkeit der Konstituierung des Zwöl-
ferkreises vgl. vor allem TRAUTMANN, Handlungen 167-233; zum
synoptischen Vergleich von Mk 3,13-19par vgl. KIRCHSCHLÄGER,
Wirken 221-227. KERTELGE, Gemeinde 11.17.22, macht darauf aufmerksam, daß die Zwölf als Repräsentanten der Gesamtgemeinde
zu betrachten sind; v.CAMPENHAUSEN, Amt 17, wehrt sich dagegen, sie "als kirchliche Behörde oder wie immer geartete
Instanz" aufzufassen; ebenso SCHNACKENBURG, Lukas 233;
SCHWEIZER, Gemeinde 23; SCHMAHL, Zwölf 127; LOHFINK, Diakone
386.
29 GEWIESS, Grundlagen 149:"Die Autorität der Apostel beruht...
nicht so sehr auf ihrem Aposteltitel als vielmehr auf der Tatsache, daß es die Zwölf sind, und auf den ihnen übertragenen
Vollmachten." Zur Zeugenfunktion vgl. SCHNEIDER, Apg I 221-231.
30 Vgl. auch SCHWEIZER, Gemeinde 22.61; HASENHÜTTL, Charisma 41f.
31 Zur Stellung des Jakobus vgl. v.CAMPENHAUSEN, Nachfolge: er
leitet seine herausragende Stellung in der Urgemeinde nicht
aus der persönlich-verwandtschaftlichen Beziehung zu Jesus ab,
sondern aus seinem Auferstehungszeugnis (140). Er wendet sich
gegen eine Nachfolge des Jakobus in einem bestimmten Amt
(bes. 142-151).

Die einzelnen Kompetenzen waren in der ersten Zeit sicher noch
nicht streng abgegrenzt. So gab es etliche, die als Wanderprediger umherzogen und - auch ohne besondere Autorisierung seitens
der Apostel - predigten (Apg 8,4; 11,19; 15,1.24). Die Apostel
sandten aber auch legitimierte Boten ab (Apg 8,14; 11,22), besonders als dann die Gefahr der Irrlehre und der Spaltung drohte
(Apg 15,24; 20,29)[32]. In dieser Situation nahmen die Apostel[33]
und die Ältesten (Apg 15,6) auch die autoritative Verkündigung
wahr. Ist es auch möglich, daß Lukas durch die Erwähnung der
Presbyter beim Apostelkonzil spätere Verhältnisse in diese Zeit
projiziert[34], so ist der Ansatz für ein Amt über das "Amt" der
Apostel hinaus gerade da zu sehen, wo die Apostel - und das deckt
sich mit Gal 2,1-10 - legitimierte Verkündiger entsenden[35].
Zusammenfassend ist festzuhalten, daß die Apostel durch ihre Nähe
zu Jesus und ihre Beauftragung durch ihn sowie durch ihr Auferstehungszeugnis eine natürliche Führungsposition in den jungen
Gemeinden innehatten. Ihnen kommt aber auch in einigermaßen ge-
festigten Gemeinden eine Vorrangstellung zu. Sie sind jedoch Erstverkündiger und somit noch keine Amtsträger im Sinne unserer Definition.

Einen Ansatzpunkt für die Entwicklung eines Amtes im Sinne der
Past bietet auch das Apostelamt des Paulus. Dieser versteht sich
als Apostel (Röm 1,1; 1 Kor 1,1; 2 Kor 1,1; Gal 1,1 usw.)[36]

32 Vgl. SCHÜRMANN, Testament 310-340.
33 HAENCHEN, Apg 168, weist allerdings darauf hin, daß es keineswegs alle zwölf gewesen sein mußten, die die Gemeinde in Jerusalem leiteten.
34 So BORNKAMM, πρέσβυς κτλ. 663.
35 HAINZ, Gemeinschaft 33, betont, daß der Gal 2,9 erwähnte Hand-
schlag nicht bloß Konzession oder Bündnis bedeute, sondern Ausdruck echter κοινωνία ist. Die Mission des Paulus fand damit
"offizielle Anerkennung" (39). Vgl. dazu auch STENGER, Biographisches 129f.
36 Im Gegensatz zu Lukas in der Apg (außer 14,14), der den Apostolat auf die Zwölf beschränkt (vgl. HASENHÜTTL, Charisma 178;
KIRK, Apostleship 255). Lukas zählt Paulus jedoch zu den Zeugen (Apg 22,15; 26,16). Sein Zeugnis ist ein Zeugnis "vor allen
Menschen" (Apg 22,15): vgl. dazu PRAST, Presbyter 325f.
Aus der Fülle der Literatur über Apostolat und Selbstverständnis Pauli seien genannt: SCHLIER, Grundlage 84-97; LAUB, Paulus 26-28; KERTELGE, Gemeinde 83-91; ROLOFF, Apostolat 38-137;
KIRK, Apostleship 249-264; SCHMITHALS, Apostelamt bes. 13-47.

aufgrund seines Auferstehungszeugnisses und seiner Sendung durch
den Auferstandenen (1 Kor 9,1; 15,7)[37]. In seinem einzigartigen
Verhältnis zum Evangelium[38] gründet seine Autorität in den Gemeinden.

Paulus übt die διακονία τῆς καταλλαγῆς (2 Kor 5,18) aus[39]. Er
kämpft um seine Autorität (1 Kor 9,1-27; 2 Kor 10,1-18 u.a.), aber
nicht um seiner selbst, sondern um des Evangeliums willen. So
nimmt er für sich in Anspruch, dieses in authentischer Weise zu
verkündigen und falsche Lehren darüber zu widerlegen (Gal 1,6-9;
1 Kor 12,3; 15,1-34). Er regelt aufgrund seiner Vollmacht auch
die gemeindedisziplinären Dinge (1 Kor 5,1-13; 6,1-11; 7,12-16;
11,2-16 u.a.); er kümmert sich um finanzielle Angelegenheiten
(z.B. 2 Kor 9,1-15).

Paulus hat - wie die Presbyter der Past (1 Tim 5,17) - auch An-
recht auf finanzielle Entschädigung (1 Kor 9,6; 2 Kor 11,7-9;
2 Thess 3,9).

Nicht nur im διδάσκειν und κηρύσσειν trifft sich die Funktion des
Amtsträgers in den Past mit der Tätigkeit des Paulus (διδάσκειν:
1 Kor 4,17, 1 Tim 4,11; 6,2; κηρύσσειν: Röm 10,8; 1 Kor 1,23;
15,11 u.a.; 2 Tim 4,2), sondern auch in der Bezeichnung als

---

37 Die dazugehörende Sendung betont HASENHÜTTL, Charisma 180,
   aufgrund der Beobachtung, daß 1 Kor 15,6 nicht alle Fünfhun-
   dert, denen Christus begegnet ist, Apostel genannt werden; vgl.
   auch BROCKHAUS, Charisma 115. Daß Paulus das Apostelamt nicht
   auf die Zwölf beschränkt, dafür ist besonders Röm 16,7 (An-
   dronikus und Junias als Apostel) signifikant (vgl. KLEIN,
   Apostel 41; KIRK, Apostleship 256).
38 ECKERT, Voraussetzungen 42:"Das Verhältnis des Apostels zum
   Evangelium ist die entscheidende Voraussetzung seiner Autorität." Auf dieses Evangelium hin hat jede andere Autorität
   hinterfragbar zu sein (Gal 2,14). Trotz seiner einmaligen
   Stellung zum Evangelium übernimmt jedoch bereits Paulus Tradition (vgl. SCHÜTZ, Authority 439-457).
39 Zum Kontext der Stelle vgl. DINKLER, Verkündigung, der aus
   diesem Text eine implizite Sakramentalität der Verkündigung
   als sacramentum audibile (186.189) herausarbeitet.
   Unter der διακονία τῆς καταλλαγῆς ist die apostolische Verkündigung zu verstehen (vgl. HOFIUS, Gott 5.17f).

οἰκονόμος (1 Kor 4,1[40]; 9,17; Tit 1,7[41]). Nicht nur das Amt des
Paulus ist διακονία (Röm 11,13; 15,31; 2 Kor 3,7.8.9; 4,1; 5,18 u.
a.), sondern auch das Amt des Timotheus (2 Tim 4,5). Der Autori-
tätsanspruch des "Paulus" in den Past deckt sich mit dem des
Paulus in seinen echten Briefen[42].

Der Unterschied zwischen dem Apostelamt Pauli und den Ämtern in
den Past besteht zunächst darin, daß Paulus in erster Linie durch
sein Auferstehungszeugnis legitimiert ist und nicht durch amtliche
Bevollmächtigung (Gal 1,12) - er läßt sich seinen Auftrag allerdings durch die Apostel in Jerusalem bestätigen (Gal 2,9). Er ver-
dankt seine zentrale Stellung in den Gemeinden seiner Autorität,
die ihm - im Unterschied zum ἐπίσκοπος, den πρεσβύτεροι und διάκονοι der Past - als Erstverkündiger zukommt. Mit dem "Amt" des
Paulus ist also noch nicht ein Amt im Sinne der Past zu begründen.
Es muß erst als legitime Entwicklung erwiesen werden, daß ein
Christ, der ebenfalls durch das Zeugnis anderer den Glauben emp-
fangen hat, gegenüber Mitchristen autoritative Vollmacht in Lehre
und Ordnung ausüben darf.

Es liegt nahe, nach leitenden Funktionen in den Gemeinden der
echten Paulusbriefe zu suchen und deren Verhältnis zu den Ämtern
der Past zu bestimmen:
1 Kor 12,28f werden Apostel, Propheten und Lehrer genannt. Sie
bilden offensichtlich fest umrissene Personenkreise[43]. Gal 6,6

---

40 Mit den "Geheimnissen Gottes", die zu verwalten sind, ist die
   Verkündigung gemeint: vgl. WEISS, 1 Kor 93; ROLOFF, Apostolat
   113. Ob, wie die älteren französischen Kommentare meinen, die
   Sakramentenspendung miteinbezogen ist (ALLO, Aux Corinthiens
   69; HUBY, Aux Corinthiens 118; vgl. auch PRÜMM, Mysterium
   1052),geht aus dem Text und der sonstigen Verwendung des Begriffes μυστήριον bei Paulus nicht hervor.
41 Zum Begriff οἰκονόμος in den Past vgl. v.LIPS, Glaube 147f.
42 Vgl. ROLOFF, Apostolat 250.
43 So BROCKHAUS, Charisma 95-98; HASENHÜTTL, Charisma 131, sieht
   darin Dauerfunktionen gegeben; KERTELGE, Gemeinde 12, nimmt
   verschiedene, weitgehend nebeneinanderstehende Funktionen an.
   Die Propheten hatten wohl den Auftrag, immer neu die göttliche
   Wirkmächtigkeit der Gemeinde zu erhellen (vgl. HASENHÜTTL,
   Charisma 190f); GREEVEN, Propheten 331, nimmt an, die Lehrer
   hätten mit Traditionsstoff zu tun gehabt; zur Lehrerfunktion
   vgl. auch SCHÜRMANN, Gnadengaben 396-398.

wird ein Katechet erwähnt[44]. Phil 1,1 werden ἐπίσκοποι und διάκονοι unter den Adressaten angeführt; auf sie wird allerdings in
dem ganzen Schreiben nie wieder Bezug genommen.

In den Paulusbriefen finden sich auch allgemeine Bezeichnungen
für das Vorstehen wie κυβερνήσεις (1 Kor 12,28) und die προϊστάμενοι (Röm 12,8; 1 Thess 5,12)[45]. Eine gewisse Autorität ist
sicher auch den Leitern der sogenannten Hauskirchen zugekommen
(Röm 16,3-5; 1 Kor 16,5-8)[46]. Paulus duldet neben sich auch andere Autoritäten in den Gemeinden, wie beispielsweise Apollos (1 Kor
1,12; 3,4-23; 4.6; 16,12; vgl. Apg 18,24-19,1).
Doch kein Text in den Paulusbriefen zwingt zu der Annahme, diese
Leitungsdienste als Ämter im Sinne der Past aufzufassen . Durch
diese Briefe werden - im Unterschied zu den Past - immer die Gemeinden als ganze angesprochen und nicht die Amtsträger. Die
Gesamtverantwortung liegt bei der Gemeinde. Die Vorsteher treten
durch ihre Verkündigung nie in ein autoritatives Gegenüber zu
ihr. Es wird auch nicht darüber reflektiert, von wem sie eingesetzt wurden; Paulus akzeptiert sie offensichtlich als bestehende Ordnung, die ganz natürlich in den Gemeinden entstand[47].
Dem Amtsverständnis der Past kommen wir am nächsten, wenn wir die
Stellung der Mitarbeiter Pauli in seinen Briefen untersuchen. Dabei liegt es nahe, Timotheus und Titus besonderes Augenmerk zu
schenken.

---

44 BROCKHAUS, Charisma 103, sieht im Katecheten eine feste, dauernde und mehr oder weniger vollzeitliche Lehrerfunktion in
den christlichen Gemeinden, wobei das Recht auf Bezahlung mit-
eingeschlossen war (vgl. Gal 6,6).
45 LAUB, Paulus 33: die προϊστάμενοι sind als Tätigkeitsbeschreibung zu werten und nicht als Ausdruck einer amtlichen Stellung.
1 Thess 5,12 haben die προϊστάμενοι zwar das νουθετεῖν inne,
V 14 allerdings die Gemeinde. Auffällig ist an dieser und anderen Stellen die Verwendung von κοπιάω in Zusammenhang mit
Gemeindediensten (Röm 16,6.12; 1 Kor 16,16; vgl. 1 Tim 5,17!).
46 Vgl. EGGER, Mitarbeiter 16; MARTIN, Dienst III 28:"Auch wenn
die Dienste in den paulinischen Gemeinden als je zu aktuali-
sierende Charismen verstanden wurden, mußten sich doch zwangs-
läufig aus der Wahrnehmung von Aufgaben 'Autoritäten' bilden."
47 HOLMBERG, Paul 195:"The actual social structures are not di-
rectly influenced by Paul's thinking or ideas, but the fact
that the apostle does indeed legitimate the development in-
volves the consolidation or institutionalization of the insti-
tutional process." Vgl. auch HAHN, neutestamentl. Grundlagen
25.

Daß Timotheus in einigen Briefen Pauli als Mitabsender genannt
wird (2 Kor 1,1; Phil 1,1; 1 Thess 1,1; 2 Thess 1,1; Phlm 1), weist
bereits auf eine bevorzugte Stellung hin, die er im engsten Mit-
arbeiterkreis des Paulus hatte.
1 Kor 4,17 berichtet der Apostel, daß er Timotheus nach Korinth
schicken wolle,"der euch an meine Wege in Christus erinnern wird,
wie ich sie in jeder Gemeinde lehre." Timotheus wird also als Be-
vollmächtigter gesandt, um der Gemeinde die Lehre Pauli in Er-
innerung zu rufen! Es handelt sich hier um autoritative Verkündigung[43]. Grund hiefür sind Mißstände: es sind Wichtigtuer auf-
getreten (ἐφυσιώθησάν τινες: V 18).
1 Kor 16,11 ermahnt Paulus die Korinther, Timotheus nicht gering-
zuschätzen (eine Anweisung, die sich auch in den Past findet: vgl.
1 Tim 4,12). Er bestätigt, daß sein Mitarbeiter das Werk des
Herrn wie er selbst tue (1 Kor 16,10). Die Aufgabe des Timotheus
ist allerdings eine vorübergehende (1 Kor 16,11).
2 Kor 1,19 nennt Paulus sich, Silvanus und Timotheus Verkündiger
Jesu Christi. Nach Phil 2,19 will er Timotheus auch nach Philippi
senden, damit er erfährt, wie es um die Gemeinde steht. Es folgt
ein ausführliches Lob über ihn (VV 20-22). Sein besonderer Vorzug
liegt darin, daß er nicht seinen eigenen Vorteil sucht, sondern
um die Sache Jesu Christi besorgt ist (V 21); außerdem hat er
mit Paulus gemeinsam dem Evangelium gedient (V 22)[49].
1 Thess 3,2 wird Timotheus zur Gemeinde gesandt als "unser Bruder
und Gottes Mitarbeiter am Evangelium Christi, um euch zu stärken
und in eurem Glauben aufzurichten."

---

48 Dazu BORSE, Timotheus 29:"Indem Paulus ihm zutraut, seine Lehren in den Gemeinden stellvertretend zu verkünden und einzu-
prägen, stellt er ihm ein hervorragendes Zeugnis seiner Wert-
schätzung aus." In seinen Ausführungen will er "hinreichend
wahrscheinlich, aber nicht beweisbar" (40) aufzeigen, daß Titus einfach die Kurzform für Timotheus ist und somit in diesen beiden Namen ein und derselbe Mitarbeiter Pauli angesprochen ist.
49 Nach HAINZ, Amt 117, ist Timotheus an dieser Stelle als Nachfolger Pauli in Aussicht genommen; anders OLLROG, Paulus 23:
hier wird Timotheus vielmehr als der Mit-Missionar gesehen,
den Paulus letztlich in Barnabas und Silvanus vergeblich such-
te.

Während bei Timotheus mehr die Verkündigung im Sinne des Paulus im Vordergrund steht, hat Titus eher organisatorische, gemeinderegelnde Aufgaben: am häufigsten wird er in 2 Kor erwähnt, zunächst als Berichterstatter Pauli (7,7). Besonders wichtig ist 2 Kor 7,15, wo der Apostel die Gemeinde lobt, weil sie Titus μετὰ φόβου καὶ τρόμου aufgenommen haben. Darin kommt eine dem Apostelschüler eignende Autorität zum Ausdruck. 2 Kor 8 ist es Titus, der die Sammlung in Korinth vollendet[50]. V 23 wird er besonders hervorgehoben als κοινωνὸς ἐμὸς καὶ εἰς ὑμᾶς συνεργός. Nach Gal 2,1-3 hat Paulus Titus mit nach Jerusalem genommen, als er der Gemeinde und den "Angesehenen" das Evangelium vorlegte - vielleicht war das der Grund einer besonderen Stellung des Titus in späterer Zeit.

Aufgrund dieser Beobachtungen ist die Stellung, die Timotheus und Titus in den Past innehaben, bereits in der Stellung, die sie zu Lebzeiten Pauli in den Gemeinden hatten, begründet. Was lag näher, als daß sie selbst und die Autoritäten der nächsten Generation sich wiederum (wie Paulus) Mitarbeiter suchten, die ihrerseits fähig waren, andere zu lehren (2 Tim 2,2) und die auch in den gemeindeordnenden Angelegenheiten οἰκονόμοι θεοῦ (Tit 1,7) waren[51]?

Wichtig für die Entwicklung des Amtes ist dabei folgendes: damit ist erwiesen, daß die Autorität des Wortes und der Tat nicht nur dem Apostel und Auferstehungszeugen allein zukommt. Auch solche, die durch ihn gläubig wurden, können besondere Vollmachten innerhalb der Gemeinden erlangen. Gemäß der oben gegebenen Definition sind sie insofern im weiteren Sinne als Amtsträger zu bezeichnen, als sie nicht nur Gemeinden mitbegründeten, sondern auch nach ihrer Gründung ihnen gegenüber Autorität wahrnehmen. Allerdings sind auch sie noch Erstverkündiger und - wie Paulus - Wander-

---

50 BARRETT, Titus 13:"There was no reason why Titus should not be sent to do this work (the collection); he was authorised to begin the collection, and also carried a letter of rebuke that cost Paul many tears in the writing." Vgl. dazu auch OLLROG, Paulus 33-37.
51 Vgl. dazu HAINZ, Amt 120.

charismatiker[52].

Gegenüber dem Amtsverständnis der Past bestehen darüber hinaus
noch folgende Unterschiede. Bei den "Ämtern" des Timotheus und
Titus in den Paulusbriefen handelt es sich noch nicht um ein
Amt, das von Gemeindemitgliedern für die Gemeinde angestrebt werden kann (vgl. 1 Tim 3,1); die Apostelschüler werden nicht in
ein bestimmtes Amt eingesetzt (etwa als ἐπίσκοποι oder πρεσβύτεροι); es fehlt eine Ordination, sowie Überlegungen, die an eine
Amtssukzession denken ließen (wohl geht es aber um die rechte Tradition des Evangeliums: 1 Kor 4,17). Paulus denkt bezüglich seiner Mitarbeiter nicht an bewußte Amtseinsetzung, sondern es handelt sich bei all dem einfach um natürliche Entwicklungen: daß
nämlich die Autoritäten des Anfangs auch weiterhin das Sagen in
den Gemeinden haben.

Obwohl das Amtsverständnis in den echten Paulusbriefen dem der
Past schon sehr nahesteht, bleibt die eingangs angeführte Feststellung aufrecht, daß weder Jesus noch Paulus nach den Zeug-
nissen des NT ein Amt im Sinne der Past eingesetzt haben. So sind
abschließend Gründe für eine legitime Weiterentwicklung anzu-
geben.

Der erste Grund ist wohl das Aussterben der Erstverkündiger. Wo
die Autoritäten des Anfangs fehlen, muß nach neuen Gewährsmännern
für die rechte Lehre gesucht werden.

Der zweite Grund liegt im verstärkten Kampf gegen die Irrlehre,
der gerade in den Past das Problem schlechthin ist[53].

Letztlich ist die zunehmende Institutionalisierung angesichts der
immer größer werdenden Gemeinden eine soziologische Notwendigkeit.

---

52 THEISSEN, Soziologie 16:"Was wir an Nachrichten über die
   ersten urchristlichen Autoritäten hören, weist auf Wandercharismatiker." Es bildeten sich - wie gezeigt wurde - auch
   in den Ortsgemeinden sehr bald Autoritäten aus.
53 SCHÜRMANN, Testament 321, vermutet wegen des relativ geringen
   Vorkommens in der Apg (nur 13,1) und wegen 1 Tim 1,7; 2 Tim
   4,3; 2 Petr 2,1; 2 Joh 7 einen Stand der διδάσκαλοι, die da
   und dort für Verwirrung sorgten; vgl. auch SCHIERSE, Kennzeichen 77.

3.1.5 Charisma und Amt in den Past

In der Weise, wie in den Past von χάρισμα gesprochen wird, sieht
E.KÄSEMANN das Phänomen "Frühkatholizismus" verwirklicht[54]. Die
Beschränkung des Begriffes χάρισμα einzig und allein auf den Amtsträger (1 Tim 4,14; 2 Tim 1,6) ist für ihn ein Symptom dafür,
daß ein der Gemeinde gegenüberstehendes Amt zum eigentlichen
Geistträger geworden ist, was eine Abwertung der Taufe und des
in ihr geschehenden Geistempfanges impliziere. Damit habe jüdi·
sches Erbe das paulinische verdrängt. Demnach beginne sich in den
Past der Gegensatz lehrende (=dynamische) und hörende (=passiv-
statische) Kirche abzuzeichnen.

Im Rahmen dieser Arbeit kann das schon oft diskutierte Verhältnis
zwischen Charisma und Amt nicht erschöpfend behandelt werden[55].
Es geht nur um die Frage, ob die "bürgerliche" Interpretation
der Beziehung zwischen Amt und Gemeinde in den Past tatsächlich
so stimmt, wie E.KÄSEMANN es sieht, oder ob sich in den Past nicht
doch Ansätze finden lassen, die zumindest der Sache nach das
Charismatische nicht auf den Amtsträger beschränken.

Die Tatsache, daß das Wort χάρισμα in den Past im Unterschied zu
Paulus (vgl. Röm 12,6; 1 Kor 12,4.9.28.30.31) nur auf den Amtsträger bezogen wird, läßt natürlich eine Akzentverschiebung vermuten. Doch muß diese noch keineswegs einen Widerspruch bedeuten;
sie kann eine durchaus legitime, ja notwendige Entwicklung darstellen[56].

Die Verwendung des Wortes χάρισμα[57] bei Paulus zeigt, daß auch

---

54 Vgl. oben SS.14f. Leider ist auch v.LIPS, Glaube, durchgängig
   von dieser Sicht E.KÄSEMANNS geprägt; ebenso SCHRAGE, Frau 139.
55 Aus der Fülle der Literatur seien exemplarisch erwähnt: GREE-
   VEN, Propheten 305-361; RATZINGER, Bemerkungen 252-272; SCHÜR-
   MANN, Gnadengaben 362-412; BROCKHAUS, Charisma; KERTELGE, Gemeinde 103-108; v.LIPS, Glaube 196-200; HASENHÜTTL, Charisma;
   HAHN, Charisma 419-449; SCHELKLE, Charisma 311-323; KREMER,
   Charismen 321-335 (mit weiterer Literatur, vgl.Anm.1).
56 Eine gewisse Notwendigkeit neuer Ordnungen gibt allerdings
   auch KÄSEMANN, Paulus 250, zu.
57 Die genauere Bedeutung von χάρισμα, ob es nun einfach das Geschenk ist, das sich nicht von χάρις ableitet (vgl. BROCKHAUS,
   Charisma 130ff.237ff) oder um die "Konkretion der Gnade" (v.
   LIPS, Glaube 190), ist für unseren Zusammenhang von untergeord-
   neter Bedeutung.

genuin paulinische Theologie nicht allein an diesem Begriff gemessen werden kann: χάρισμα kommt außer in Röm und 1 Kor nur
2 Kor 1,11 vor; niemand wird jedoch aufgrund dieses Sachverhaltes
die übrigen Paulusbriefe als "frühkatholisch" oder "verbürger-
licht" bezeichnen[58]. H.W.BARTSCH weist richtigerweise darauf hin,
daß im Corpus Paulinum die Auseinandersetzung nicht bei der Problematik Amt - Charisma ihren Ausgangspunkt genommen habe, sondern daß diese im Charismatischen selbst begonnen habe, als die
Rivalität der Charismen die Einheit in der Gemeinde gefährdete[59].

Auch bei Paulus gibt es Charismen, die als "bürgerlich" etiket-
tiert werden können: die Röm 12,6-8 angeführten Charismen sind
weniger außerordentliche Begabungen als die 1 Kor 12,8-11 aufgezählten. Schon der in den Past häufig begegnende Stamm σωφρ-[60],
den Paulus Röm 12,3 als Verbum verwendet, besitzt hier in seiner
"bürgerlichen" Bedeutung Signalcharakter. Röm 12,6-8 fehlen gegenüber 1 Kor 12,8-11 folgende Charismen: die Weisheitsrede (λόγος σοφίας 1 Kor 12,8), die Heilungskräfte (χαρίσματα ἰαμάτων
V 9), die Wunderkräfte (ἐνεργήματα δυνάμεων V 10), die Unterscheidung der Geister (διακρίσεις πνευμάτων V 10), die Zungen-
rede (γένη γλωσσῶν V 10) und die Auslegung derselben (ἑρμηνεία
γλωσσῶν V 10). Alle Charismen aus Röm 12,6-8 finden sich der Sache nach auch in den Past[61].
Es genügt also nicht, einen Brief nur unter dem Gesichtspunkt der
Verwendung des Begriffs χάρισμα zu lesen; vielmehr muß untersucht

---

58 Vgl. BROCKHAUS, Charisma 236:"Die Charismenlehre läßt sich...
   nicht als das Prinzip, wenn auch durchaus als ein Prinzip der
   paulinischen Ethik verstehen." Der eigentliche Ort der Charismen ist "weder die Gemeindeverfassung noch die Ethik..., sondern das paulinische Verständnis des Geistes als Kraft und
   Norm des neuen Lebens." (ebda.239)
59 BARTSCH, Anfänge 20; vgl. dazu auch KEHL, Kirche 90f.
60 Vgl. oben SS.49-51.
61 Die prophetische Rede 1 Tim 1,18; 4,14; die Diakonie 1 Tim 1,
   12; 2 Tim 4,5.11, bzw. als Verbum 1 Tim 3,10.13; 2 Tim 1,18 u.
   a.; das Lehren 1 Tim 4,11; 6,2; 2 Tim 2,2; das Ermahnen 1 Tim
   5,1; 6,2; 2 Tim 4,2 u.a.; das Geben 1 Tim 6,18; das Vorstehen
   1 Tim 5,17; das Sich-Erbarmen wird in den Past zwar nur von
   Gott ausgesagt (1 Tim 1,13), aber sicher nicht als Tugend des
   Christen bewußt verschwiegen.

werden, ob das, was bei Paulus unter anderem mit dem Brgiff χάρις-
μα ausgesagt wird, sich sachlich in irgendeiner Form wiederfin-
det.

Einen guten Ansatz für derartige Überlegungen bietet die Untersuchung der "guten Werke", der καλά beziehungsweise ἀγαθὰ ἔργα
in den Past[62]. Sie zu betrachten liegt deshalb nahe, weil gerade
durch diese Wendung das Bild von einer allzu statischen Gemeinde
korrigiert werden könnte.

R.PESCH weist darauf hin, daß man die "guten Werke" inhaltlich
nicht so eingeengt interpretieren darf, wie es in unserem Sprachgebrauch oft üblich ist:"Unter guten Werken, unter Liebeswerken,
sind...nicht bloß Almosen und Geldspenden verstanden; gemeint ist
vielmehr der rest- und schonungslose Einsatz der ganzen Person im
ganzen christlichen Leben (vgl. 1 Tim 5,10),..."[63].

Von besonderer Wichtigkeit ist der Text Tit 2,11-15: hier ist es
zunächst die Gnade Gottes (nicht menschliche Eigenleistung, die
auf "gute Werke" pocht!), die zu einem guten christlichen Leben
erzieht[64]. V 14 werden die καλὰ ἔργα als Frucht des Kreuzestodes
Jesu verstanden:"Er hat sich für uns hingegeben, um uns von aller
Schuld zu erlösen und sich ein reines Volk zu schaffen, das ihm
als sein besonderes Eigentum gehört und voll Eifer danach strebt,
das Gute zu tun (ζηλωτὴν καλῶν ἔργων)." Der dazwischenliegende
V 13 muß uns ebenfalls vorsichtig werden lassen, zu leicht das
Klischee des "Frühkatholizismus" an die Past heranzutragen; denn
hier wird ganz ausdrücklich gesagt, daß mit einem tugendhaften

---

62 Auch Paulus kennt das ἔργον zur Bezeichnung des geforderten
   christlichen Tuns (1 Kor 3,13-15; Gal 6,4; Phil 1,6; 1 Thess
   1,3), jedoch im Singular. Dazu SCHRAGE, Einzelgebote 55:"Es ist
   also zu vermuten, daß sich in dem Singular eine theologische
   Absicht verrät, daß nämlich für Paulus durch den als Einheit
   verstandenen neuen Gehorsam die Differenzierung der Früchte,
   die ja alle aus der Wurzel des Pneuma kommen, ihre Bedeutung
   verliert; auch die Fülle und Mannigfaltigkeit der Geistesgaben
   wird ja in 1 Kor 12,4ff auf den einen Ursprung zurückgeführt."
   Vgl. auch PREISKER, Ethos 200.
63 PESCH, Bürgerlichkeit 33.
64 Dazu PESCH, Bürgerlichkeit 30:"Die Gnade Gottes 'erzieht' zu
   einem christlichen Leben, sie setzt dazu instand. Die paulinische Rechtfertigungslehre ist hier in den Horizont 'christlicher Bürgerlichkeit' übersetzt als 'Erziehungslehre'." Vgl.
   auch oben S.81.

Leben nicht die Preisgabe der Parusieerwartung verknüpft ist.
Nach 2 Tim 2,21 ist derjenige, der sich von der Ketzerei fern-
hält, "geheiligt, für den Herrn brauchbar, zu jedem guten Werk
tauglich." Aus dieser und anderen Stellen (vgl. 2 Tim 3,5; Tit 1,
16) geht hervor, daß sich die Christen durch die "guten Werke"
von den Irrlehrern unterscheiden sollen. Die καλὰ ἔργα sind also
als bewußte Antithese zu den Häretikern gebraucht, die "beteuern,
Gott zu kennen, ihn aber durch ihr Tun verleugnen" (Tit 1,16).
Nur auf diesem Hintergrund sind die "guten Werke" der Past richtig
zu interpretieren.
Die καλὰ (ἀγαθὰ) ἔργα sind Inhalt der Verkündigung des Amtsträgers
(1 Tim 6,18; Tit 3,1.8 u.a.). Sie sind Frucht des Glaubens (Tit
3,8) und bewirken, daß das Leben der Christen "nicht ohne Frucht
bleibt" (Tit 3,14). Sie sind nicht bloß fromme Pflichterfüllung,
sondern sie sollen dort geübt werden, wo es nötig ist (Tit 3,8.14;
vgl. das 1 Kor 12,7 von den Charismen Gesagte). Nicht nur die
Amtsträger, sondern auch Gemeindemitglieder sollen das Gute lehren
(Tit 2,3). Der Gemeindeleiter soll sich dadurch auszeichnen, daß
er ein Vorbild in der Erfüllung "guter Werke" gibt (Tit 2,7).
Auch die Schriftlesung ist dazu geeignet, die Gemeinde "zu jedem
guten Werk bereit und gerüstet " (2 Tim 3,17) zu machen.
Die einzelnen Stände werden dazu angehalten, gute Werke zu tun:
die Frauen (1 Tim 2,10), die Witwen (1 Tim 5,10). Die καλὰ ἔργα
dienen als Gesamtbezeichnung der Frucht christlichen Lebens.
Folgende Dienste werden in den Past ausdrücklich als "gute Werke"
bezeichnet: das Kinderaufziehen, die Gastfreundschaft, das Füße-
waschen, das Helfen in der Not (1 Tim 5,10), die Freigebigkeit,
das Teilen (1 Tim 6,18); nicht zuletzt wird sogar die Bewerbung
um das Amt eines ἐπίσκοπος ein καλὸν ἔργον genannt (1 Tim 3,1)!
Das Amt ist demnach nicht bloß "von oben" der Gemeinde vorgegeben,
sondern kann und soll von Gemeindemitgliedern angestrebt werden.
Bedurfte es auch der Legitimierung seitens autorisierter Verkündiger, sind doch die Gläubigen dazu aufgefordert, selbst das
"Charisma" eines Gemeindeleiters zu entwickeln.
Wenn man all das, was als Empfehlungen zum Tun "guter Werke" in
den Past aufscheint, zusammen sieht, so ergibt sich daraus alles
andere als das Bild einer statischen Gemeinde. Obwohl begrifflich
die καλὰ ἔργα von den paulinischen Charismen zu unterscheiden

sind, stehen sie doch _sachlich_ in großer Nähe zu dem, was Paulus
mit seiner Lehre von den Charismen sagt.

Natürlich wird damit nicht geleugnet, daß das Charisma des Amtsträgers in den Past im Vergleich zu den gemeindeleitenden Charismen bei Paulus (Röm 12,8; 1 Kor 12,28) ein viel stärkeres Gegenüber zur Gemeinde ausdrückt. Die Ursachen für diese Entwicklung
wurden teilweise bereits genannt: erstens ist in den paulinischen
Gemeinden ja noch Paulus selbst _die_ Autorität schlechthin, während sich zur Zeit der Past andere Autoritäten ausbilden mußten[65];
zweitens ist die Gefahr der Irrlehre verstärkt gegeben; die Häretiker sitzen in den eigenen Reihen, und es wäre geradezu gefähr-
lich, sie auf ihre Charismen, auf die sie sich möglicherweise
selbst beriefen, hin anzusprechen; weiters ist in den Past eine
der Größe nach bereits stark gewachsene Gemeinde vorauszusetzen:
das fordert ebenfalls stärkere Führungspositionen.

Einen weiteren Ansatzpunkt dafür, daß die Gemeinde in den Past
nicht bloß ein statisches Gegenüber zum Amtsträger darstellt, bietet die Beobachtung, daß dem Verfasser nichts daran liegt, die
Verkündigung des Gotteswortes einzig und allein auf den Amtsträger
zu beschränken: 1 Tim 1,3 wird dem Timotheus geboten, das ἑτερο-
διδασκαλεῖν zu verbieten, aber nicht das διδάσκειν überhaupt;
1 Tim 2,12 wird das διδάσκειν der Frau verboten - diese Anweisung
wäre unsinnig, sollte die Verkündigung ohnedies _allen_ Gemeindemitgliedern generell untersagt sein[66]; 2 Tim 2,2 wird Timotheus
angewiesen, das, was er vor vielen Zeugen gehört hat, zuverlässigen _Menschen_ (ἀνθρώποις) anzuvertrauen (möglicherweise sind damit
schon Amtsträger gemeint, aber sie sind zumindest nicht ausdrücklich angesprochen); Tit 2,3 wird in der Haustafel gefordert, die
älteren Frauen sollten καλοδιδάσκαλοι sein, allerdings geht es
hier um die innerfamiliäre Belehrung der jüngeren Frauen.

---

65 SCHÜRMANN, Gnadengaben 372, sieht die Entwicklung, daß das
Charisma nur mehr vom Amt ausgesagt wird, insofern als berechtigt an, als "die nachapostolische Kirche stärker unterscheiden muß zwischen den äußeren Beauftragungen und Diensten einerseits und den inneren Begnadigungen und helfenden Gaben
andererseits."
66 Vgl. HASENHÜTTL, Charisma 246.

In diesem Zusammenhang ist es angebracht und hilfreich, eine Unterscheidung zu treffen: dem Amtsträger kommt in den Past wohl
die autorisierte Verkündigung zu, was aber den einzelnen Christen
nicht daran hindert, seinen Glauben anderen zu bezeugen und zu
vermitteln.

Nicht zu übersehen ist die Prophetenrede bei der Ordination
(1 Tim 1,18; 4,14), die ausgerechnet in 1 Tim zweifach erwähnt
wird, wo die Ausprägung von Ämtern stärker als in den beiden
anderen Past gegeben ist; auch wenn man sich gegen die Annahme
von Gemeindepropheten wehrt[67], wird dadurch die Ordination nicht
bloß zu einem hierarchischen Akt der Amtsübergabe[68]; es wird
vielmehr die Mitsprache von Gemeindemitgliedern in geistgewirkter
Rede vorausgesetzt.

Was den Begriff χάρισμα in den Past selbst betrifft, so ist eine
gewisse Formalisierung und eine sprachliche Versachlichung gegenüber Paulus nicht zu leugnen[69]. Andererseits lassen sich auch
durchaus dynamische Züge bei der Verwendung dieses Begriffes in
den Past erkennen: 1 Tim 4,14 ist das χάρισμα etwas, das nicht
vernachlässigt werden soll (μὴ ἀμέλει): offenbar ist das χάρισμα
also keine automatisch-statische Vorgegebenheit, sondern etwas,
was immer neu zu aktualisieren ist[70]; dies deutet 2 Tim 1,6 auch

---

67 v.LIPS, Glaube 246:"προφητεία bezeichnet...wohl die bei der
   Ordination gesprochenen geistgewirkt verstandenen Worte, ohne
   daß damit etwas über die Existenz von Gemeindepropheten gesagt ist." Daß der Terminus προφητεία nicht bloß das Gebet,
   das die Handauflegung als liturgischer Akt begleitet, ist, dazu vgl. BROX, προφητεία 229-232.
68 Vgl. dazu LOHSE, Ordination 92.
69 v.LIPS, Glaube 206f, sieht darin eine Parallele zur Formalisierung der πίστις in den Past; ebenso HASENHÜTTL, Charisma
   255, wobei hier die durchgängige Unterscheidung von charisma-
   tischer Grundstruktur der Gemeinde und der Hilfsstruktur
   Kirche, worunter die konkrete Ordnung, die aus dem Bedürfnis
   der Gemeinde stammt, zu verstehen ist (123passim), problematisch ist. Es bleibt dabei die Frage offen, welche Berechtigung und theologische Überlebenschance dieser "Hilfsstruktur"
   zukommt, wenn nach dem zugrundegelegten paulinischen Charis-
   menverständnis auch jede leitende und ordnende Tätigkeit Charisma ist (vgl. Röm 12,8; 1 Kor 12,28).
70 v.LIPS, Glaube 165, weist auch auf die dahinterliegende Dynamik durch den Zusammenhang mit der προκοπή (V 15) hin.

das Verbum ἀναζωπυρεῖν an. Der Gesamtzusammenhang der Past ergibt
dasselbe Bild: Timotheus und Titus werden immer wieder dazu aufgefordert, sich selbst an die "gesunde Lehre" zu halten und den
Ihren ein Vorbild zu sein (1 Tim 1,18-20; 4,6-8.12-16 u.a.), sie
scheinen also von der Gefahr der Häresie und des Abfalls nicht
prinzipiell ausgeschlossen zu werden. Von den anderen Amtsträgern
wird verlangt, daß sie vor der Übernahme ihres Amtes eingehend
geprüft werden (1 Tim 3,10), sie müssen ihrem Hauswesen gut vorstehen können (1 Tim 3,5 u.a.), allgemein ein sittlich gutes
Leben führen (vgl. 1 Tim 3,1-13; Tit 1,5-9), sie dürfen keine
Neugetauften sein, um nicht überheblich zu werden (1 Tim 3,6).
Die Anforderungen für die Auswahl der Amtsträger sind also relativ
detailliert, womit jedem automatisch-mechanischen Charismenver-
ständnis gewehrt ist[71].
Timotheus darf jedoch fest damit rechnen, daß Gott ihm die notwendige Kraft gibt, die er zur Ausübung seines Amtes benötigt
(2 Tim 1,8). Wenn Ordination im Geiste Christi geschieht und die
notwendigen Vorbedingungen beim Amtsbewerber gegeben sind, so ist
sie nicht bloß ein formaler Akt, sondern reale Zusage der Gabe
Gottes durch die Hände von Menschen. Dabei spielt wohl in den
Past analog zur jüdischen Vorstellung von der Wirkkraft des Wortes die Annahme der Wirkkraft von Zeichen mit.

Das Amt tritt in den Past wohl in verstärktem Maße der Gemeinde
gegenüber, aber dies geschieht nicht in der Absicht, sie zu ent-
mündigen; das Amt steht im Dienst der "gesunden Lehre", die es
auf diese Weise zu verteidigen gilt.
In diesem Abschnitt wurden Ansätze für eine Kritik an einer un-
kritischen Übernahme der "frühkatholischen" oder negativ-"bürger-

---

71 MARTIN, Dienst III 58:"Die Past kennen...ein besonderes Amtscharisma. Dieses wird aber - ganz im paulinischen Sinn - nicht
als statusbegründend verstanden, sondern als Potenz, die aktu-
alisiert werden muß..."; vgl. SCHIERSE, Kennzeichen 77.
ROLOFF, Apostolat 260, definiert den Begriff χάρισμα in den
Past als "pneumatisch begründeten Amtsauftrag." Das Neue in
den Past sieht er in der Verknüpfung eines öffentlich-recht-
lichen Moments mit dem Charisma." (262)

lichen" Sicht der Past aufgezeigt. Bei all dem ist auch noch mit-
zuberücksichtigen, daß die Past kein Gesamtbild der Gemeinde bieten[72].

## Zusammenfassung

Ansätze zu einer Entwicklung des Amtes lassen sich bereits bei
Jesus (durch die Bevollmächtigung eines engeren Jüngerkreises)
und bei Paulus (durch das eigene Sendungsbewußtsein, sein Einver-
ständnis mit der Ausbildung leitender Dienste in der Gemeinde und
die Autorisierung seiner Mitarbeiter) erkennen. Die Ämter der
Past unterscheiden sich davon wesentlich; denn in diesen Schriften werden Gemeindemitglieder, die weder Erstzeugen noch Erstverkündiger sind, durch autorisierte Verkündiger als Lehrautoritäten
und Vorsteher in den Gemeinden eingesetzt, aber nicht bloß als
deren Repräsentanten, sondern in einem gewissen autoritativen
Gegenüber. Diese Entwicklung ist durch die in den Past vorausge-
setzte Situation gerechtfertigt: die Zeugen des Anfangs waren bereits verstorben; die Gemeinden wurden immer größer; vor allem
aber saßen Irrlehrer in den eigenen Reihen - unter diesen Voraussetzungen bedurfte es starker Autoritäten, um die rechte Lehre zu
sichern. Angesichts dieser Situation ist es auch verständlich,
daß der Begriff χάρισμα in den Past nie mit Gemeindemitgliedern
in Verbindung gebracht wird; dennoch ist die Gemeinde der Past
nicht nur passiv: sie wird zu "guten Werken" ermuntert, zu denen
Gott sie befähigt.

---

72 Vgl. SAND, Anfänge 219.

## 3.2 Kirchliches "Recht" in den Past

### 3.2.1 Vorbemerkungen

Die Frage nach dem Recht in den Past muß in unserem Zusammenhang
deshalb gestellt werden, da konkrete Weisungen gelegentlich als
Ausdruck einer beginnenden "bürgerlichen" Institutionalisierung
der Kirche gewertet werden. Der Vorwurf, die Christen seien von
der dynamisch-charismatischen Gemeinde zur statisch-institutio-
nalisierten Kirche "abgefallen", ist uns bei der Diskussion um
den "Frühkatholizismus" begegnet[1].
Wir haben zu ermitteln, welchen Stellenwert rechtsähnliche Anweisungen in den Past besitzen. Dabei soll einerseits der Vergleich
mit konkreten Anordnungen bei Paulus, andererseits aber auch die
Berücksichtigung der ihm gegenüber veränderten Situation der
Past hilfreich sein.
Besondere Beachtung muß das Verhältnis von Geist und Recht finden. Nicht nur bei der Diskussion um das Amt, sondern auch in
dieser Frage ist es E.KÄSEMANN, der die Frontstellung gegen die
"frühkatholischen" Past besonders prägnant aufzeigt:"So kommt es
jetzt zu den Anfängen des kirchlichen Verwaltungs- und Diszipli-
narrechtes, dessen Kennzeichen das Verblassen der eschatologischen Orientierung, die Ersetzung von Christusgegenwart durch die
Christusüberlieferung und damit die Verschiebung im Verhältnis
von Situation und historischer Kontinuität ist...Recht ist nicht
mehr Funktion des Geistes, sondern Geist ist Garant und sanktio-
nierende Instanz des Rechtes."[2]

Der Begriff "Recht" darf im Zusammenhang mit den konkreten Weisungen des NT nur mit Vorbehalt verwendet werden[3]: erstens des-

---

1 Vgl. oben S.14.
2 KÄSEMANN, Sätze 77; kritisch dazu v.CAMPENHAUSEN, Begründung
  69f Anm.82.
3 KÄHLER, Frau 68, spricht bezüglich der Anordnungen Pauli von
  "pneumatischen Weisungen"; SCHRAGE, Einzelgebote, nennt
  sie "konkrete Einzelgebote", die er jedoch in einem um-
  fassenderen Sinn versteht als dies in unserem Zusammenhang
  geschieht.

halb, weil es im Unterschied zu dem, was wir sonst mit "Recht"
bezeichnen, zwar einzelne Anordnungen gibt, aber keine unmittelbar damit verbundenen Sanktionen für deren Übertretung. Die einzige Ausnahme bildet die Möglichkeit des Gemeindeausschlusses,
der jedoch (wie noch zu zeigen sein wird) eine ganz bestimmte
theologische Funktion im Gemeindeleben besitzt und nicht in erster
Linie Strafe für eine begangene Untat darstellt.
Weiters ist zu beachten, daß es im NT kein geschlossenes Rechts-
corpus gibt, niemals treten Rechtssätze unmittelbar nacheinander
auf. Konkrete Anweisungen stehen vielmehr in paränetischem Kontext: "Recht" ist also Teil der Paränese, was diesen Texten natürlich einen etwas anderen Charakter als traditionellen Rechts-
texten verleiht[4]. So ist auch der Übergang von Paränese und
"Recht" im NT oft sehr fließend.
In der synoptischen Verkündigung finden wir keine rechtlichen
Anweisungen, die auf Jesus zurückgehen. Wohl verwendet er der
Form nach Rechtssätze (Mt 5,20.23.28.30 u.a.)[5], doch es handelt
sich dabei nicht um detaillierte Regelungen der Gemeindedisziplin;
ein ursprüngliches Jesuswort ist jedoch durch eine Gemeindeordnung erweitert worden (vgl. Mt 18,15-17)[6], was eine gewisse
Offenheit für rechtliche Zusätze erweist. Ferner finden wir
auch konkrete Anweisungen Jesu an seine Jünger, wie sie sich als

---

4  So bemerkt KÄSEMANN, Sätze 75, anhand von Röm 2,12 und 2 Kor
   9,6:"Gleichwohl ist es nicht belanglos, daß Elemente des ursprünglichen Rechtssatzes in die Paränese übernommen werden."
   Vgl. auch MÜLLER-BARDORFF, Exegese 113. Bezüglich der Past
   stellt SCHLIER, Ordnung 132, fest:"Die Briefe stellen keine
   formellen Sätze einer Kirchenordnung auf. Aber sie enthalten
   Anordnungen konkreter und doch typischer Art, vielfach im Duktus persönlicher Mahnungen, die kirchenrechtlich gemeint und
   kirchenrechtlich entfaltbar sind." v.CAMPENHAUSEN, Problem
   159, sieht folgende Ansätze zu "kirchenrechtlichen" Elementen
   im Urchristentum: die Gemeinden müssen für den Unterhalt der
   Missionare aufkommen, die Ehe soll nicht geschieden werden,
   ein bestimmter Weg ist bei Klage und Anklage einzuhalten, usw.
5  Vgl. SCHNEIDER, Auslegung 72.74.79f.
6  Es handelt sich dabei um ein ursprüngliches Q-Logion: vgl.
   POLAG, Fragmenta 76; SCHULZ, Q 320f; SCHENK, Synopse 117.

Wanderprediger verhalten sollen (z.B. Lk 10,1-16). Doch eine ver-
bindliche Gemeindeordnung, die das Leben der gläubig Gewordenen
durch detaillierte Einzelgebote regelt, finden wir bei Jesus
nicht. Dies ist allerdings nicht verwunderlich, da zur Zeit Jesu
eine Gemeinde erst im Werden begriffen ist, während die Christen
nach Ostern zusehen mußten, wie sie das durch Jesus und den
Geist Gewordene bewahren konnten.
Demnach können wir uns auf die konkreten Anweisungen beschränken,
die wir bei Paulus besonders in 1 Kor und in den Past vor allem
in 1 Tim finden. Die Anordnungen der Past sind wahrscheinlich
einer bereits vorgefundenen Gemeindeordnung entnommen[7].

Übereinstimmung besteht allgemein in dem Punkt, daß für Paulus
grundsätzlich kein Gegensatz zwischen Geist und Recht besteht[8].
Im Zuge seiner Forderung, einen Blutschänder aus der Gemeinde
auszuschließen, heißt es:"Im Namen unseres Herrn Jesus wollen wir
uns *im Geist* versammeln und, vereint mit der Kraft unseres Herrn
Jesus, diesen Menschen dem Satan übergeben..." (1 Kor 5,4f). Auch
1 Kor 14,37f - Verse, die infolge der Diskussion um das vorhergehende Schweigegebot für Frauen leider oft übersehen werden -
ist die Verbindung zwischen Geist und Recht eindeutig ausgedrückt:
"Wenn einer meint, Prophet zu sein oder geisterfüllt, soll er in
dem, was ich euch schreibe, ein Gebot des Herrn erkennen. Wer das

---

7  DIBELIUS-CONZELMANN, Past 5f, weisen auf die Übernahme von
   traditionellem Gut anhand der Beobachtung hin, daß nicht alle
   Anweisungen ursprünglich für die Situation und den Kontext
   formuliert wurden, an dem sie nun stehen (so 1 Tim 2,13-15;
   5,5f; die Parallele zu 2,9f steht 1 Petr 3,3 in einer Haustafel); auch der Vergleich mit der Didache führt zu dieser Annahme. Auch BARTSCH, Anfänge 160f, nimmt vorgefundene Texte
   als Grundlage an: die gottesdienstlichen Regeln (1 Tim 2,2-15)
   und die Anweisungen für die verschiedenen Gemeindestände
   (1 Tim 3,1-13; 5,3-22; 6,1f; Tit 1,5-9). Vgl. auch BROX, Amt
   120.
8  v.CAMPENHAUSEN, Recht 3:"Ordnung und Gliederung der Gemeinde
   sind nicht bloß praktisch unvermeidliche Notwendigkeiten,
   denen die Vernunft Rechnung trägt,...sie sind eine klare Forderung des Geistes." Ebenso KÄSEMANN, Sätze 74.80; vgl. auch
   SCHRAGE, Einzelgebote 71-93.

nicht anerkennt, wird nicht anerkannt."[9] Gott ist für ihn kein
"Gott der Unordnung, sondern des Friedens" (1 Kor 14,33)[10].
An diesen und anderen Beispielen ist zu erkennen, daß unter bestimmten Voraussetzungen konkrete Anordnungen geradezu eine Notwendigkeit sind, um den rechten Geist zu wahren.
Es erwies sich als unabdingbar, praktische Anordnungen zu treffen
(z.B. die Bezahlung von Amtsträgern: vgl. 1 Kor 9; Gal 6,6),
weiters Gemeindemitglieder auszuschließen, die die sittliche Ordnung grob verletzten (1 Kor 5) und offensichtliche Mißstände, die
mit dem Geist des Herrn unvereinbar waren, zu beseitigen (1 Kor
11,34 bezüglich der Zusammenkünfte:"Wer Hunger hat, soll zu Hause
essen!" oder 2 Thess 3,10:"Wer nicht arbeiten will, soll auch
nicht essen!"). So war es auch unbedingt erforderlich, konkrete
Forderungen gegen eine auftretende Irrlehre zu setzen: dadurch
soll eine Scheidung der Geister erfolgen. Häresien gehen oft
quer durch die Gemeinde. Es ist vielfach unmöglich, bei einzelnen
Mitgliedern noch exakt zu sagen, ob sie sich an den rechten
Weg halten oder nicht. In diesem Fall können konkrete Anweisungen durch den Amtsträger dazu dienen, den rechten Geist zu fördern; diejenigen, die den Ungeist verbreiten, werden dadurch ge-
zwungen, sich zu deklarieren.
In solch einer Situation steht nun aber nicht nur Paulus, sondern
in verstärktem Maße der Amtsträger der Past: die Irrlehre frißt
"wie ein Krebsgeschwür" um sich (2 Tim 2,17), die Häretiker sind
(zumindest teilweise) in den eigenen Reihen zu finden (Tit 1,10)

---

9  DAUTZENBERG, Prophetie 297f, versucht allerdings diese Sätze
   samt dem Schweigegebot für die Frauen 1 Kor 14,34f als unecht
   zu erweisen.
10 v.CAMPENHAUSEN, Problem 158, macht allerdings darauf aufmerksam, daß der Gegensatz zur Unordnung hier nicht die Ordnung
   (τάξις begegnet im NT betont nur 1 Kor 14,40) ist, sondern der
   Friede und schließt daraus:"Die Kirche entsteht nicht durch
   die Ordnung und lebt nicht durch die Ordnung..., sondern allein in Christi Geist; wenn sie aber geistlich lebt,...dann
   stellt sie durch den Geist des Friedens auch die rechte Ordnung in ihrer Mitte her, ohne sich an diese Ordnung zu verkau-
   fen."

und zerstören ganze Familien (Tit 1,11). Gutes Zureden und das
Leiden des Amtsträgers für das Evangelium, wie es vor allem in
2 Tim propagiert wird, richten allein nichts mehr aus. Unter diesen Umständen ist es notwendig, entsprechende Anordnungen zu setzen, die den Ungeist treffen sollen[11].

Wenn wir den Blick zurück auf Paulus richten und Grundsätzliches
in der Art und Weise seiner Bestimmungen feststellen wollen, so
ist zu erkennen, daß seine Weisungen nicht willkürlich geschehen,
sondern eher mit Zurückhaltung: er unterscheidet zwischen Geboten
des Herrn (1 Kor 7,10; 9,14) und seinen eigenen (1 Kor 7,6.25.40),
weiters zwischen (συγ)γνώμη und ἐπιταγή (1 Kor 7,6.25.40), zwischen παραγγέλλειν (1 Kor 7,10; 11,17) und διατάσσεσθαι (1 Kor
7,17; 11,34). Er verlangt nicht blinden Gehorsam, sondern kämpft
selbst mit der Begründung der Forderung (vgl. vor allem 1 Kor 11,
2-16)[12]. 1 Kor 7,35 betont der Apostel, er wolle mit dem Rat, ehe-
los zu bleiben,"keine Fesseln anlegen".

So wichtig für Paulus der Begriff der "Freiheit" ist (Röm 8,21;
2 Kor 3,17; Gal 2,4 u.a.), so hat diese dort ihre Grenze, wo sie
dem anderen zum Schaden wird, ja mehr noch: sie ist Verpflichtung
zum Dasein für andere (bes. Gal 5,13; 1 Kor 8,9; 9,19).

Vor diesem Hintergrund haben wir die Texte der Past zu untersuchen: ist die Ordnung, die in diesen Briefen dekretiert wird,
Ausdruck einer bürgerlichen Stabilisierungstendenz oder ist sie
auch hier Werkzeug des Geistes ?

---

11 SCHWEIZER, Gemeinde 73:"Von dieser Sicht her ist auch die Ordnung der Gemeinde zu verstehen. Es geht um die Erhaltung der
   ursprünglichen Botschaft."
12 v.CAMPENHAUSEN, Recht 15:"Paulus...vermeidet es durchaus, sich
   jemals so auf seine Stellung zu berufen, daß er ohne weiteres
   'blinden' Gehorsam verlangt..." (vgl. allerdings 1 Kor 14,37f).

## 3.2.2 Der Auschluß aus der Gemeinde

E.KÄSEMANN interpretiert das Exkommunikationsverfahren Pauli in
1 Kor 5 (vgl. Gal 1,6-9) in gewisser Weise als einen Rechtsvor-
gang, der jedoch "allem, was wir heute Recht nennen, sehr fern-
steht."[13] "Worauf alles ankommt, ist dieses, daß durch das Zu-
sammenwirken des Apostels und der Gemeinde der Geist, und das
heißt der anwesende Herr selber handelt."[14] Es geht also hier
nicht in erster Linie um ein Sakral- oder Disziplinarrecht, sondern "es geht um ein Gottesrecht, in welchem Gott selber der Han-
delnde bleibt, und das, sofern Gott es durch Charismatiker verkünden und vollziehen läßt, auch charismatisches Recht genannt
werden mag."[15] Zur Ergänzung dieser prinzipiellen Erwägungen sei
H.v.CAMPENHAUSEN angeführt:"Die Scheidung, das aus dem Wege Gehen
vor dem feindlichen Geist und Willen ist kein 'christlicher Boy-
kott' und das Verdammungsurteil ist keine 'Zwangsmaßnahme', die
der Gemeindeleiter verhängen kann, um den Widerstand des Sünders
zu brechen. Sondern beide sind nur reale Bezeugung dafür, daß ein
Glied vom Heil gefallen ist und tatsächlich zur Gemeinde nicht
mehr gehört."[16]

Die naheliegendste Erklärung für die Schuld des Auszustoßenden in
1 Kor 5 ist die, daß er mit seiner Stiefmutter zusammenlebt[17].
Umstritten ist, ob mit der Anweisung Pauli nur der Ausschluß aus
der Gemeinde gemeint ist oder ob die "Übergabe an den Satan" (V 5)
die Übergabe an Krankheit, ja sogar an den Tod bedeutet[18]. Aus

---

13 KÄSEMANN, Sätze 72.
14 ebda. 73.
15 ebda. 74f.
16 v.CAMPENHAUSEN, Recht 25.
17 CONZELMANN, 1 Kor 123, hält eine Ehe mit der Stiefmutter nach
   dem Tod des Vaters am wahrscheinlichsten; WEISS, 1 Kor 125,
   denkt an ein illegitimes Konkubinat nach dem Tod des Vaters
   oder dessen Scheidung von seiner Frau; SCHRAGE, Einzelgebote
   159, nimmt eine wilde Ehe eines Christen mit seiner Stiefmutter an.
18 An die zweite Möglichkeit denken FASCHER, 1 Kor 160; CONZEL-
   MANN, 1 Kor 125; WEISS, 1 Kor 131. FASCHER und WEISS fügen hinzu, daß es sich dabei um eine Vorgangsweise handle, die nicht
   auf der Linie dessen gelegen sei, was Jesus tat. BRANDENBURGER,
   Fleisch 83, nimmt einen singulären Gebrauch von σάρξ und πνεῦ-
   μα an dieser Stelle an, und zwar als "die in der Apokalyptik
   gebräuchliche anthropologische Differenzierung zwischen σάρξ
   und todüberdauerndem πνεῦμα-Selbst;..."

der Gesamtsicht paulinischer Theologie (vgl. vor allem die Priorität der Liebe 1 Kor 13) heraus und dem Vergleich mit anderen Texten bleibt wohl der Auschluß aus der Gemeinde als die weitaus wahrscheinlichste Bedeutung übrig[19].

Beachtenswert an dem Text in 1 Kor 5 ist besonders, daß der Ausschluß in Form einer alttestamentlichen Exkommunikationsformel[20] sehr vehement verlangt wird (V 13: ἐξάρατε τὸν πονηρὸν ἐξ ὑμῶν αὐτῶν). Er soll jedoch zum Heil des Sünders (V 5) und zur Reinerhaltung der Gemeinde (VV 6-8) erfolgen[21].

Vergleicht man die Anweisung Pauli mit den Texten der Past, so begegnet in diesen nur Paulus als derjenige, der den Ausschluß vollzieht[22] (nicht die Gemeinde und "mein Geist zusammen mit der Kraft Jesu, unseres Herrn" wie 1 Kor 5,4), wenn es mit denselben Worten wie 1 Kor 5,5 (παραδοῦναι τῷ σατανᾷ) 1 Tim 1,20 heißt, Paulus habe Hymenäus und Alexander dem Satan übergeben[23].

Außer an dieser Stelle ist in den Past nirgends eindeutig von Ausschluß die Rede. Es gibt keine Anweisung, die in so strikter Form wie 1 Kor 5,13 die Aussonderung befiehlt. Wir finden allerdings öfter den Rat, der Adressat solle sich von Irrlehrern fernhalten oder abwenden (1 Tim 6,20; 2 Tim 3,5; Tit 3,10[24]). Das ist einerseits überraschend: wären die Past nämlich wirklich

---

19  2 Kor 12,20f ist auch von Sündern die Rede, die früher schon πορνεία begangen haben, deren physischer Tod jedoch nicht erwähnt wird (vgl. SAND,"Fleisch" 143, wo noch weitere Argumente dafür beigebracht werden, daß es sich bloß um Ausschluß handelt); 2 Thess 3,14 wird (wie 1 Kor 5,9.11) die Anweisung gegeben: μὴ συναναμίγνυσθαι; hier geht aus dem Kontext in keiner Weise die Anheimgabe an Krankheit und Tod hervor.
20  Vgl. CONZELMANN, 1 Kor 131; WEISS, 1 Kor 145.
21  Vgl. KÄSEMANN, Sätze 73.
22  Vgl. BROX, Past 121.
23  Bei DIBELIUS-CONZELMANN, Past 28, wird auch hier an den Satan als den "Vernichter von Leib und Leben" gedacht und daraus gefolgert, es handle sich an dieser Stelle um "Krankheit oder ähnliches". BROX, Past 120, sieht darin eine "Aussonderung..., die erziehend und vor allem strafend die Lästerungen unterbinden soll." HOLTZ, Past 52, nimmt eine Züchtigung durch Krankheit oder Gewissenspein an.
24  BROX, Past 312, sowie HOLTZ, Past 236, halten an dieser Stelle die Forderung eines Ausschlusses für möglich, aber nicht sicher.

"bürgerlich", so würde man gerade hier erwarten, daß die Amtsträger durch die Wahrnehmung der Exkommunikation ihre Autorität durchzusetzen versuchen und von der Möglichkeit des Ausschlusses häufig Gebrauch machen. Andererseits ist dieser Sachverhalt in der Situation der Past nicht verwunderlich: war es bei Paulus ein für ihn eindeutiger Fall, in dem er die Sanktion anordnete (er spricht sogar ein Fernurteil - V 3!), so sind in den Past die einzelnen Gemeindemitglieder in verschiedenem Ausmaß von der Häresie getroffen. Spreu und Weizen sind hier offensichtlich schwer voneinander zu trennen. So bedarf es anderer Anordnungen, die die Irrlehrer als solche entlarven.

Mit Paulus gemeinsam ist den Past die Sorge um den Sünder beziehungsweise die Irrlehrer (1 Kor 9,5; 2 Thess 3,15; 1 Tim 1,20; 2 Tim 2,25; Tit 1,13), im Vordergrund steht der Heilsdienst an dem, der den rechten Weg verlassen hat; doch auch das hat dort seine Grenze, wo hartnäckige Uneinsichtigkeit herrscht (Tit 3,10).

Der Ausschluß aus der Gemeinde ist notwendig, damit der rechte Geist in ihr gesichert bleibt. Paulus beschreibt durch den Vergleich mit dem Sauerteig (1 Kor 5,6-8), was die Past mit dem Bild vom Krebsgeschwür (2 Tim 2,17: ὡς γάγγραινα) ausdrücken: dahinter steht die Erfahrung, daß negative Elemente in einer Gruppe für deren Geist dadurch zur Gefahr werden, daß sie wiederum ähnlich denkende Menschen anziehen und auch noch nicht genügend gefestigte Mitglieder in ihren Bann ziehen.

Anhand der Anweisungen bezüglich des Ausschlusses bei Paulus und in den Past ist also zu erkennen, daß Geist und Recht hier eng zusammenhängen. Der Verfasser der Past hat offensichtlich 1 Kor 5 gekannt (vgl. die Wendung παραδοῦναι τῷ σατανᾷ) und doch eine strikte Anweisung an den Amtsträger diesbezüglich unterlassen, weil sie nicht ratsam erschien. Recht ist in den Past nichts Starres, sondern von der Dynamik der veränderten Situation bestimmt.

3.2.3 Allgemeine Anweisungen für die Frauen

Konkrete Einzelanordnungen für das Verhalten der Frauen in den
Gemeinden finden sich bei Paulus 1 Kor 11,2-16 (bezüglich der
Kopfbedeckung beim Gebet) und 1 Kor 14,33b-36 (das Redeverbot in
der Gemeindeversammlung). Eine dem zweiten Text ähnliche Anweisung begegnet 1 Tim 2,9-15.

Trotz des einschränkenden Charakters der paulinischen Weisungen
ist zunächst aufgrund des Gesamtbefundes der paulinischen Briefe
festzuhalten, daß dem Apostel weder ein gestörtes Verhältnis zur
Frau noch zur Ehe vorgeworfen werden kann[25]. Gegenüber der hellenistischen,aber auch der jüdischen Umwelt hat das Christentum
die Frau als mit dem Mann Gleichbegnadete aufgewertet, woran
gerade Paulus einen erheblichen Anteil hat (vgl. Gal 3,28; 1 Kor
11,11f)[26].

1 Kor 11,2-16 will Paulus die Sitte der Kopfbedeckung der Frau
beim Gebet einschärfen. Dabei ist für unsere Untersuchung die

---

25 Vgl. dazu die Ausführungen von KÄHLER, Frau 22, die anhand der
   Aussagen über die Ehe in 1 Kor 7,1-7 aufzeigt, wie sehr Paulus hier an einer "gleichwertigen Gegenseitigkeit" der beiden
   Geschlechter interessiert ist. 1 Thess 4,3f spricht Paulus
   vom "heiligen Stand der Ehe" (vgl. SCHELKLE, Geist 115). GREE-
   VEN, Wort 391, macht auch auf die häufige Nennung von Frauen
   in Grußlisten (Röm 16,3-16; Kol 4,10-17) aufmerksam, weiters
   auf die Voranstellung des Frauennamens bei der Nennung des
   Ehepaares Priska und Aquila (Röm 16,3). Außerdem ist noch
   die Stellung von Phöbe (Röm 16,1) in der Gemeinde von Kenchreä mitzubedenken. Sehr hypothetisch ist jedoch die Annahme
   von FITZER, Weib 28, Paulus wäre selbst Witwer gewesen. SCHRA-
   GE, Frau 99, weist mit Recht darauf hin, daß Gleichwertigkeit
   bei Paulus nicht Gleichheit in jeder Beziehung bedeutet; vgl.
   ders., Einzelgebote 205f. Zu einseitig urteilt DELLING, Stellung 154:"Paulus ist erfüllt von einer tiefen Mißachtung der
   natürlichen Seite der Ehe, die sich nur mit Rücksicht auf die
   Brüder zu einer Geringschätzung dieser Grundlage herabmildert.
   Das Weib ist für ihn vorzüglich Trägerin des Geschlechtlichen,
   wie ja auch seine erste Ursache. Deshalb ist sie als solche
   von der gleichen Geringschätzung, ja Mißachtung betroffen."
26 Zur Stellung der Frau in der Umwelt des NT vgl. SCHRAGE, Frau
   106-109: im Judentum finden sich manche die Frau deklassieren-
   de Aussagen bereits im AT (vgl. Sir 25,24), in den Synagogen
   gab es eigene Räume für Frauen, sie durften das Gesetz nicht
   verlesen und waren auch zum Thorastudium nicht verpflichtet.
   Im Hellenismus finden sich unterschiedliche Bewertungen, am po-
   sitivsten wird die Frau in der Stoa aufgrund des dort vertrete-
   nen Gleichheitsprinzips geachtet. Vgl. auch SCHELKLE, Geist
   54.70; WENDLAND, Kultur 42. Zum alttestamentlichen Hintergrund
   der Stellung Pauli zur Frau vgl. FEUILLET, Dignité 176-187.

Beobachtung wichtig, wie sehr er sich dabei bemüht, seine Anordnung zu begründen. Er argumentiert zuerst damit, daß Christus das
Haupt des Mannes und der Mann das der Frau ist. Dann fügt er
noch - gleichsam ergänzend - hinzu, daß Gott das Haupt Christi
ist (V 3)[27]. In den VV 5-6 wird aus der damaligen Sitte heraus
begründet, daß es eine Schande für die Frau bedeute, eine Gescho-
rene zu sein. VV 8-10 wird dann von der Schöpfungsordnung her
argumentiert, doch merkt Paulus, daß seine Begründungen im Sinne
einer Abwertung der Frau in der Erlösungsordnung mißverstanden
werden könnten,und betont die Gleichwertigkeit von Mann und Frau
im Herrn (VV 11f)[28]. Er setzt jedoch noch einmal an, um seine
Forderung durchzusetzen; er versucht nun vom natürlichen Empfinden her seine Weisung einsichtig zu machen (VV 14f). Schließlich
relativiert er seine Anordnung; er sieht, wie schwer es ist, eine
Sitte (συνήθεια: V 16) bindend christlich zu begründen und verweist abschließend noch auf die Praxis anderer Gemeinden, wie er
dies öfter zu tun pflegt (1 Kor 4,17; 7,17; 14,33b). Eine letzte
zwingende Begründung der Forderung, die wahrscheinlich gegen
enthusiastische Emanzipationsbestrebungen gerichtet ist[29], scheint
Paulus nicht gelungen zu sein[30].

---

27 Paulus sieht dem Denken seiner Zeit entsprechend das Verhältnis der Geschlechter im Sinn einer Stufenfolge, wobei allerdings zu beachten ist, daß diese nichts mit einer Minderwer-
   tigkeit des nachstehenden Gliedes zu tun hat; denn was läge
   Paulus ferner als Christus gegenüber Gott abzuwerten (vgl. dazu KÄHLER, Frau 53; ebenso BLUM, Amt 154). Ähnliches gilt auch
   für V 7, wobei hier beachtet werden muß, daß die Frau zwar
   "Abglanz" des Mannes ist, nicht jedoch sein "Abbild" (vgl.
   KÄHLER, Frau 58).
28 KÜRZINGER, Frau 274, plädiert für die Übersetzung des χωρίς
   mit "anders als, verschieden von" statt mit "sine".
29 Das wird mit breitem Konsens angenommen: vgl. v.CAMPENHAUSEN,
   Begründung 50; KÄSEMANN, Interpretation 217f; KÄHLER, Frau 50;
   SCHRAGE, Frau 98.
30 So v.CAMPENHAUSEN, Begründung 53; KÄHLER, Frau 55; SCHELKLE,
   Geist 101; SCHRAGE, Frau 98. BERGER, Exegese 89, weist darauf
   hin, daß die Argumentation Pauli heute oft deshalb nicht mehr
   zu überzeugen vermag, weil es ihm nicht vorrangig um wahre
   Sätze, sondern um geltende Meinungen gehe, mit denen argumentiert wird. Für die Rhetorik ist primär die Wirkung des Gesag-
   ten entscheidend.

1 Kor 14,34 wird für Frauen ein allgemeines Redeverbot in der Gemeindeversammlung ausgesprochen[31]. Vielfach werden die VV 33b-36 als spätere Interpolation angesehen, die aus dem Kreis des Verfassers der Past stamme[32]. Spricht auch einiges für diese Hypothese, ist methodisch davor zu warnen, textkritisch gesicherte Verse zu schnell als spätere Einfügung in den Apparat zu verbannen. Bei aller Skepsis gegenüber der Echtheit dieses Textes sind die Entsprechungen zu den übrigen Anweisungen Pauli zu beachten: es begegnet zunächst - wie auch in anderen Zusammenhängen (vgl. 1 Kor 4,17; 7,17; 11,16) - das "ökumenische Motiv" (VV 33b.36)[33], bei dessen Beurteilung man jedoch nicht vorschnell vom Wunsch einer Vereinheitlichung der Kirchenordnung bei Paulus sprechen sollte, da der Apostel 1 Kor 11,16 dieses Argument nur sehr bedingt ins Treffen führt und es sich weiters um Anordnungen handelt, deren Durchsetzung in anderen Gemeinden möglicherweise gar nicht schwer fiel; sie entsprachen dem damaligen allgemeinen Empfinden und müssen außerdem in den uns erhaltenen übrigen Briefen nicht eigens eingeschärft werden.

Weiters finden wir die auch sonst in den Anweisungen Pauli begegnende Berufung auf die Schrift (V 34; vgl. 1 Kor 5,6-8.13; 6,16; 9,9; 10,26; 11,8f), sowie die Einschärfung einer jüdisch-synagogalen Sitte (vgl. 1 Kor 11,2-16). Entscheidend ist jedenfalls, daß diese Anordnung durchaus im Sinne Pauli ist: denn auch hier

---

31 So BLUM, Amt 150. Dafür spricht der Duktus des Gesamtzusammenhanges in 1 Kor 14, der von den verschiedenen Arten des Redens handelt und nicht nur vom ungeordneten Dazwischenreden, wie KÄHLER, Frau 76, annimmt. Es handelt sich auch nicht nur um das Lehrgespräch (so TRUMMER, Paulustradition 146; SCHELKLE, Geist 165).
32 So CONZELMANN, 1 Kor 299; WEISS, 1 Kor 342; LINDEMANN, Paulus 137; MÜLLER, Ort 73; v.CAMPENHAUSEN, Begründung 56; SCHRAGE, Frau 136; SCHELKLE, Geist 165f; FITZER, Weib; DAUTZENBERG, Prophetie 265. Die Hauptargumente für die Annahme einer Interpolation sind: die sachliche Spannung zu 1 Kor 11,5, wo ein prophetisches Reden der Frau vorausgesetzt wird; der kategorische Charakter der Weisung, der dem sonstigen Ringen mit Begründungen bei Paulus widerspricht.
Für die Echtheit des Textes entscheiden sich BLUM, Amt 149. passim; TRUMMER, Paulustradition 145, als "lectio difficilior".
33 Vgl. dazu SCHRAGE, Einzelgebote 119f.

geht es doch offensichtlich um dasselbe Anliegen wie 1 Kor 7,
17-24 und 11,2-16: die Gleichwertigkeit aller Menschen durch den
Glauben an Jesus Christus soll nicht zum Vorwand für soziale Ver-
änderungen einseitig mißbraucht werden, die letztlich nicht den
anderen, sondern nur dem eigenen Nutzen dienen. Es ist geradezu
auffällig, daß es in 1 Kor Anweisungen gegen ein Mißverständnis
jedes Begriffspaares von Gal 3,28 gibt (Juden und Griechen: vgl.
1 Kor 7,18f; Sklaven und Freie: vgl. 1 Kor 7,21f; Mann und Frau:
vgl. 1 Kor 11,2-16; 14,34f). Mögen auch formale Gründe eher gegen
eine paulinische Verfasserschaft sprechen, so haben wir es im
Grunde mit authentisch paulinischer Intention zu tun.
Anweisungen an Frauen finden sich in den Past zunächst allgemei-
nerer Art in der Haustafel Tit 2,3-5; auch die Mahnung, sie mögen
den Männern gehorchen. Dabei wird das für neutestamentliche Haustafeln charakteristische Verb ὑποτάσσεσθαι verwendet (vgl. auch
1 Kor 14,34; weiters Kol 3,18; 1 Petr 3,1.5)[34]. Diese Mahnung
wird 1 Tim 2,12 durch die Anordnung, die Frau dürfe nicht lehren
(διδάσκειν) konkretisiert. In den vorausgehenden Versen (9f) wird
ein zu üppiges Äußeres verwehrt. Einerseits ist der Text 1 Kor
14,34f sehr ähnlich (durch das Schweigegebot selbst[35], in seiner
apodiktischen Art, sowie durch die Begründung aus der Schrift),
andererseits bestehen vom Wortbefund her etliche Unterschiede[36],
die eine direkte Abhängigkeit schwer möglich erscheinen lassen[37].

---

34 KAMLAH, ῾Υποτάσσεσθαι 239, weist nach, daß die Ermahnung der
   Frau zur Unterordnung zwar jüdischer und hellenistischer Tra-
   dition durchaus bekannt war, jedoch in Haustafeln speziell im
   NT begegnet. Die Unterordnung bedeutet jedoch nicht servile
   Unterwürfigkeit, sondern ist letztlich darin begründet,"daß
   der unendliche qualitative Unterschied zwischen Gott und
   Mensch..., zum tragenden Grund menschlichen Verhaltens erklärt
   wird." (ebda. 242) Zu diesem Ergebnis gelangt auch KÄHLER,
   Frau 172-197, die anhand der Verwendung von ὑποτάσσεσθαι in
   Röm 13,1-7 und vor allem 1 Kor 15,23-28 die im oben beschrie-
   benen Sinne tieferliegende Bedeutung im NT nachweist. Zu den
   Parallelen des Schweigegebotes in der Umwelt vgl. SCHRAGE,
   Frau 137; zur Forderung der Unterordnung vgl. WEIDINGER, Haustafeln 52.
35 Ursprünglich allgemeine Regeln wurden in diesem Text mit Anordnungen für den Gottesdienst vermischt: vgl. DIBELIUS-CON-
   ZELMANN, Past 37; BROX, Past 130.
36 Vgl. LINDEMANN, Paulus 137. Besonders zu beachten ist der Unterschied zwischen λαλεῖν (1 Kor 14,34) und διδάσκειν (1 Tim
   2,12).

Leider wird der Text in den Past meist viel zu isoliert betrachtet und aus dieser mangelnden Berücksichtigung des Kontextes kommt es zu einseitigen Fehlurteilen[38].

Zunächst ist analog zu Paulus darauf hinzuweisen, daß auch der Verfasser der Past unmöglich als Frauenfeind bezeichnet werden darf. Man braucht bloß die liebevolle Anweisung an "Timotheus" zu beachten, in der er aufgefordert wird, ältere Frauen wie Mütter und jüngere wie Schwestern zu behandeln (1 Tim 5,2). Ebenso wie in Röm 16,3 führt auch er Priska vor ihrem Mann Aquila an (2 Tim 4,19)[39]. Weiters ist zu beachten, daß - entsprechend unserer Annahme der zeitlichen Abfolge der einzelnen Past[40] - eine Entwicklung von 2 Tim über Tit zu 1 Tim zu beobachten ist: 2 Tim 2,2 wird das Lehren (διδάσκειν) zumindest nicht explizit auf die Männer beschränkt, d.h. es geht sicher nicht darum, das Lehren als der Frau nicht wesensgemäß zu erklären[41]; in Tit ist das Lehren den älteren Frauen sogar ausdrücklich ans Herz gelegt (Tit 2,3: καλοδιδασκάλους), allerdings insofern eingeschränkt, als es um das Belehren der jüngeren Frauen geht[42]; noch näher zu be-

---

37 BARTSCH, Anfänge 69f, nimmt eine dem Paulus bereits vorliegende Gemeinderegel als gemeinsamen Ursprung an. Auch DAUTZENBERG, Prophetie 260, sieht eine Abhängigkeit von der gleichen Regeltradition gegeben. TRUMMER, Paulustradition 146, versteht 1 Tim 2,11-15 als Präzisierung des paulinischen Textes: das Verbot wird ein persönliches Verbot des Paulus; das λαλεῖν wird zum διδάσκειν; der Wunsch zu lernen wird zum Befehl (wobei allerdings die Betonung in V 11 deutlich auf ἐν ἡσυχίᾳ liegt); schließlich wird der alttestamentliche Hintergrund konkretisiert.

38 So bei KÄHLER, Frau 171:"Trotz der vielgerühmten 'Ehefreudigkeit' der Pastoralen wird die Ehe nicht hoch geschätzt." SCHRAGE, Frau 123, spricht von "Rückschritten hinter Gal 3,28." Weiters meint er:"Hier hat die Konvention das Charisma verdrängt. Die unheilvolle Fremdbestimmung der Kirche durch bürgerlich-patriarchalische Modelle und familienideologische Autoritätsstrukturen, die jahrhundertelang Leben, Gottesdienst und Praxis der Kirche beherrscht haben, hat hier ihren Siegeszug angetreten."

39 Vgl. GREEVEN, Wort 392.

40 Vgl. oben SS.22-26.

41 BLUM, Amt 158, geht zu weit, wenn er behauptet:"Durch das βούλομαι (1 Tim 2,8) und das ἐπιτρέπω (2,12) soll das bewußte und entscheidungsvolle Wollen des Apostels zum Ausdruck gebracht werden. Die Ordnung, die ein Lehrverbot für Frauen enthält,ist deshalb nicht nur an eine zeitbedingte Situation gebunden, sondern wird vielmehr für das Leben der Kirche als allgemein verbindlich und gültig angesehen."

stimmende Mißstände haben dann in 1 Tim offensichtlich dazu geführt, ihnen das Lehren zu untersagen (2,12)[43].

Daß sich die Irrlehrer besonders an Frauen heranmachten, beweist
schon 2 Tim 3,6f; möglicherweise ist die Anordnung 1 Tim 2,11
(ἐν ἡσυχίᾳ μανθανέτω) beeinflußt durch das Verbum μανθάνειν aus
2 Tim 3,7[44]. Wenn sie die Ehe verbieten (1 Tim 5,3), so respek-
tieren sie damit die natürlichen Ordnungen nicht, was sich auch
auf die damals geltende Sicht des Verhältnisses von Mann und Frau
im allgemeinen auswirken konnte. Manche Frauen werden von ἐπιθυμί-
αις ποικίλαις (2 Tim 3,6) umhergetrieben, wozu auch das Bild von
den von Haus zu Haus laufenden Witwen (1 Tim 5,13) passen würde.
Die älteren Frauen scheinen weniger gefährdet zu sein: sie werden unter bestimmten Bedingungen in den Witwenstand aufgenommen
(1 Tim 5,9f) und werden auch angewiesen, die jüngeren Frauen zu
belehren (Tit 2,4f). Übrigens mag auch dieser Sachverhalt davor
warnen, eine pauschale negative Haltung gegenüber Frauen in den
Past zu vermuten. Außer den erwähnten Stellen weist auch das aus-
drückliche Verbot, den Mann zu beherrschen (1 Tim 2,12) auf Mißstände hin, ebenso die durch die zweifache Nennung betonte Wendung ἐν ἡσυχίᾳ (VV.11.12).

Der Hintergrund der Anweisung ist also ähnlich wie 1 Kor 7,17-24;
11,2-16 und 14,34f: enthusiastische Emanzipationsbestrebungen,
die den Glauben zum Vorwand nahmen, um sich über die natürlichen
Ordnungen in der damaligen Gesellschaft hinwegzusetzen. Um ein
derartiges Umfunktionieren und Ideologisieren der christlichen
Gemeinde zu verhindern, wird entsprechend bekannten Ordnungsmo-
dellen "Recht" gesetzt, um den Geist zu wahren. Die bürgerlich
scheinende Rechtssetzung der Past ist also bedingt durch Mißstände und das Eindringen der Irrlehre.

---

42 Daraus läßt sich jedoch noch keine spezielle Funktion in der
   Gemeinde ableiten, wie BALTENSWEILER, Ehe 241, vermutet.
43 Daß es sich um Mißstände handelt, bestätigen v.LIPS, Glaube
   153f; NIEDERWIMMER, Askese 209; HAUFE, Irrlehre 331f; MÜLLER,
   Ort 72; BROX, Past 133; DIBELIUS-CONZELMANN, Past 40; BLUM,
   Amt 157f; MICHEL, Grundfragen 90.
44 MICHEL, Grundfragen 91, weist darauf hin, daß die Erlaubnis
   des Lernens der Frau im Lehrgespräch gegenüber dem Judentum
   eine Besonderheit urchristlicher Überlieferung darstellt.

Wie schon bei Paulus, so muß auch in den Past zwischen dem unterschieden werden, was begründet werden soll, wozu dies angeführt
wird und wie es begründet wird. Ähnlich wie die Argumentation
Pauli in 1 Kor 11,2-16, mit der er wohl selbst nicht ganz zufrieden war, werden uns die Begründungen des Schweigegebotes in
den Past (die Ersterschaffung des Mannes und die Verführung Evas:
vgl. 1 Tim 2,13f) heute schwerlich als überzeugende Gründe
erscheinen. Den Hintergrund solcher Motivationen wird wohl jüngere jüdische Tradition (vgl. Sir 25,24) gebildet haben[45]. Festzuhalten ist, daß der Verfasser der Past, trotz des im Unterschied zu Paulus fehlenden Ringens mit der Argumentation bei
seinen konkreten Einzelanweisungen, ebenfalls zumindest eine Begründung versucht.


3.2.4 Die Witwenordnung

1 Tim 5,3-16 ist ein relativ langer Abschnitt der Ordnung des
Witwenstandes gewidmet. Gerade diese Anordnungen scheinen Ausdruck einer "bürgerlichen" Ordnung zu sein, da sie sehr ein-
schränkend sind: in den Witwenstand werden nur Frauen, die mindestens sechzig Jahre alt sind, aufgenommen (V 9)[46]; jüngeren Witwen wird die Wiederheirat nahezu befohlen (V 14).
Die Schwierigkeit bei der Interpretation dieses Textes besteht
vor allem darin, die soziale mit der religiösen Komponente des

---

45 Zur Argumentation der Past vgl. BROX, Past 135f; TRUMMER, Paulustradition 149, stellt zu V 14 fest:"Ob...die Frau an dieser
Stelle durch eine einseitige Schuldfrage diskriminiert werden
soll, muß im Gegensatz zu verschiedenen jüdischen Parallelen
in den Past fraglich bleiben. Solche Konsequenzen werden in
diesem Zusammenhang in den Past gar nicht reflektiert, sondern die verhältnismäßig breite Argumentation zeigt nur das
Bestreben, schwache Punkte praktischer Positionen besonders
eindrucksvoll abzusichern." Das Motiv der Rettung der Frau
durch die τεκνογονία (V 15) ist wahrscheinlich bewußt anti-
häretisch (vgl. 1 Tim 4,3): so auch NIEDERWIMMER, Askese 209;
SCHELKLE, Ehe 195. NAUCK, Herkunft 99, führt rabbinische
Parallelen zu diesem Motiv an und kommt zu dem Schluß, daß es
sich aus rabbinischer Tradition heraus hier um einen Trost und
nicht um ein Gebot handelt:"Indem die Frau im freiwilligen Gehorsam den Fluch der Schmerzen bei der Kindergeburt auf sich
nimmt, wird sie vom göttlichen Fluche erlöst, wird sie vom
Fluch, den Tod in die Welt gebracht zu haben, errettet !"
46 Mit sechzig Jahren begann das Greisenalter: vgl. BROX, Past
190.

Witwenstandes in Einklang zu bringen. Zunächst steht fest, daß es sich primär um eine Sozialeinrichtung handelt[47]; denn die ὄντως χήρα, um die es geht, wird immer in Verbindung mit ihrer sozialen Bedürfigkeit erwähnt (vgl. V 3: das Verbum τίμα wird vom Kontext her und durch den Gebrauch 1 Tim 5,17 als Bezahlung zu verstehen sein[48]; weiters V 5: die ὄντως χήρα ist eine μεμονωμένη; vgl. auch V 16). Andererseits ist es verwunderlich, daß gerade von diesen Ärmsten der Armen[49] zusätzlich Kriterien hinsichtlich ihres Glaubens und ihrer Lebensführung bis hin zur Ehelosigkeit (V 11) gefordert werden. Das wäre eine grobe Fehlinterpretation des paulinischen Verständnisses von Ehelosigkeit, würde hier ein sozialer Notfall nur unter der Bedingung gemildert werden, daß die Betroffene sich zu einem ehelosen Leben entschließt !

So ist man leicht dazu geneigt, in den VV 3-8.16 einen sozialen Fall behandelt zu sehen, während die VV 9-15 einen bestimmten religiösen Stand in der Gemeinde regeln wollen. Doch dieser Versuch scheitert an V 5, der Gebete und Fürbitten (also religiöse Verrichtungen) auch für die ὄντως χήρα verlangt und an V 16, der gerade am Ende wieder die soziale Notlage behandelt[50].

Die Schwierigkeit könnte behoben werden, gelänge es, aus dem Text einigermaßen die Entwicklung des Witwenstandes zu rekonstruieren. Es lag wohl nahe, daß sich besonders ältere Frauen, die das Los der Witwenschaft getroffen hatte, in den ungeteilten Dienst an der christlichen Gemeinde stellten. Dieser mag im Gebetsdienst (vgl. V 5)[51], aber auch in der treuen und ordentlichen Erfüllung

---

47 Vgl. BROX, Past 185f; SCHELKLE, Geist 127; ERNST, Witwenregel 438; MÜLLER-BARDORFF, Exegese 117.

48 BARTSCH, Anfänge 118-120, nimmt an, daß die Witwen von den Gaben der Gemeinde bei der Eucharistie besoldet wurden und daß dieses Honorar als Maßeinheit für die anderen Ämter (vgl. διπλῆς τιμῆς 1 Tim 5,17) galt (fraglich ist dabei, ob διπλῆς so wörtlich genommen werden darf); an materielle Entschädigung denken auch HOLTZ, Past 115; ERNST, Witwenregel 439; MÜLLER-BARDORFF, Exegese 114; dabei kann die "Ehre" durchaus mit anklingen; anders BROX, Past 187; SAND, Witwenstand 193f.

49 Zur Stellung der Witwe damals vgl. BROX, Past 185.

50 Deshalb ist die Gliederung bei JEREMIAS, Past 36-39, problematisch; ebenso die von LIPPERT, Leben 39.

51 Dieser Dienst wird allgemein als einziger sicherer Anhaltspunkt für eine spezielle Funktion der Witwen angesehen: vgl. BROX, Past 189; TRUMMER, Paulustradition 218; ERNST, Witwenregel 440; MÜLLER-BARDORFF, Exegese 124.

anderer Aufgaben bestanden haben. Obwohl aus den VV 9f weder auf spezielle karitative Dienste der Witwen geschlossen werden kann[52], noch andere spezifische Amtstugenden darin zu erkennen sind[53], ist es dennoch wahrscheinlich, daß Frauen, die Gutes taten, auch nach dem Ableben ihres Mannes sich dem Dienst an den Menschen widmeten. Die Lebensform der Ehelosigkeit mag sich aus verschiedenen Gründen entwickelt haben: einmal, weil es zunächst ältere Frauen waren, die Witwen wurden, oder weil die Hingabe in den verschiedenen Diensten der Gemeinde diese Frauen ganz ausfüllte; auch ein bewußtes Annehmen des paulinischen Rates, Witwen sollten nach dem Tod ihres Gatten nicht wieder heiraten (1 Kor 7,40), ist in Betracht zu ziehen[54]. In dieser Situation war es ein sicher gut gemeinter Entschluß der Gemeinde, diesen Witwen nicht nur Spenden zukommen zu lassen, sondern sie regelrecht zu besolden[55]. Doch gerade diese Honorierung des Witwendienstes wird den Anstoß zu den in den Past anklingenden Mißständen gegeben haben: Die Bezahlung dürfte zumindest unter anderem ein Motiv gewesen sein, weshalb sich dieser Stand[56] zunehmender Beliebtheit erfreute und die Gemeinde in finanzielle Schwierigkeiten brachte. Manche Familien versuchten ihre Großmutter abzuschieben (V 4); vielleicht

---

52 So BROX, Past 193; MÜLLER-BARDORFF, Exegese 122; ERNST, Witwenregel 437; anders FREUNDORFER, Past 247.
53 So ERNST, Witwenregel 437, der richtigerweise feststellt, daß es sich hier ebenso wie in den Episkopenspiegeln nicht um spezifische Amtstugenden handelt, sondern um ein allgemeines Schema einer tugendsamen Frau; ebenso BROX, Past 192. Anders MÜLLER-BARDORFF, Exegese 121; HOLTZ, Past 118.
54 Dabei muß nicht an ein Gelübde gedacht werden: so MÜLLER-BARDORFF, Exegese 120; ERNST, Witwenregel 444; HOLTZ, Past 119.
55 Vgl. MÜLLER-BARDORFF, Exegese 117.
56 Die Diskussion darum, ob es sich bei den Witwen um ein Amt oder einen Stand handelt, ist zum Teil müßig. Gemäß unserer Definition des Amtes hat der Witwenstand mit dem Amt im technischen Sinne rein gar nichts zu tun. Es ist eine reine Frage der Bezeichnung, ob man jeden der vielen Dienste in der Gemeinde auch als Amtsträger benennt. Für die Amtsbezeichnung sprechen sich aus: BARTSCH, Anfänge 117; SCHELKLE, Geist 128; MÜLLER-BARDORFF, Exegese 121; anders SAND, Koordinierung 231; BROX, Probleme 87; ders., Past 186. BLUM, Amt 159, und TRUMMER, Paulustradition 217f, lassen die Frage eher offen.

trachteten auch bis dahin karitativ eingestellte Menschen, die
Aufgenommenen los zu werden (V 16). Auch für Frauen mit einem
ausschweifenden Lebenswandel dürfte dieser Stand attraktiv geworden sein (V 6); ja gerade die Zugehörigkeit zu diesem Kreis ver-
leitete zu manchen Mißständen (VV 11-13). Für jüngere Witwen war
es eine willkommene Übergangslösung bis zur neuen Verehelichung,
weil sie dadurch materieller Sorgen weitgehend enthoben waren
(V 11)[57]. Überdies spricht einiges dafür, daß gerade diese
Frauen die "Einbruchstelle der Irrlehre"[58] waren: 2 Tim 3,6f erfahren wir, daß die Häretiker besonders Frauen auf ihre Seite
zogen und die jungen Witwen waren offensichtlich nicht ganz aus-
gelastet (vgl. V 13), wodurch sie für schwärmerische Ideen
leichter interessiert werden konnten; auch die Anordnung zu heiraten (V 14) kann sich gegen die 1 Tim 4,3 beschriebene Häresie
richten; weiters ist zu beachten, daß die einzelnen Anforderungen
in V 14 asyndetisch aufeinander folgen - so stehen die Forderungen "zu heiraten, Kinder zur Welt zu bringen und den Haushalt zu
versorgen" in einer Reihe mit dem ausdrücklichen Wunsch,"dem Gegner keinen Anlaß zu übler Nachrede zu geben"; schließlich kann
V 15 den Abfall zur Irrlehre andeuten.
In dieser Situation muß nun der Gemeindeleiter konkrete Maßnahmen
setzen, um die eigentliche Intention des Witwenstandes zu ret-
ten[59] und auch dem Ungeist in der Gemeinde zu wehren. So wird die
Altersgrenze für den Witwenstand mit "mindestens sechzig Jahre"

---

57 Der Hintergrund dieses Verses ist dunkel: dazu NIEDERWIMMER,
Askese 175:"1 Tim 5,11f läßt noch deutlich erkennen, daß das
Motiv der Witwenaskese die Aufopferung an den Kyrios ist: die
Gotteswitwe ist im Grunde (wie die παρθένος) Gottesbraut."
Auch MÜLLER-BARDORFF, Exegese 126-128, sieht das aus dem Judentum stammende Ideal der "Gotteswitwe" als möglichen Hintergrund (vgl. Hanna Lk 2,36-38, die sich durch geschlechtliche
Abstinenz, Gebet und charismatische Prophetie auszeichnete);
anders BROX, Past 186. SAND, Witwenstand 196, argumentiert gegen die Annahme eines Eheenthaltungsgelöbnisses: erstens gäbe
es in AT und NT nur "Leistungsgelübde" und keine "Enthaltungs-
gelübde"; zweitens wäre es unverständlich, von einer Sechzig-
jährigen ein solches Gelübde zu verlangen; die πρώτη πίστις
ist für ihn "die ungeteilte Hingabe an Gott in Gebet und Fürbitte." (196)
58 So MÜLLER-BARDORFF, Exegese 131; anders BROX, Past 196.
59 Vgl. MÜLLER-BARDORFF, Exegese 132.

festgesetzt (V 9); den jungen Witwen wird sogar gegen den bereits erwähnten Rat Pauli, Witwen sollten nach dem Ableben ihres Gatten nicht nochmals heiraten (1 Kor 7,40), die eindringliche Anordnung gegeben (βούλομαι), zu heiraten (V 14). Obwohl der Verfasser der Past in paulinischer Tradition steht, scheut er sich nicht, der gegenüber Paulus veränderten Situation entsprechend, den Rat des Apostels geradezu in sein Gegenteil zu verkehren. Die spätere Entwicklung zeigt, daß auch die Anordnungen der Past abgeändert wurden[60].

### 3.2.5 Die Anweisungen für die Presbyter

1 Tim 3,6 begegnet die Forderung, der ἐπίσκοπος dürfe kein Neugetaufter sein; sie soll den Amtsträger vor der Überheblichkeit der Irrlehrer und die Gemeinde vor prestigesüchtigen Vorstehern bewahren[61].

Eine konkrete Regelung kann auch aus praktischen Gründen notwendig sein. Dies ist bei der Anordnung bezüglich der Besoldung von Presbytern der Fall (1 Tim 5,17f[62]). Bei diesen muß eine eigene Familie vorausgesetzt werden (1 Tim 3,2.4.5; Tit 1,6), die sie auch erhalten müssen. Außerdem übten die Vorsteher ihr Amt nicht bloß nebenbei aus, sondern setzten zumindest einen Großteil ihrer Zeit dafür ein. Die Begründung für das Recht auf Bezahlung erfolgt mit Argumenten, die Paulus für sein Unterhaltsrecht, auf das er freilich verzichtete, ins Treffen führt (vgl. 1 Kor 9)[63].

---

60 Zur Weiterentwicklung vgl. BARTSCH, Anfänge 112-139; vgl. auch oben SS.87f die Ausführungen betreffs der Didaskalie.
61 Vgl. oben SS.59-61.
62 Zu διπλῆς τιμῆς vgl. oben S.164 Anm.48. Unrichtig ist die bei TRUMMER, Paulustradition 156f, vertretene Ansicht, daß auch 2 Tim 2,4-6 das Unterhaltsrecht des Amtsträgers angesprochen sei. Begründet wird diese Annahme durch Vergleiche mit 1 Kor 9, wo vom Unterhalt Pauli die Rede ist (vgl. die Bilder aus dem Kriegsdienst 1 Kor 9,7 und 2 Tim 2,4 und aus dem bäuerlichen Bereich 1 Kor 9,7b-10 und 2 Tim 2,6). Sowohl durch den Kontext (vgl. bes. V 3), als auch durch die Verwendung einzelner Motive dieses Abschnittes bei Paulus und in den Past (vgl. 1 Kor 9,25; 2 Tim 4,7f) ist jedoch ersichtlich, daß hier der eschatologische Lohn gemeint ist.
63 Zum Verzicht Pauli auf seinen Unterhalt durch die Gemeinden vgl. THEISSEN, Legitimation 200-205: Paulus und Barnabas werden zu den Gemeindeorganisatoren gezählt, die im hellenistischen Raum und vor allem in den Städten missionierten. Durch

Die Presbyter haben also dieselben Rechte, die ursprünglich den
Aposteln zustanden, wodurch das Prinzip der Sukzession in den
Past angedeutet wird.

Gegen einen Presbyter darf nicht ohne weiteres eine Klage angenommen werden (1 Tim 5,19)[64]. Andererseits ist auch für den Fall
einer Verfehlung seinerseits eine Regelung vorgesehen: er wird
vor allen anderen gemaßregelt (1 Tim 5,20).

### 3.2.6 Die Weisungen für die Sklaven

Für den Vergleich mit den Anweisungen der Past an die Sklaven
(1 Tim 6,1-2a; Tit 2,9f) kommen bei Paulus die Texte 1 Kor 7,
17-24 und Phlm, besonders Phlm 16, in Betracht.

Im ersten Text mahnt Paulus dreimal, jeder möge in seinem Stand
bleiben, in dem der Herr ihn berufen hat (VV 17.20.24); dieser
Gedanke durchzieht den ganzen Abschnitt. Zunächst wird dieses
Grundprinzip anhand der beiden Möglichkeiten, beschnitten oder
unbeschnitten zu sein, dargelegt (VV 18f). In einem weiteren
Gedankenschritt wird als Beispiel das Leben als Sklave oder als
Freier herangezogen (VV 21f). Ebenso wie bei den Anweisungen an
die Frauen (1 Kor 11,16; 14,33b.36) findet sich hier V 17 das
"ökumenische Motiv" (vgl. auch 1 Kor 4,17).

Schwierigkeiten bereitet in diesem Text der V 21. Traditioneller-
weise wird , dem unmittelbaren Kontext entsprechend, μᾶλλον χρῆσαι mit τῇ δουλείᾳ ergänzt, was der Aufforderung entspräche,
trotz der Möglichkeit, frei zu werden, Sklave zu bleiben[65].

---

sokratische Tradition beeinflußt,nahmen sie von den Gemeinden
kein Geld (ebda.204). Paulus erfüllt so den Sinn des Jesus-
wortes aus der Q-Tradition "wer arbeitet, hat ein Recht auf
seinen Unterhalt" (Mt 10,10b; Lk 10,7b; vgl. 1 Kor 9,14) dadurch, daß er auf seine, der städtischen Situation angepaßte
Weise für die Evangeliumsverkündigung frei ist. Zur Weiterentwicklung des Logions in Q vgl. DAUTZENBERG, Verzicht 216f.
64 TRUMMER, Paulustradition 159, weist darauf hin, daß die An-
wendung dieses Rechtssatzes auf die Presbyter keine Bevor-
rechtung dieses Kreises bedeutet.
65 So CONZELMANN, 1Kor 160; WEISS, 1 Kor 187; SCHRAGE, Einzelgebote 23f.

Der Wendung μᾶλλον χρῆσαι kann jedoch auch τῇ ἐλευθερίᾳ hinzugefügt werden, was den gegenteiligen Sinn ergäbe[66].

Wie dem auch sei, so sind für unsren Zusammenhang zwei Dinge
festzuhalten: zunächst die hinter 1 Kor 7,17-24 stehende Absicht
des Apostels, den Christen in Korinth klarzumachen, daß das
Evangelium nicht als emanzipatorische Ideologie mißbraucht werden
darf - aus der prinzipiellen Gleichbegnadung der Christen (Gal
3,28) darf kein sozialrevolutionäres Programm gemacht werden[67];
zudem hat für Paulus, selbst wenn er 1 Kor 7,21 meinte, ein Sklave
sollte dies in jedem Falle bleiben, diese Anordnung nicht in jeder Situation bindenden Charakter, da er selbst es für Onesimus
anders wünscht (Phlm 16)[68].

Anhand des Textes 1 Kor 7,17-24 wird deutlich, wie nahtlos "Recht"
und Paränese bei Paulus ineinander übergehen. Noch fraglicher als
bei diesem Abschnitt ist es bei den Mahnungen bezüglich der Sklaven in den Past, ob es sich hier um konkrete "rechtliche" Bestimmungen handelt oder ob wir es nicht einfach mit Haustafelparänese
zu tun haben. Eine detaillierte Einzelanweisung (wie beispielsweise bezüglich des Alters einer Gemeindewitwe 1 Tim 5,9) findet
sich in diesem Zusammenhang nicht.

---

66 So EICHHOLZ, Theologie 280f; STUHLMACHER, Phlm 45; TRUMMER,
   Chance 344-368.
67 Vgl. v.CAMPENHAUSEN, Begründung 49; EICHHOLZ, Theologie 282.
   Anhand von 1 Kor 7,3-5.15 und Phlm 14 arbeitet SCHWEIZER,
   Sklavenproblem 505, heraus, wie sehr es Paulus immer auf die
   Freiwilligkeit ankam und folgert für 1 Kor 7,21-23 daraus:
   "Wenn...weder Jesus noch Paulus eine neue Ehegesetzgebung, eine bessere Handelsordnung oder ein humaneres Sklavenrecht vor-
   geschlagen haben..., dann doch darum, weil sie nicht die er-
   zwungene Kooperation, sondern das Herz des Menschen suchten."
68 Völlig unhaltbar ist die Grundtendenz von KEHNSCHERPER, Stellung: er unterschiebt Jesu Reich-Gottes-Botschaft einseitig
   sozialrevolutionären Charakter (77.passim); Paulus hätte, wenn
   er die Botschaft von der Erlösung in der Begrifflichkeit von
   Sklaverei und Freiheit verkündete (1 Kor 1,30; 6,20; Gal
   5,1.13 u.a.),dies im Sinne einer Aufforderung zur Befreiung
   vom Sklavenjoch verstanden (86), andererseits hätte er 1 Kor
   7,17-24 "die erbärmliche Situation der Sklaven einfach über-
   sprungen." (98) Den Past wirft er diesbezüglich mehr stoische
   als christliche Auffassung vor (104). Dagegen STUHLMACHER,
   Phlm 46f.

Tit 2,9f erscheint die Sklavenregel am Ende einer Haustafel[69] und
schärft den Sklaven durch das für christliche Haustafeln charakteristische ὑποτάσσεσθαι[70] ihre Unterordnungspflicht ein.
1 Tim 6,1f ist ein gegenüber Tit 2,9f fortgeschritteneres Stadium
zu erkennen, was unsere Vermutung von der zeitlichen Abfolge der
Past wiederum bestätigt[71]: es handelt sich in 1 Tim erstmals ausdrücklich um christliche Herren (V 2). Das Sklave-Sein an sich
scheint in der Gemeinde der Past nicht weiters problematisch
gewesen zu sein[72].
Besonders 1 Tim 6,1f zeigt eine Frontstellung gegen Christen,
die - ähnlich, wie in Korinth - das Christsein zum Vorwand nahmen, um ihre soziale Stellung zu verbessern[73].
Wir finden die strikte Anordnung, daß jeder in seinem Stande
bleiben möge, in den Past nicht. Das kann als weiterer Hinweis
dafür gewertet werden, daß die Past nicht grundlos Einzelanweisungen übernehmen. Wie alle übrigen Anordnungen, so werden auch
die Mahnungen an die Sklaven sowohl bei Paulus (vgl. 1 Kor 7,22)
als auch in den Past (vgl. 1 Tim 6,2) begründet.

Zusammenfassung

Von "Recht" kann im NT nur mit Vorbehalten gesprochen werden. Die
konkreten Einzelanweisungen sind stets eingebettet in Paränese.
Im NT gibt es keinen Gegensatz zwischen Geist und Recht. Das
Recht dient vielmehr der Erhaltung des rechten Geistes, indem
bei Mißständen oder der Gefahr der Häresie von den Gemeindemit-

---

69 Von "Zurüstung zum Herrenmahl", wie HOLTZ, Past 222, es hier
   sieht, ist im Text keine Rede.
70 Vgl. KAMLAH, Ὑποτάσσεσθαι 238.
71 Vgl. oben SS.22-26.
72 In der Antike gab es zum Teil auch innerhalb der Sklaverei
   hohe Menschlichkeit: vgl. STUHLMACHER, Phlm 46; weiters den
   Exkurs zur Sklavenfrage bei BROX, Past 205f.
73 Dazu BARTSCH, Anfänge 153:"Die Sklaven erscheinen als eine
   Gruppe sich vordrängender Menschen, die in ihre Schranken zu-
   rückgewiesen werden müssen..."

gliedern das Einhalten von Anordnungen verlangt wird, die bewußt gegen den betreffenden Ungeist gerichtet sind.

Recht ist im NT stets begründetes Recht, wenn auch die einzelnen Begründungen gelegentlich für unser Empfinden unzureichend sind. Es ist weiters ein dynamisches Recht: nie werden Anweisungen grundlos gegeben oder übernommen; etliche Anordnungen Pauli finden sich in den deutero- und tritopaulinischen Schriften nicht; Weisungen des Apostels werden sogar abgeändert (vgl. 1 Kor 7,40 mit 1 Tim 5,14). In den Past findet sich neben den genannten Elementen ein sich entfaltendes Recht: versucht 2 Tim noch mit eindringlichen Mahnungen an den Amtsträger die Gemeinde vor der Irrlehre zu schützen, so verstärken sich die Anweisungen konkreter Art in Tit, wo besonders die Einsetzung von Presbytern (des ἐπίσκοπος) Tit 1,5-9 gegen das Eindringen der Häresie gefordert wird und die Gangart gegen die Irrlehrer schärfer wird (vgl. 2 Tim 2,23-26 mit Tit 3,9-11). Die hier noch allgemeiner gehaltene Haustafel (Tit 2,1-10) wird 1 Tim durch "rechtliche" Einschränkungen erweitert (2,12; 5,9.14).

# 4 ERGEBNIS

Die Ethik der Past hat nichts mit einer bürgerlich-selbstzufriede-
nen Lebenshaltung zu tun. Das starke Hervortreten der ethischen
Komponente christlichen Lebens in den Past ist vielmehr durch die
Frontstellung gegen die Lebensführung der Irrlehrer und die Vorliebe griechischen Denkens für ethische Kategorien bedingt; weiters ist es Frucht der Auseinandersetzung mit den Gegebenheiten
des Alltags. So entwickeln die Past eine positive Familienethik
und eine gesunde Einstellung zu den Dingen dieser Welt. Ehe-
und Besitzlosigkeit treten, durch die Auseinandersetzung mit den
materiefeindlichen Häretikern und Mißstände bedingt (nicht aber
durch den Übergang von Wandercharismatikern zu seßhaften Gemeindeleitern[1]), zurück.

Die "christliche Bürgerlichkeit" der Past ist keine Konsequenz
fehlender eschatologischer Erwartung, sondern eine Art der Lebensführung angesichts der Epiphanie Jesu Christi. Dementsprechend
ist - wie bei Paulus - auch in den Past der Imperativ sittlichen
Handelns im Indikativ des Heils in Jesus Christus verankert.

Die Verwendung von Begriffen aus der hellenistischen Ethik, die
bereits bei Paulus ihren Anfang nahm, unterscheidet sich wesentlich von der griechischen Popularphilosophie, da sie das Leben
des Christen charakterisieren, der aus dem Kerygma von Tod und
Auferstehung Jesu lebt. Tugendhaftigkeit beruht nicht primär auf
eigener Leistung, sondern ist Gabe Gottes. Die Begriffe συνείδησις und εὐσέβεια entsprechen in ihrer Bedeutung nicht unseren
oft "bürgerlich" verwendeten Ausdrücken "Gewissen" und "Frömmigkeit", sondern drücken einen dynamischen Glaubensvollzug im
täglichen Leben aus.

Die in den Past begegnenden Ämter und die Vorformen kirchenrecht-
licher Anweisungen sind nicht Folgen einer Erstarrung des Gemein-

---

1 VENETZ, Kirche 75, bezeichnet die Forderung der Ehelosigkeit
für die Amtsträger in der katholischen Kirche heute deshalb
als "großes Unrecht", weil sie nicht wie die Jünger Jesu, an
die die Worte von der Ehelosigkeit ursprünglich gerichtet waren, Wandercharismatiker sind. Demgegenüber ist festzuhalten,
daß auch die begeisterte Werbung des Paulus für die Ehelosigkeit nicht ausschließlich an Wandercharismatiker gerichtet ist.

delebens. Tritt das Amt in den Past, bedingt durch Häresien, das Aussterben der Erstverkündiger und durch die wachsende Mitgliederzahl der Gemeinden, auch stärker als in früheren neutestamentlichen Schriften in ein Gegenüber zur Gemeinde, so ist diese dennoch nicht bloß eine passiv-hörende Kirche. Die Gläubigen sind vielmehr (wie bei Paulus) dazu aufgerufen, ihre Fähigkeiten zu entfalten.

Für die Bestellung von Amtsträgern werden immer mehr Eignungskriterien festgesetzt (vgl. die Entwicklung von Tit 1,5-9 zu 1 Tim 3,1-13). Von ihnen werden jedoch keine außergewöhnlichen Lebensformen verlangt. Sie bleiben Christen unter Christen. Der Amtsträger soll allerdings durch die Befolgung des für alle Gläubigen Gültigen ein vorbildliches Leben führen. Als "Mann Gottes" (1 Tim 6,11) und "Verwalter des Hauses Gottes" (Tit 1,7) darf sein Privatleben nicht im Widerspruch zu seinem amtlichen Tun stehen. Er ist auch dazu aufgerufen, nach dem Vorbild Pauli[2] für das Evangelium zu leiden, wenn es die Umstände erfordern (vgl. 2 Tim 1,8).

Die Aufgaben der Amtsträger sind die autoritative Verkündigung und die Leitung der Gemeinde. Eine hierarchische Ämterordnung gibt es in den Past noch nicht.

Kirchenrechtliche Anweisungen gibt es nur ansatzweise. Sie werden trotz einer gewissen Apodiktik jedoch stets begründet und erweisen sich als Reaktionen auf Mißstände und Irrlehren. Nur vor diesem Hintergrund sind sie für die Gegenwart richtig zu interpretieren.

Dem Verfasser geht es also vorrangig weder um ein ausgefeiltes Moralsystem noch um Amt und Recht um ihrer selbst willen, sondern um die Wahrung authentischer Lehre in der Auseinandersetzung mit den Irrlehrern.

Die Past führen die Botschaft Jesu und die paulinische Verkündigung in allen aufgezeigten Punkten legitim weiter, indem sie der Situation entsprechend notwendige Akzente setzen, nicht aber den Inhalt ändern. Ein und dasselbe Kerygma wird dabei in eine andere, der Gemeinde entsprechende Begrifflichkeit übertragen. Die Rede

---

2 Vgl. LOHFINK, Theologie 79-93; im Anschluß daran auch GRESHAKE, Priestersein 96.

von der "christlichen Bürgerlichkeit" in den Past ist also nur
dann berechtigt, wenn dies Ausdruck einer positiven Bewertung ist:
daß nämlich Christsein sich auch in den natürlichen Ordnungen,
in den Pflichten des Alltags, zu bewähren hat.

Neben der eben aufgezeigten positiven Gesamtbewertung "christlicher Bürgerlichkeit" in den Past führte die Untersuchung zu folgenden exegetischen Einzelergebnissen, die diese Sicht bestärken:
Die Hypothese von der zeitlichen Abfolge der einzelnen Past, die
sich bereits bei H.v.SODEN findet (2 Tim als ältestes Schreiben,
dem Tit folgt, dessen Anordnungen schließlich durch 1 Tim erweitert werden), konnte durch zusätzliche Beobachtungen ausgebaut werden.

Die Analyse der einzelnen Tugendbegriffe in den Episkopenspiegeln
ergab durch innerbiblische Vergleiche, daß die einzelnen Eignungen nicht Ausdruck eines bürgerlich-autonomen, sondern eines
theonomen Verständnisses sittlichen Handelns sind; überdies konnten wir feststellen, daß die Häufung von Tugendbegriffen nicht
unbedingt Folge einer nachlassenden eschatologischen Erwartung
ist. Durch Vergleiche der Episkopenspiegel mit verwandten Texten
konnte gezeigt werden, daß die geforderten Qualifikationen für
die Amtsträger deshalb so "bürgerlich" erscheinen, weil sie in
bewußtem Gegensatz zur ethischen Verderbtheit der Irrlehrer angeführt werden (das ist auch der tiefere Hintergrund der Anordnung,
der ἐπίσκοπος dürfe kein Neugetaufter sein: 1 Tim 3,6) und weil
sie den Gemeindeleiter als vorbildlichen Christen charakterisieren wollen, dessen Lebensführung für die Außenstehenden Zeugnis
seines rechten Glaubens ist. Die Episkopenspiegel wurden der
Gattung nach als Eignungskataloge bestimmt.
Bezüglich der ethischen Weisungen in den Past konnte aufgezeigt
werden, daß der Verfasser zahlreiche Motive aus der alttestamentlichen Weisheitsliteratur schöpft. Dieser Hintergrund führt auch
zu einem besseren Verständnis des "bürgerlichen" Verses 1 Tim 2,2:
hier geht es nicht um ein bürgerlich-etabliertes, sondern ein
ruhiges und friedvolles Leben im Gegensatz zu Streit und Unfrie-
den.
Eine aufgrund der Past erstellte Definition des Amtes diente dazu,
die einzelnen Entwicklungsstufen dieses Dienstes von Jesus über

Paulus und seine Gemeinden her darstellen zu können. Im Abschnitt über "Amt und Charisma" in den Past konnte gezeigt werden, daß die Past trotz der Beschränkung des Begriffes χάρισμα auf den Amtsträger der Sache nach auch die einzelnen Christen auf ihre Charismen hin ansprechen.

Für das heutige kirchliche Leben ergibt sich aus unserer Untersuchung der Past folgendes:
1. Authentische Nachfolge Jesu vollzieht sich wesentlich in der treuen Pflichterfüllung des Alltags. Dies bedeutet jedoch keine billige Durchschnittsmoral, sondern ein konsequentes Leben aus dem Kerygma von Tod und Auferstehung Jesu heraus, das sich gerade im Alltag bewährt. Durch sein tugendhaftes Leben muß der Christ seine Gottebenbildlichkeit vor der Welt dokumentieren.
2. Amt ist als Gegenüber zur Gemeinde eine Notwendigkeit für die Kirche. Da sie stets von der Irrlehre bedroht ist, braucht sie auch autoritative Verkündiger, die kraft dieser Autorität die Gemeinden im rechten Geist leiten. Da gerade die Past auch die Entfaltung der Gemeinde wollen, ist es jedoch die Pflicht jedes Amtsträgers, seine Autorität nur da einzusetzen, wo dies für die Erhaltung der rechten Lehre und des rechten Geistes unbedingt nötig ist. Ein Amt in der Gemeinde wäre nur dann Ausdruck von Bürgerlichkeit, wenn es zum Selbstzweck wird. Durch seine Lebensführung soll der Amtsträger auch heute Vorbild sein. Besondere Lebensformen sind jedoch nicht wesentlich mit dem Amt verbunden. Solche können allerdings, durch besondere Umstände bedingt, angebracht und notwendig sein, so wie es dem Verfasser der Past in seiner Situation angemessen erschien, keine Neugetauften als Amtsträger zuzulassen.
3. Die Kirche hat prinzipiell das Recht, Anweisungen für ihre Amtsträger, deren Mitarbeiter und für alle Gemeindemitglieder zu treffen, um den Geist zu wahren; die Past kennen allerdings keine starren, ein für allemal gültigen Rechtssätze (das wäre bürgerlich); sie ordnen nur dort, wo der Geist in der Gemeinde gefährdet erscheint oder praktische Regelungen notwendig sind.
Bezüglich der eingangs erwähnten konkreten Probleme heutigen Kirchenrechts konnte gezeigt werden, daß sich das Wiederheiratsverbot für die Diakone nicht auf die Past berufen kann. Andere, in der innerkirchlichen Diskussion strittigen Punkte (der Zölibat,

die Regelungen bezügl. der Geschiedenen und Wiederverheirateten, der Akolythendienst der Frau u.a.) können im einzelnen nicht durch einen biblizistischen Rückgriff auf diese Briefe geklärt werden. Die Studie zeigte ja, daß die in den Past vorhandenen Anweisungen wesentlich durch die Situation der angeschriebenen Gemeinde bestimmt sind; deshalb sind sie nicht beliebig in unsere Verhältnisse übertragbar. Die Bibel bietet uns jedoch eine Leitlinie, wie Rechtsetzung auch heute legitim ist: wenn sie nämlich nur dort geschieht, wo sie zur Wahrung des rechten Geistes unbedingt erforderlich ist.

ABKÜRZUNGSVERZEICHNIS

Die Abkürzungen der biblischen Schriften richten sich nach dem
ökumenischen Verzeichnis der biblischen Eigennamen nach den
Loccumer Richtlinien. Hrsg. v. d. kathol. Bischöfen Deutschlands,
dem Rat der Evangelischen Kirche in Deutschland und der Deutschen
Bibelgesellschaft - Evangelisches Bibelwerk. Stuttgart $^2$1981

Die außerbiblischen Texte werden nach dem Abkürzungsverzeichnis
im ThWNT I 1*-24* abgekürzt.

Die Abkürzungen im Literaturverzeichnis sind entnommen: Schwert-
ner S., Internationales Abkürzungsverzeichnis für Theologie und
Grenzgebiete (IATG). Zeitschriften, Serien, Lexika, Quellenwerke
mit bibliographischen Angaben, Berlin 1974
Überdies wurden folgende dort nicht verzeichnete Abkürzungen
verwendet:

| | |
|---|---|
| BET | Beiträge zur biblischen Exegese und Theologie |
| BSGRT | Bibliotheca Scriptorum Graecorum et Romanorum Teubneriana |
| CFHB | Corpus Fontium Historiae Byzantinae |
| CUF | Collection des universités de France |
| EWNT | Exegetisches Wörterbuch zum Neuen Testament. Hrsg. v. H. Balz/G. Schneider |
| fzb | forschung zur bibel |
| LCL | Loeb Classical Library |
| ÖBS | Österreichische Biblische Studien |
| SCBO | Scriptorum Classicorum Bibliotheca Oxoniensis |
| SNTU | Studien zum Neuen Testament und seiner Umwelt. Hrsg. v. A.Fuchs |

LITERATURVERZEICHNIS

QUELLEN

Novum Testamentum graece. Hrsg. v. E.Nestle/K.Aland, Stuttgart
    $^{25}$1971
Novum Testamentum graece. Hrsg. v. E.Nestle/K.Aland, Stuttgart
    $^{26}$1979
Das Neue Testament. Einheitsübersetzung der Heiligen Schrift.
    Hrsg. im Auftrag der Bischöfe Deutschlands, Österreichs, der
    Schweiz u.a., Stuttgart 1979
Septuaginta. Id est Vetus Testamentum graece iuxta LXX interpre-
    tes. 1 und 2. Hrsg. v. A.Rahlfs, Stuttgart $^{9}$1971
Das Alte Testament. Einheitsübersetzung der Heiligen Schrift.
    Hrsg. im Auftrag der Bischöfe Deutschlands, Österreichs, der
    Schweiz u.a., Stuttgart 1980


Polag A., Fragmenta Q. Textheft zur Logienquelle. Neukirchen 1979
Schenk W., Synopse zur Redequelle der Evangelien. Q-Synopse und
    Rekonstruktion in deutscher Übersetzung mit kurzen Erläuter-
    ungen. Düsseldorf 1981
Schulz S., Q. Die Spruchquelle der Evangelisten. Zürich 1972


Didascalia et Constitutiones Apostolorum. 1 und 2. Hrsg. v. F.X.
    Funk, Paderborn 1905
Irenäus von Lyon, Contra haereses: PG 7 (1857)
Die apostolischen Väter I. Neubearbeitung der Funkschen Ausgabe
    von K.Bihlmeyer. (SQS 2.R. 1), Tübingen $^{3}$1970
Die apostolischen Väter. Hrsg. v. J.A.Fischer, Darmstadt $^{6}$1970


Aeschyli septem quae supersunt tragoediae. Hrsg. v. G.Murray.
    (SCBO), Oxford 1938 (Nachdruck 1953)
Agathiae Myrinaei historiarum libri quinque. Hrsg. v. R.Keydell.
    (CFHB 2), Berlin 1967
Anacreon, ΣΥΜΠΟΣΙΑΚΑ ΗΜΙΑΜΒΙΑ. Hrsg. v. V.Rose, Leipzig 1890
Andocides, Discours. Hrsg. v. G.Dalmeyda. (CUF), Paris 1930

Antiphon, Discours. Hrsg. v. L.Gernet. (CUF), Paris 1954

Apollonius Rhodius, Argonautica. Hrsg. v. H.Fränkel, Oxford 1961

The Letter of Aristeas. Hrsg. v. G.Meecham. (Publications of the
    Universitiy of Manchester 241), Manchester 1935

Aristophanis Comoediae. 1 und 2. Hrsg. v. F.W.Hall/W.M. Geldart.
    (SCBO), Oxford $^2$1906/1907 (Nachdruck 1967)

Aristoteles, Ars rhetorica. Hrsg. v. W.D.Ross. (SCBO), Oxford
    1959

Aristoteles, Ethica Eudemia. Hrsg. v. F.Susemihl. (BSGRT),
    Amsterdam 1884 (Nachdruck 1967)

Aristoteles, Ethica Nicomachea. Hrsg. v. J.Bywater. (SCBO), Ox-
    ford 1894 (Neudruck 1962)

Aristoteles, Metaphysica X-XIV, Oeconomica et Magna Moralia. Hrsg.
    v. T.E.Page u.a. (LCL), London 1935 (Nachdruck 1958)

Aristoteles, Poetica u.a. Hrsg. v. T.E.Page u.a. (LCL), Cambridge
    1927 (Nachdruck 1953)

Aristoteles, Politica. Hrsg. v. O.Immisch. (BSGRT), Leipzig 1929

Demosthenes, Orationes. 1 bis 3. Hrsg. v. S.H.Butcher/W.Rennie.
    (SCBO), Oxford 1903ff (Nachdruck 1949ff)

Dio Chrysostom. 1 bis 5. Hrsg. v. T.E.Page u.a. (LCL), London
    1932ff (Nachdruck 1949ff)

Dionis Prusaensis quem vocant Chrysostomum quae exstant omnia. 1
    und 2. Hrsg. v. I.de Arnim, Berlin 1893/1896

Diodori bibliotheca historica. 1 bis 5. Hrsg. v. L.Dindorf, Leip-
    zig 1866ff

Diogenis Laertii, Vitae Philosophorum. 1 und 2. Hrsg. v. H.S.
    Long. (SCBO), Oxford 1964

Dionysius v. Halicarnass, Antiquitatum Romanarum. Hrsg. v. A.
    Kiessling/V.Prou, Paris 1886

Epictet, Discourses. 1 und 2. Hrsg. v. T.E.Page u.a. (LCL), Lon-
    don 1925/1928 (Nachdruck 1956/1959)

Epigrammata Graeca, ex lapidibus conlecta. Hrsg. v. G.Kaibel,
    Berlin 1878

Euripidis fabulae. 1 bis 4. Hrsg. v. G.Murray. (SCBO), Oxford
    1902ff (Nachdruck 1963)

Herodianus. 1 und 2. Hrsg. v. A.Lentz, Leipzig 1867/1870
Herodoti historiae. 1 und 2. Hrsg. v. C.Hude. (SCBO), Oxford
$^3$1927 (Nachdruck 1967/1951)
Hesiodi Carmina. Hrsg. v. F.S.Lehrs, Paris 1840
Hippocrates. 1 bis 4. Hrsg. v. T.E.Page u.a. (LCL), Cambridge
1923ff (Nachdruck 1948)
Hippocrates, Opera omnia. 1 bis 10. Hrsg. v. É.Littré, Amsterdam
1839ff (Nachdruck 1961)
Homer, Odyssee. Hrsg. v. H.Färber, München 1952
Homer, Ilias. Hrsg. v. W.Krause, Wien $^{10}$1955
Inscriptiones Graecae. Hrsg. v. d. Preuß. Akademie d. Wissenschaf-
ten, Berlin 1873ff
Isocratis orationes. 1 und 2. Hrsg. v. F.Blass, Leipzig 1879/1904
Josephus Flavius, The Jewish War, Antiquities. 1 bis 9. Hrsg. v.
T.E.Page u.a. (LCL), London 1927ff (Nachdruck 1956ff)
Josephus Flavius, De Bello Iudaico/Der Jüdische Krieg. Griechisch
und Deutsch. 1 bis 3. Hrsg. v. O.Michel/O.Bauernfeind, Darm-
stadt 1959-1969
Josephus Flavius, Vita. Hrsg. v. A.Pelletier. (CUF), Paris 1959
Luciani opera. 1 bis 4. Hrsg. v. M.D.Macleod. (SCBO), Oxford
1972ff
Lysias, Orationes. 1 und 2. Hrsg. v. L.Gernet/M.Bizos. (CUF),
Paris $^3$1955
Maximus Tyrius, Philosophumena. Hrsg. v. H.Holbein, Leipzig 1910
Menander, Reliquiae. 1 und 2. Hrsg. v. A.Koerte. (BSGRT), Leipzig
$^3$1938/1959 (Nachdruck von Band 1: 1955)
Menandri reliquiae selectae. Hrsg. v. F.H.Sandbach. (CSBO), Ox-
ford 1972
C.Musonii Rufi reliquiae. Hrsg. v. O.Hense, Leipzig 1905
Onosander, De imperatoris officio liber. Hrsg. v. A.Köchly, Leip-
zig 1860
Orientis Graeci Inscriptiones selectae. 1 und 2. Hrsg. v. W.
Dittenberger, Hildesheim $^2$1970
Orphica. 1 und 2. Hrsg. v. G.Hermannus, Leipzig 1805
Philonis Alexandrini Opera quae supersunt. 1 bis 7. Hrsg. v. L.
Cohn/P.Wendland, Berlin 1896-1930 (Nachdruck 1962-1963)

Philo von Alexandrien. Die Werke in deutscher Übersetzung. 1 bis
7. Hrsg. v. L.Cohn u.a., Berlin $^2$1962 (1-6),1964

Philodemi περὶ παρρησίας libellus. Hrsg. v. A.Olivieri, Leipzig
1914

Philodemus, Volumina Rhetorica II. Hrsg. v. S.Sudhaus, Leipzig
1896

The Odes of Pindar. Hrsg. v. T.E.Page u.a. (LCL), $^2$1919 (Nachdruck
1957)

Platons Dialoge. Griechisch und lateinisch. Hrsg. v. I.Bekker,
Berlin 1817

Plato, Gorgias. Hrsg. v. E.R.Dodds, Oxford 1959 (Nachdruck 1966)

Platonis opera. Hrsg. v. J.Burnet. (SCBO), Oxford 1900ff (Nachdruck 1958ff)

Plutarchus, Moralia. 1 bis 7. Hrsg. v. G.N.Bernardakis, Leipzig
1888ff

Plutarque, Vies. 1 bis 15. Hrsg. v. R.Flacelière/É.Chambry. (CUF),
Paris 1957ff

Pollucis Onomasticon. 1 und 2. Hrsg. v. E.Bethe. (Lexicographi
graeci 9), Leipzig 1900/1931

Polybius, Historia. 1 bis 6. Hrsg. v. T.E.Page u.a. (LCL), London
1922 (Nachdruck 1954)

Pratinas: Anthologia Lyrica. Hrsg. v. Th.Bergk, Leipzig 1868,
474-476

Solon Lyricus: Poetae elegiaci et iambographi II. Hrsg. v. Th.
Bergk, Leipzig 1915, 34-61

Sophocles, Fragmenta. 1 bis 3. Hrsg. v. A.C.Pearson, Amsterdam
1917ff (Nachdruck 1963ff)

Sophocles, The Plays and Fragments. 1 bis 7. Hrsg. v. R.C.Jebb,
Cambridge 1914ff

Sorani Gynaeciorum. Hrsg. v. V.Rose, Leipzig 1882

Sorani Gynaeciorum - vetus translatio latina. Hrsg. v. V.Rose,
Leipzig 1882

Sylloge Inscriptionum Graecarum. 1 bis 3. Hrsg. v. G.Dittenber-
ger, Leipzig 1898ff

Testamenta duodecimorum Patriarcharum. Hrsg. v. M.de Jonge, Leiden $^2$1970

Thucydidis historiae. 1 und 2. Hrsg. v. H.S.Jones. (SCBO), Oxford
    1900/$^2$1902 (Nachdruck 1951/1967)
Vettii Valentis, Anthologiarum libri. Hrsg. v. G.Kroll, Berlin
    1908
Xenophontis opera omnia. 1 bis 5. Hrsg. v. E.C.Marchant. (SCBO),
    Oxford 1900ff (Nachdruck 1968ff)


SONSTIGE HILFSMITTEL


Computer-Konkordanz zum Novum Testamentum graece von Nestle/Aland,
    26. Aufl. und zum Greek New Testament, 3. Aufl. Hrsg. vom
    Institut für neutestamentl. Textforschung und vom Rechen-
    zentrum der Universität Münster. Unter besonderer Mitwir-
    kung von H.Bachmann und W.A.Slaby, Berlin 1980
Hatch E./Redpath H.A., A Concordance to the Septuagint and the
    other Greek Versions of the Old Testament (Including the
    Apocryphal Books). 1 bis 3, Oxford 1897 (1 und 2), 1906
Schmoller A., Handkonkordanz zum griechischen Neuen Testament,
    Stuttgart $^{13}$1963


A Greek-English Lexicon. Hrsg. v. H.G.Liddell/R.Scott, Oxford
    $^9$1940 (Neudruck 1968)
Bauer W., Griechisch-deutsches Wörterbuch zu den Schriften des
    Neuen Testaments und der übrigen urchristlichen Literatur,
    Berlin $^5$1958
Exegetisches Wörterbuch zum Neuen Testament. Hrsg. v. H.Balz/G.
    Schneider. 1ff, Stuttgart 1980ff
Theologisches Wörterbuch zum Neuen Testament. 1 bis 10. Hrsg. v.
    G.Kittel/G.Friedrich, Stuttgart 1933ff
Thesaurus Graecae Linguae. 1 bis 8. Hrsg. v. H.Stephanus, Paris
    /1831ff/


Mayer G., Index Philoneus, Berlin 1974

FACHLITERATUR

Adler N., Die Handauflegung im NT bereits ein Bußritus ? Zur
    Auslegung von 1 Tim 5,22: Neutestamentliche Aufsätze. Fest-
    schrift f. J.Schmid. Hrsg.v. J.Blinzler u.a., Regensburg
    1963, 1-6
Allo E.B., Première épitre aux Corinthiens. (EtB), Paris $^{2}$1934
Auer A., Autonome Moral und christlicher Glaube, Düsseldorf 1971
Baltensweiler H., Die Ehe im NT. Exegetische Untersuchungen über
    Ehe, Ehelosigkeit und Ehescheidung. (AThANT 52), Stuttgart
    1967
v.Balthasar H.U., Pneuma und Institution. (Skizzen zur Theologie
    4), Einsiedeln 1974
ders., Der Priester im NT: GuL 43 (1970) 39-45
Barrett C.K., "Titus": Neotestamentica et Semitica. Studies in
    Honour of M.Black. Hrsg. v. E.Ellis/M.Wilcox, Edinburgh
    1969, 1-14
Bartsch H.W., Die Anfänge urchristlicher Rechtsbildungen. Studien
    zu den Pastoralbriefen. (ThF 34), Hamburg 1965
Bauer J., Uxores circumducere (1 Kor 9,5): BZ N.F. 3 (1959) 94-
    102
Bauernfeind O., αὐθάδης: ThWNT I 505f
ders., μάχομαι κτλ.: ThWNT IV 533f
ders., νηφάλιος: ThWNT IV 938-940
Beilner W., ΠΑΡΡΗΣΙΑ. Ein neutestamentliches Wortfeld mit aktuel-
    len Implikationen. Rede anläßlich der Inauguration als Rek-
    tor der Paris-Lodron-Universität Salzburg am 30. Oktober
    1979 (Eigenvervielfältigung)
Berger K., Exegese des NT. Neue Wege vom Text zur Auslegung.
    (UTB 658), Heidelberg 1977
Berger P.L./Luckmann Th., Die gesellschaftliche Konstruktion der
    Wirklichkeit. Eine Theorie der Wissenssoziologie, Frankfurt
    1969
Betz H.D., Nachfolge und Nachahmung Jesu im NT. (BHTh 37), Tübin-
    gen 1967
Beutler J., ἀδελφή: EWNT I 71f

Beyer H.W., διάκονος: ThWNT II 88-93

ders., ἐπίσκοπος: ThWNT II 604-619

Beyschlag K., Clemens Romanus und der Frühkatholizismus. Untersuchungen zu 1 Clem 1-7. (BHTh 35), Tübingen 1966

Blank J., Der Priester im Lichte der Bibel: Seels 38 (1968) 155-164

Bläser P., Amt und Eucharistie im NT: Amt und Eucharistie. Hrsg. v. P.Bläser u.a. (KKSMI 10), Paderborn 1973, 9-50

Blinzler J., "Zur Ehe unfähig ..." - Auslegung von Mt 19,12: Ders., Aus der Welt und Umwelt des NT. Gesammelte Aufsätze 1. (SBB 1), Stuttgart 1969, 20-40

ders., Jesu Stellungnahme zur Anrede des Reichen (Mk 10,17f): ThGl 34 (1942) 346-349

Blum G., Das Amt der Frau im NT: NT 7 (1965) 142-161

Bornkamm G., πρέσβυς: ThWNT VI 662-682

Borse U., Timotheus und Titus, Abgesandte Pauli im Dienst des Evangeliums: Der Diakon. Wiederentdeckung und Erneuerung seines Dienstes. Hrsg. v. G.Ploeger/J.Weber, Freiburg 1980, 27-43

Bracht W., Jüngerschaft und Nachfolge. Zur Gemeindesituation im Markusevangelium: Kirche im Werden. Studien zum Thema Amt und Gemeinde im NT. Hrsg. v. J.Hainz, München 1976, 143-165

Brandenburger E., Fleisch und Geist. Paulus und die dualistische Weisheit. (WMANT 29), Neukirchen 1968

Breuer D., Einführung in die pragmatische Texttheorie. (UTB 106), München 1974

Brockhaus U., Charisma und Amt. Die paulinische Charismenlehre auf dem Hintergrund der frühchristlichen Gemeindefunktionen, Wuppertal 1972

Brox N., Amt, Kirche und Theologie in der nachapostolischen Epoche - die Pastoralbriefe: Gestalt und Anspruch des NT. Hrsg. v. J.Schreiner, Würzburg 1969, 120-133

ders., Lukas als Verfasser der Past ?: JAC 13 (1970) 62-77

ders., Zu den persönlichen Notizen der Pastoralbriefe: ders., Pseudepigraphie in der heidnischen und jüdisch-christlichen Antike, Darmstadt 1977, 272-294 ders., Die Pastoralbriefe. (RNT 7,2), Regensburg [4]1969

ders., Historische und theologische Probleme der Pastoralbriefe des NT: Kairos 11 (1969) 81-94

ders., Προφητεία im ersten Timotheusbrief: BZ N.F. 20 (1976) 229-232

ders., Falsche Verfasserangaben. Zur Erklärung der frühchristlichen Pseudepigraphie. (SBS 79), Stuttgart 1975

Bultmann R., πιστεύω κτλ.: ThWNT VI 197-230

ders., Theologie des NT. (UTB 630), Tübingen [8]1980

ders./Lührmann D., φαίνω κτλ.: ThWNT IX 1-11

v.Campenhausen H., Kirchliches Amt und geistliche Vollmacht in den ersten drei Jahrhunderten. (BHTh 14), Tübingen [2]1963

ders., Der urchristliche Apostelbegriff (1947): Das kirchliche Amt im NT. Hrsg. v. K.Kertelge. (WdF 439), Darmstadt 1977, 237-278

ders., Die Askese im Urchristentum: ders., Tradition und Leben. Kräfte der Kirchengeschichte, Tübingen 1960, 114-156

ders., Zur Auslegung von Röm 13: ders., Aus der Frühzeit des Christentums. Studien zur Kirchengeschichte des ersten und zweiten Jahrhunderts, Tübingen 1963, 81-101

ders., Die Begründung kirchlicher Entscheidungen beim Apostel Paulus: ders., Aus der Frühzeit des Christentums (siehe oben), 30-80

ders., Die Christen und das bürgerliche Leben nach den Aussagen des NT: ders., Tradition und Leben (siehe oben), 180-202

ders., Der Kriegsdienst der Christen in der Kirche des Altertums: ders., Tradition und Leben (siehe oben), 203-215

ders., Die Nachfolge des Jakobus: ders., Aus der Frühzeit des Christentums (siehe oben), 135-151

ders., Polykarp v. Smyrna und die Pastoralbriefe: ders., Aus der Frühzeit des Christentums (siehe oben), 197-252

ders., Das Problem der Ordnung im Urchristentum und in der alten Kirche: ders., Tradition und Leben (siehe oben), 157-179

ders., Recht und Gehorsam in der ältesten Kirche: Aus der Frühzeit des Christentums (siehe oben), 1-29

Conzelmann H., Die Apostelgeschichte. (HNT 7), Tübingen [2]1972 ders., Der erste Brief an die Korinther. (KEK 5), Göttingen [12]1981

ders., Grundriß der Theologie des NT. (EETh 2), München 1967

ders., Die Mitte der Zeit. Studien zur Theologie des Lukas. (BHTh
17), Tübingen [5]1964

ders., χάρις κτλ.: ThWNT IX 377-393

Dautzenberg G., Neutestamentliche Ethik und autonome Moral: ThQ
161 (1981) 43-55

ders., Urchristliche Prophetie. Ihre Erforschung, ihre Voraussetzungen im Judentum und ihre Struktur im ersten Korintherbrief. (BWANT 6.F. 4), Stuttgart 1975

ders., Der Verzicht auf das Unterhaltsrecht. Eine exegetische
Untersuchung zu 1 Kor 9: Bib 50 (1969) 212-232

Degenhardt J.J., Was muß ich tun, um das ewige Leben zu gewinnen ? Zu Mk 10,17-22: Biblische Randbemerkungen. Schülerfestschrift für R.Schnackenburg zum 60. Geburtstag. Hrsg. v.
H.Merklein/J.Lange, /Würzburg/ 1974, 159-168

ders., Lukas - Evangelist der Armen. Besitz und Besitzverzicht in
den lukanischen Schriften. Eine traditions- und redaktions-
geschichtliche Untersuchung, Stuttgart 1965

Delling G., ἀνεπίλημπτος: ThWNT IV 9f

ders., Paulus' Stellung zu Frau und Ehe. (BWANT 56), Stuttgart
1931

Dibelius M., "Bischöfe" und "Diakonen" in Philippi: Das kirchl.
Amt im NT. Hrsg. v. K.Kertelge. (WdF 439), Darmstadt 1977,
413-417

ders., Geschichte der urchristlichen Literatur. (TB 58), München
1975

ders., Das soziale Motiv im NT: Botschaft und Geschichte. Gesammelte Aufsätze von M.Dibelius I. Hrsg. v. G.Bornkamm,
Tübingen 1953, 178-203

ders., Die Pastoralbriefe. (HNT 13), Tübingen [2]1931

ders./Conzelmann H., Die Pastoralbriefe. (HNT 13), Tübingen [3]1955

Dinkler E., Die Verkündigung als eschatologisch-sakramentales
Geschehen. Auslegung von 2 Kor 5,14-6,2: Die Zeit Jesu.
Festschrift für H.Schlier. Hrsg. v. G.Bornkamm/K.Rahner,
Freiburg 1970, 169-189

Dodd C.H., μιᾶς γυναικὸς ἀνήρ (1 Tim 3,2.12; Tit 1,6): BiTr 28
    (1977) 112-116
Dornier P., Les épitres pastorales. (SBi), Paris 1969
Dupont J., Paulus an die Seelsorger. Das Vermächtnis von Milet
    (Apg 20,18-36), Düsseldorf 1966
Eckert J., Zu den Voraussetzungen der apostolischen Autorität des
    Paulus: Kirche im Werden (vgl. oben unter Bracht, Jünger-
    schaft), 39-55
Egger W., Die Mitarbeiter des Paulus. Hinweise auf die Ordnung
    der Gemeinden in den Briefen des Apostels Paulus: Konferenz-
    blatt für Theologie und Seelsorge - Brixen 92 (1981) 12-17.
    71
ders., Nachfolge als Weg zum Leben. Chancen neuerer exegetischer
    Methoden dargelegt an Mk 10,17-31. (ÖBS 1), Klosterneuburg
    1979
Ehrhard A., Urkiche und Frühkatholizismus. (KKWZ 1,1), Bonn 1935
Eichholz G., Auslegung der Bergpredigt. (BSt 46), Neukirchen
    [2]1970
ders., Die Theologie des Paulus im Umriß, Neukirchen [2]1977
McEleney N.J., The Vice Lists of the Pastoral Epistles: CBQ 36
    (1974) 203-219
Ernst J., Die Witwenregel des ersten Timotheusbriefes, ein Hin-
    weis auf die biblischen Ursprünge des weiblichen Ordenswe-
    sens ?: ThGl 59 (1969) 434-445
Fascher E., Der erste Brief des Paulus an die Korinther 1. (ThHK
    7), Berlin 1975
Feuillet A., La dignité et le rôle de la femme d'après quelques
    textes pauliniens: NTS 21 (1974/75) 157-191
Fiedler P., εὐσέβεια κτλ.: EWNT II 212-214
Fitzer G., "Das Weib schweige in der Gemeinde". Über den unpau-
    linischen Charakter der mulier-taceat-Verse in 1 Kor 14.
    (TEH N.F. 110), München 1963
Foerster W., ἄσωτος, ἀσωτία: ThWNT I 504f
ders., διάβολος: ThWNT II 74-80
ders., εὐσεβής κτλ.: ThWNT VII 175-184
ders., σεμνός, σεμνότης: THWNT VII 190-195

Freundorfer J., Die Pastoralbriefe. (RNT 7), Regensburg [4]1965, 201-308

Gewiess J., Die neutestamentlichen Grundlagen der kirchlichen Hierarchie: Das kirchliche Amt im NT (siehe oben unter Dibelius,"Bischöfe"), 144-172

Giesen H., ἐπιεικής, ἐπιείκεια: EWNT II 66f

Gnilka J., Geistliches Amt und Gemeinde nach Paulus: Kairos 11 (1969) 95-104

Goldstein H., ἐγκράτεια κτλ.: EWNT I 913-915

Grabner-Haider A., Paraklese und Eschatologie bei Paulus. Mensch und Welt im Anspruch der Zukunft Gottes. (NTA N.F. 4), Münster 1968

Greeven H., Propheten, Lehrer, Vorsteher bei Paulus: Das kirchliche Amt im NT (siehe oben unter Dibelius,"Bischöfe"), 305-361

ders., Gottes Wort an Mann und Frau: WzM 18 (1966) 385-394

Greshake G., Priestersein. Zur Theologie und Spiritualität des priesterlichen Amtes, Freiburg 1982

Gründel J./van Oyen H., Ethik ohne Normen ? Zu den Weisungen des Evangeliums. (ÖF: Kleine Ökumenische Schriften 4), Freiburg 1970

Grundmann W., ἀνέγκλητος: ThWNT I 358f

ders., ἐγκράτεια κτλ.: ThWNT II 338-340

ders., φιλάγαθος: ThWNT I 17f

Güttgemanns E., Der leidende Apostel und sein Herr. Studien zur paulinischen Christologie. (FRLANT 90), Göttingen 1966

Haenchen E., Die Apostelgeschichte. (KEK 3), Göttingen [16]1977

Hahn F., Charisma und Amt. Die Diskussion über das kirchliche Amt im Lichte der neutestamentlichen Charismenlehre: ZThK 76 (1979) 419-449

ders., Neutestamentliche Grundlagen für eine Lehre vom kirchlichen Amt: Dienst und Amt. Überlebensfrage der Kirchen. Hrsg. v. F.Hahn, W.Joest, u.a., Regensburg 1973, 7-40

ders., Die Nachfolge Jesu in vorösterlicher Zeit: Anfänge der Kirche im NT. Hrsg. v. P.Rieger. (EvFo 8), Göttingen 1967, 7-36

ders., Die Petrusverheißung Mt 16,18f - eine exegetische Skizze:
    Das kirchliche Amt im NT (siehe oben unter Dibelius,"Bischö-
    fe"), 543-561

ders., Das Problem des Frühkatholizismus: EvTh 38 (1978) 340-357

Hainz J., Amt und Amtsvermittlung bei Paulus: Kirche im Werden
    (siehe oben unter Bracht, Jüngerschaft), 109-122

ders., Die Anfänge des Bischofs- und Diakonenamtes: Kirche im
    Werden (siehe oben unter Bracht, Jüngerschaft), 91-107

ders., Gemeinschaft (κοινωνία) zwischen Paulus und Jerusalem (Gal
    2,9f). Zum paulinischen Verständnis von der Einheit der Kir-
    che: Kontinuität und Einheit. Festschrift f. F.Mußner. Hrsg.
    v. P.G.Müller/W.Stenger, Freiburg 1981, 30-42

v.Harnack A., Urchristentum und Katholizismus ("Geist" und Recht).
    Kritik der Abhandlung Rudolf Sohm's "Wesen und Ursprung des
    Katholizismus": ders., Entstehung und Entwickelung der Kir-
    chenverfassung und des Kirchenrechts in den ersten zwei Jahr-
    hunderten, Leipzig 1910, 121-186

Hasenhüttl G., Charisma. Ordnungsprinzip der Kirche. (ÖF 5), Frei-
    burg 1969

Hasler V., Die Briefe an Timotheus und Titus (Pastoralbriefe).
    (ZBK 12), Zürich 1978

Hauck F., ὅσιος, ὁσίως: ThWNT V 488-491

Haufe G., Gnostische Irrlehre und ihre Abwehr in den Pastoral-
    briefen: Gnosis und Neues Testament. Studien aus Religions-
    wissenschaft und Theologie. Hrsg. v. K.W.Tröger, Berlin
    1973, 325-339

Hegermann H., Der geschichtliche Ort der Pastoralbriefe: Theolo-
    gische Versuche II. Hrsg. v. J.Rogge/G.Schille, Berlin 1970,
    47-64

Hengel M., Eigentum und Reichtum in der frühen Kirche. Aspekte
    einer frühchristlichen Sozialgeschichte, Stuttgart 1973

ders., Judentum und Hellenismus. Studien zu ihrer Begegnung unter
    besonderer Berücksichtigung Palästinas bis zur Mitte des 2.
    Jh. v. Chr. (WUNT 10), Tübingen [2]1973

ders., Nachfolge und Charisma. Eine exegetisch-religionsgeschicht-
    liche Studie zu Mt 8,21f und Jesu Ruf in die Nachfolge.
    (BZNW 34), Berlin 1968

Hofius O., "Gott hat unter uns aufgerichtet das Wort von der Ver-
söhnung" (2 Kor 5,19): ZNW 71 (1980) 3-20

Holmberg B., Paul and Power. The Structure of Authority in the
Primitive Church as Reflected in the Pauline Epistels.
(CB.NT 11), Lund 1978

Holtz G., Die Pastoralbriefe. (ThHK 13), Berlin [3]1980

Huby J., Saint Paul: Première épitre aux Corinthiens. (VSal 13),
Paris 1946

van Iersel B., Wer hat nach dem Neuen Testament das entscheidende
Wort in der Kirche ?: Conc 17 (1981) 620-625

Jeremias J., Die Briefe an Timotheus und Titus. (NTD 9), Göttingen [11]1975, 1-77

ders., Zur Datierung der Pastoralbriefe: ders., Abba. Studien zur
neutestamentlichen Theologie und Zeitgeschichte, Göttingen
1966, 314-316

Kähler E., Die Frau in den paulinischen Briefen. Unter besonderer
Berücksichtigung des Begriffes der Unterordnung, Zürich 1960

Kamlah E., Die Form der katalogischen Paränese im Neuen Testament.
(WUNT 7), Tübingen 1964

ders., ʹΥποτάσσεσθαι in den neutestamentlichen "Haustafeln": Ver-
borum Veritas. Festschrift f. G.Stählin. Hrsg. v. O.Böcher/
K.Haacker, Wuppertal 1970, 237-243

Käsemann E., Amt und Gemeinde im Neuen Testament: ders., Exegetische Versuche und Besinnungen I, Göttingen 1964, 109-134

ders., Das Formular einer neutestamentlichen Ordinationsparänese:
ders., Exegetische Versuche und Besinnungen I (siehe oben),
101-108

ders., Grundsätzliches zur Interpretation von Röm 13: ders., Exegetische Versuche und Besinnungen II, Göttingen [3]1968, 204-
222

ders., Paulus und der Frühkatholizismus: ders., Exegetische Versuche und Besinnungen II (siehe oben), 239-252

ders., Der Ruf der Freiheit, Tübingen [5]1972

ders., Sätze heiligen Rechtes im Neuen Testament: ders., Exegetische Versuche und Besinnungen II (siehe oben), 69-82

Kasting H., Die Anfänge der urchristlichen Mission. Eine historische Untersuchung. (BEvTh 55), München 1969

Kearney P., Enthält das Neue Testament Anstöße zu einer anderen
      Kirchenordnung ?: Conc 8 (1972) 728-735
Kehl M., Kirche als Institution. Zur theologischen Begründung des
      institutionellen Charakters der Kirche in der neueren
      deutschsprachigen katholischen Ekklesiologie. (FTS 22),
      Frankfurt 1976
Kehnscherper G., Die Stellung der Bibel und der alten christli-
      chen Kirche zur Sklaverei. Eine biblische und kirchenge-
      schichtliche Untersuchung von den alttestamentlichen Pro-
      pheten bis zum Ende des Römischen Reiches, Halle 1957
Kelly J.N.D., A Commentary on the Pastoral Epistles. (BNTC), Lon-
      don 1963
Kertelge K., δικαιοσύνη: EWNT I 784-796
ders., Gemeinde und Amt im NT. (BiH 10), München 1972
Kirchschläger W., Jesu exorzistisches Wirken aus der Sicht des
      Lukas. Ein Beitrag zur lukanischen Redaktion. (ÖBS 3),
      Klosterneuburg 1981
Kirk J.A., Apostleship since Rengstorf: Towards a Synthesis: NTS
      21 (1974/75) 249-264
Klauck H.-J., Hausgemeinde und Hauskirche im frühen Christentum.
      (SBS 103), Stuttgart 1981
Klein G., Die zwölf Apostel. Ursprung und Gehalt einer Idee.
      (FRLANT 77), Göttingen 1961
ders., Der Synkretismus als theologisches Problem in der ältesten
      christlichen Apologetik: ders., Rekonstruktion und Interpre-
      tation. Gesammelte Aufsätze zum NT. (BEvTh 50), München
      1969, 262-301
Knight G.W., The Faithful Sayings in the Pastoral Letters, Kam-
      pen 1968
Knoch O., Die Ausführungen des ersten Clemensbriefes über die
      kirchliche Verfassung im Spiegel der neueren Deutungen seit
      R.Sohm und A.v.Harnack: ThQ 141 (1961) 385-407
ders., Begegnung wird Zeugnis. Werden und Wesen des NT. (Bibli-
      sche Basis-Bücher 6), Kevelaer 1980
ders., Die "Testamente" des Petrus und Paulus. Die Sicherung der
      apostolischen Überlieferung in der spätneutestamentlichen
      Zeit. (SBS 62), Stuttgart 1973
Koschorke K., Eine neugefundene gnostische Gemeindeordnung. Zum

Thema Geist und Amt im frühen Christentum: ZThK 76 (1979) 30-60

Kremer J., "Eifert aber um die größeren Charismen !" (1 Kor 12, 31a): ThPQ 128 (1980) 321-335

ders., Die Osterevangelien - Geschichten um Geschichte, Stuttgart [2]1981

Kretschmar G., Ein Beitrag zur Frage nach dem Ursprung frühchristlicher Askese: ZThK 61 (1964) 27-67

Kretzer A., Die Frage: Ehe auf Dauer und ihre mögliche Trennung nach Mt 19,3-12: Biblische Randbemerkungen. Schülerfestschrift f. R.Schnackenburg zum 60. Geburtstag. Hrsg. v. M. Merklein/J.Lange, /Würzburg/ 1974, 218-230

Kühschelm R., Jesu Vorhersage von Verfolgungen. Eine exegetisch-bibeltheologische Untersuchung zu Mk 13,9-13par und Mt 23, 29-36par, Wien 1980 (theol. Diss. Mschr.)

Kümmel W.G., Einleitung in das NT, Heidelberg [19]1978

Küng H., Der Frühkatholizismus im Neuen Testament als kontrovers-theologisches Problem: Das Neue Testament als Kanon. Dokumentation und kritische Analyse zur gegenwärtigen Diskussion. Hrsg. v. E.Käsemann, Göttingen 1970, 175-204

Kürzinger J., Frau und Mann nach 1 Kor 11,11f: BZ N.F. 22 (1978) 270-275

Laub F., Paulus als Gemeindegründer (1 Thess): Kirche im Werden (siehe oben unter Bracht, Jüngerschaft), 17-38

Lemaire A., Von den Diensten zu den Ämtern. Die kirchlichen Dienste in den ersten zwei Jahrhunderten: Conc 8 (1972) 721-728

Lindemann A., Paulus im ältesten Christentum. Das Bild des Apostels und die Rezeption der paulinischen Theologie in der frühchristlichen Literatur bis Marcion. (BHTh 58), Tübingen 1979

Lippert P., Leben als Zeugnis. Die werbende Kraft christlicher Lebensführung nach dem Kirchenverständnis neutestamentlicher Briefe. (SBM 4), Stuttgart 1968

v.Lips H., Glaube - Gemeinde - Amt. Zum Verständnis der Ordination in den Pastoralbriefen. (FRLANT 122), Göttingen 1979

Lock W., The Pastoral Epistles. (ICC), Edinburgh [2]1966

Lohfink G., Weibliche Diakone im NT: Diak 11 (1980) 385-400

ders., Die Normativität der Amtsvorstellungen in den Pastoralbriefen: ThQ 157 (1977) 93-106

ders., Paulinische Theologie in der Rezeption der Pastoralbriefe:
Paulus in den neutestamentlichen Spätschriften. Zur Paulusrezeption im NT. Hrsg. v. K.Kertelge. (QD 89), Freiburg
1981, 70-121

Lohse E., Episkopos in den Pastoralbriefen: Kirche und Bibel.
Festgabe f. Bischof E.Schick, Paderborn 1979, 225-231

ders., Die Ordination im Spätjudentum und im NT, Berlin 1951

Luck U., σώφρων κτλ.: ThWNT VII 1094-1102

Lührmann D., Neutestamentliche Haustafeln und antike Ökonomie:
NTS 27 (1980) 83-97

Luz U., Erwägungen zur Entstehung des "Frühkatholizismus". Eine
Skizze: ZNW 65 (1974) 88-111

Lyonnet S., "Unius uxoris vir" (1 Tim 3,2.12; Tit 1,6): VD 45
(1967) 3-10

Martin J., Der priesterliche Dienst III. Die Genese des Amts-
priestertums in der frühen Kirche. (QD 48), Freiburg 1972

Marxsen W., Einleitung in das NT. Eine Einführung in ihre Probleme, Gütersloh [4]1978

ders., Der "Frühkatholizismus" im NT. (BSt 21), Neukirchen 1958

Maurer Ch., σύνοιδα κτλ.: ThWNT VII 897-918

Meier J., Presbyteros in the Pastoral Epistles: CBQ 35 (1973)
323-345

Merk O., Glaube und Tat in den Pastoralbriefen: ZNW 66 (1975) 91-
102

Merklein H., Die Gottesherrschaft als Handlungsprinzip. Untersuchung zur Ethik Jesu. (fzb 34), o.O. 1978

Messner H., Ehe und Ehelosigkeit in der Briefliteratur des NT,
Graz 1979 (theol. Diss. Mschr.)

Metz J.B., Jenseits bürgerlicher Religion. Reden über die Zukunft
des Christentums, München 1980

ders., Messianische oder bürgerliche Religion ? Zur Krise der
Kirche in der BRD: Conc 15 (1979) 308-315

Meye R., Jesus and the Twelve. Discipleship and Revelation in
    Mark's Gospel, Michigan 1968

Michaelis W., Einleitung in das NT. Die Entstehung, Sammlung und
    Überlieferung der Schriften des NT, Bern [2]1954

Michel O., Grundfragen der Pastoralbriefe: Auf dem Grunde der
    Apostel und Propheten. Festschrift f. Th.Wurm. Hrsg. v. M.
    Loeser, Stuttgart 1948, 83-99

Michl J., Älteste: LThK I 387f

Mikat P., Bemerkungen zur neutestamentlichen Sicht der politi-
    schen Herrschaft: Begegnung mit dem Wort. Festschrift f. H.
    Zimmermann. Hrsg. v. J.Zmijewski/E.Nellessen. (BBB 53), Bonn
    1979, 325-345

Möhler J.A., Die Einheit in der Kirche, oder das Princip des
    Katholicismus dargestellt im Geiste der Kirchenväter der
    ersten drei Jahrhunderte, Tübingen 1825

Müller P.G., ἐπιφάνεια: EWNT II 110-112

Müller U.B., Der geschichtliche Ort der Gegner in den Pastoral-
    briefen: ders., Zur frühchristlichen Theologiegeschichte.
    Judenchristentum und Paulinismus in Kleinasien an der Wende
    vom ersten zum zweiten Jahrhundert n. Chr., Gütersloh 1976,
    53-77

Müller-Bardorff J., Zur Exegese von 1 Tim 5,3-16: Gott und die
    Götter. Festgabe f. E.Fascher, Berlin 1958, 113-133

Mussner F., Die Ablösung des apostolischen durch das nachaposto-
    lische Zeitalter und ihre Konsequenzen: Wort Gottes in der
    Zeit. Festschrift f. K.H.Schelkle. Hrsg. v. H.Feld/J.Nolte,
    Düsseldorf 1973, 166-177

ders., Katholizismus II: LThK VI 89f

Nauck W., Die Herkunft des Verfassers der Pastoralbriefe. Ein
    Beitrag zur Frage der Auslegung der Pastoralbriefe, Göttin-
    gen 1950 (theol. Diss. Mschr.)

ders., Probleme des frühchristlichen Amtsverständnisses (1 Petr
    5,2f): Das kirchliche Amt im NT (siehe oben unter Dibelius,
    "Bischöfe"), 442-469

Nellessen E., Die Einsetzung von Presbytern durch Barnabas und
    Paulus (Apg 14,23): Begegnung mit dem Wort (siehe oben unter
    Mikat, Bemerkungen), 175-193

Neufeld K.H., "Frühkatholizismus" - Idee und Begriff: ZThK 94
    (1972) 1-28

Niederwimmer K., Askese und Mysterium. Über Ehe, Ehescheidung und
    Eheverzicht in den Anfängen des christlichen Glaubens.
    (FRLANT 113), Göttingen 1975

Oberlinner L., Die "Epiphaneia" des Heilswillens Gottes in
    Christus Jesus. Zur Grundstruktur der Christologie der Pasto-
    ralbriefe: ZNW 71 (1980) 192-213

Oepke A., γυνή: ThWNT I 776-790

Ollrog W.H., Paulus und seine Mitarbeiter. Untersuchungen zu
    Theorie und Praxis der paulinischen Mission. (WMANT 50),
    Neukirchen 1979

Paulsen H., Zur Wissenschaft vom Urchristentum und der alten Kir-
    che - ein methodischer Versuch: ZNW 68 (1977) 200-230

Pesch R., Berufung und Sendung, Nachfolge und Mission. Eine Stu-
    die zu Mk 1,16-20: ZKTh 91 (1969) 1-31

ders., "Christliche Bürgerlichkeit" (Tit 2,11-15): Am Tisch des
    Wortes 14 (1966) 28-33

ders., Das Markusevangelium I. (HThK 2), Freiburg [3]1980

ders., Simon-Petrus. Geschichte und geschichtliche Bedeutung des
    ersten Jüngers Jesu Christi. (Päpste und Papsttum 15), Stutt-
    gart 1980

ders., Die Stellung und Bedeutung Petri in der Kirche des NT:
    Conc 7 (1971) 240-245

Prast F., Presbyter und Evangelium in nachapostolischer Zeit. Die
    Abschiedsrede in Milet (Apg 20,17-38) im Rahmen der lukani-
    schen Konzeption der Evangeliumsverkündigung. (fzb 29),
    Stuttgart 1979

Preisker H., ἐπιείκεια, ἐπιεικής: ThWNT II 585-587

ders., Das Ethos des Urchristentums, Gütersloh [2]1949

Prümm K., Mysterium: BThW II 1038-1057

Quinn J.D., Die Ordination in den Pastoralbriefen: Internat. ka-
    thol. Zeitschrift 10 (1981) 410-420

v.Rad G., Weisheit in Israel, Neukirchen 1970

Rahner H., Frühchristliche Kirche: LThK IV 412-418

Ratzinger J., Bemerkungen zur Frage der Charismen in der Kirche:
    Die Zeit Jesu. Festschrift f. H.Schlier. Hrsg. v. G.Born-
    kamm/K.Rahner, Freiburg 1970, 257-272
Reicke B., Chronologie der Pastoralbriefe: ThLZ 101 (1976) 81-94
Rengstorf K.H., ἀπόστολος κτλ.: ThWNT I 406-448
ders., διδάσκω κτλ.: ThWNT II 138-168
Rigaux B., Die "Zwölf" in Geschichte und Kerygma: Das kirchliche
    Amt im NT (siehe oben unter Dibelius, "Bischöfe"), 279-304
Rohde J., ἐπίσκοπος: EWNT II 89-91
Roloff J., Apostolat - Verkündigung - Kirche. Ursprung, Inhalt
    und Funktion des kirchlichen Apostelamtes nach Paulus, Lukas
    und den Pastoralbriefen, Gütersloh 1965
Sand A., Anfänge einer Koordinierung verschiedener Gemeindeord-
    nungen nach den Pastoralbriefen: Kirche im Werden (siehe
    oben unter Bracht, Jüngerschaft), 215-237
ders., Der Begriff "Fleisch" in den paulinischen Hauptbriefen.
    (BU 2), Regensburg 1967
ders., Witwenstand und Ämterstrukturen in den urchristlichen Ge-
    meinden: BiLe 12 (1971) 186-197
Sanders J.T., Ethics in the New Testament. Change and Develop-
    ment, Philadelphia 1975
Sasse H., κόσμιος: ThWNT III 896f
Schelbert G., Priester, Presbyter: Beiträge zu einem neuen
    Priesterbild. Hrsg. v. F.Enzler, Luzern 1968, 11-35
Schelkle K.H., Spätapostolische Briefe als frühkatholisches Zeug-
    nis: Neutestamentliche Aufsätze. Festschrift f. J.Schmid.
    Hrsg. v. J.Blinzler u.a., Regensburg 1963, 225-232
ders., Charisma und Amt: Begegnung mit dem Wort (siehe oben unter
    Mikat, Bemerkungen), 311-323
ders., Dienste und Diener in den Kirchen der neutestamentlichen
    Zeit: Das kirchliche Amt im NT (siehe oben unter Dibelius,
    "Bischöfe"), 220-234
ders., Ehe und Ehelosigkeit im NT: ders., Wort und Schrift. Bei-
    träge zur Auslegung und Auslegungsgeschichte des NT, Düssel-
    dorf 1966, 183-198
ders., Der Geist und die Braut. Frauen in der Bibel, Düsseldorf
    1977

ders., Jerusalem und Rom im NT: ders., Wort und Schrift (siehe
    oben), 126-144

ders., Jüngerschaft und Apostelamt. Eine biblische Auslegung des
    priesterlichen Dienstes, Freiburg [3]1965

ders., Das Neue Testament. Seine literarische und theologische
    Geschichte. (Berckers theol. Grundrisse 2), Kevelaer [3]1966

Schellong D., Theologische Kritik der "bürgerlichen Weltanschau-
    ung": Conc 15 (1979) 315-319

Schenke H.M., Das Weiterwirken des Paulus und die Pflege seines
    Erbes durch die Paulus-Schule: NTS 21 (1974/75) 505-518

ders./Fischer K.M., Einleitung in die Schriften des NT I, Berlin
    1978

Schierse F.J., Eschatologische Existenz und christliche Bürger-
    lichkeit: GuL 32 (1959) 280-291

ders., Kennzeichen gesunder und kranker Lehre. Zur Ketzerpolemik
    der Pastoralbriefe: Diak N.S. 3 (1973) 76-86

ders., Wesenszüge und Geist der kirchlichen Autorität nach dem
    Neuen Testament: GuL 32 (1959) 49-56

Schlatter A., Der Glaube im Neuen Testament, Stuttgart [4]1927

Schlier H., Grundelemente des priesterlichen Amtes im Neuen
    Testament: ThPh 44 (1969) 161-180

ders., Die neutestamentliche Grundlage des Priesteramtes: Der
    priesterliche Dienst I. Ursprung und Frühgeschichte. Hrsg.
    v. K.Rahner/H.Schlier, (QD 46), Freiburg 1970, 81-114

ders., Die Ordnung der Kirche nach den Pastoralbriefen: ders.,
    Die Zeit der Kirche. Exegetische Aufsätze und Vorträge,
    Freiburg 1956, 129-147

ders., παρρησία, παρρησιάζομαι: ThWNT V 869-884

Schmahl G., Die Zwölf im Markusevangelium. Eine redaktionsge-
    schichtliche Untersuchung. (TThSt 30), Trier 1974

Schmithals W., Das kirchliche Apostelamt. Eine historische Unter-
    suchung. (FRLANT 79), Göttingen 1961

ders., Der Römerbrief als historisches Problem. (StNT 9), Güters-
    loh 1975

Schmitz H.J., Frühkatholizismus bei Adolf v.Harnack, Rudolf Sohm
    und Ernst Käsemann, Düsseldorf 1977

Schnackenburg R., Die sittliche Botschaft des Neuen Testamentes.
(HMT 6), München [2]1962

ders., Episkopos und Hirtenamt (Zu Apg 20,28): Das kirchliche Amt
im NT (siehe oben unter Dibelius, "Bischöfe"), 418-441

ders., Lukas als Zeuge verschiedener Gemeindestrukturen: BiLe 12
(1971) 232-247

ders., Nachfolge Christi: ders., Christliche Existenz nach dem
Neuen Testament. Abhandlungen und Vorträge I, München 1967

ders., Ursprung und Sinn des kirchlichen Amtes: ders., Maßstab
des Glaubens. Fragen heutiger Christen im Licht des Neuen
Testaments, Freiburg 1978, 119-154

Schneider G., Die Apostelgeschichte I. (HThK 5,1), Freiburg 1980

ders., δίκαιος, δικαίως: EWNT I 781-784

Schrage W., Die Christen und der Staat nach dem Neuen Testament,
Gütersloh 1971

ders., Die konkreten Einzelgebote in der paulinischen Paränese.
Ein Beitrag zur neutestamentlichen Ethik, Gütersloh 1961

ders., Zur Ethik der neutestamentlichen Haustafeln: NTS 21 (1974/
75) 1-22

ders., Zur Frontstellung der paulinischen Ehebewertung in 1 Kor
7,1-7: ZNW 67 (1976) 214-234

ders., Frau und Mann im NT: Frau und Mann. Hrsg. v. E.S.Gersten-
berger/W.Schrage. (Kohlhammer Taschenbücher 1013: Biblische
Konfrontationen), Stuttgart 1980, 92-197

ders., Die Stellung zur Welt bei Paulus, Epiktet und in der Apokalyptik. Ein Beitrag zu 1 Kor 7,29-31: ZThK 61 (1964) 125-
154

Schrenk G., δίκαιος: ThWNT II 184-193

Schulz S., Die Mitte der Schrift. Der Frühkatholizismus im Neuen
Testament als Herausforderung an den Protestantismus, Stuttgart 1976

Schulze W.A., Ein Bischof sei eines Weibes Mann...Zur Exegese von
1 Tim 3,2 und Tit 1,6: KuD 4 (1958) 287-300

Schürmann H., Die geistlichen Gnadengaben in den paulinischen
Gemeinden: Das kirchliche Amt im NT (siehe oben unter Dibelius, "Bischöfe"), 362-412

ders., Der Jüngerkreis Jesu als Zeichen für Israel (und als Ur-
    bild des kirchlichen Rätestandes): ders., Ursprung und Ge-
    stalt. Erörterungen und Besinnungen zum Neuen Testament,
    Düsseldorf 1970, 45-60

ders., Auf der Suche nach dem "Evangelisch-Katholischen". Zum
    Thema "Frühkatholizismus": Kontinuität und Einheit. Fest-
    schrift f. F.Mußner. Hrsg. v. P.-G. Müller/W.Stenger, Frei-
    burg 1981, 340-375

ders., Das Testament des Paulus für die Kirche (Apg 20, 18-35):
    ders., Traditionsgeschichtliche Untersuchungen zu den synop-
    tischen Evangelien, Düsseldorf 1968, 310-340

Schütz J.H., Apostolic Authority and the Control of Tradition
    (1 Kor 15): NTS 15 (1968/69) 439-457

Schweizer E., Gemeinde und Gemeindeordnung im NT. (AThANT 35),
    Zürich $^2$1962

ders., Jüngerschaft und Kirche: Anfänge der Kirche im NT. Hrsg. v.
    P.Rieger. (EvFo 8), Göttingen 1967, 78-94

ders., Zum Sklavenproblem im NT: EvTh 32 (1972) 502-506

Scott E.F., The Pastoral Epistles. (MNTC), London $^6$1948

v.Soden H., Die Briefe an die Kolosser, Epheser, Philemon. Die
    Pastoralbriefe. (HC 3,1), Freiburg 1891

Sohm R., Wesen und Ursprung des Katholizismus, Leipzig $^2$1912
    (Nachdruck Stuttgart 1967)

Spicq C., Saint Paul - Les Épitres Pastorales. 1 und 2. (EtB),
    Paris $^4$1969

Stählin G., ξένος κτλ.: ThWNT V 1-36

Stelzenberger J., Die Beziehungen der frühchristlichen Sittenleh-
    re zur Ethik der Stoa. Eine moralgeschichtliche Studie, Mün-
    chen 1933

Stenger W., Biographisches und Idealbiographisches in Gal 1,11-
    2,14: Kontinuität und Einheit (siehe oben unter Schürmann,
    Suche), 123-140

ders., Timotheus und Titus als literarische Gestalten. Beobach-
    tungen zur Form und Funktion der Pastoralbriefe: Kairos 16
    (1974) 252-267

Stock A., Umgang mit theologischen Texten. Methoden - Analysen -
    Vorschläge. (Arbeits- und Studienbücher Theologie), Zürich
    1974

Strack H.L./Billerbeck P., Die Briefe des NT und die Offenbarung
   Johannis erläutert aus Talmud und Midrasch. (Kommentar zum
   Neuen Testament aus Talmud und Midrasch 3), München 1926
Strecker G., Judentum und Gnosis: Altes Testament - Frühjuden-
   tum - Gnosis. Neue Studien zu "Gnosis und Bibel". Hrsg. v.
   K.-W.Tröger, Gütersloh 1980, 261-282
ders., Ziele und Ergebnisse einer neutestamentlichen Ethik: NTS
   25 (1978) 1-15
Strobel A., βαθμός: EWNT I 453f
ders., Der Begriff des "Hauses" im griechischen und römischen
   Privatrecht: ZNW 56 (1965) 91-100
ders., Jüngerschaft im Lichte des Ostergeschehens: Anfänge der
   Kirche im NT (siehe oben unter Schweizer, Jüngerschaft), 37-
   77
ders., Schreiben des Lukas ? Zum sprachlichen Problem der Pastoralbriefe: NTS 15 (1968/69) 191-210
Stuhlmacher P., Der Brief an Philemon. (EKK 1), Zürich 1975
ders., Christliche Verantwortung bei Paulus und seinen Schülern:
   EvTh 28 (1963) 165-186
Theissen G., Legitimation und Lebensunterhalt. Ein Beitrag zur
   Soziologie urchristlicher Missionare: NTS 21 (1974/75) 192-
   221
ders., Soziologie der Jesusbewegung. Ein Beitrag zur Entstehungsgeschichte des Urchristentums. (TEH 194), München 1977
Trautmann M., Zeichenhafte Handlungen Jesu. Ein Beitrag zur Fra-
   ge nach dem geschichtlichen Jesus. (fzb 37), Würzburg 1980,
   167-233
Trilling W., Amt und Amtsverständnis bei Matthäus: Das kirchliche
   Amt im NT (siehe oben unter Dibelius, "Bischöfe"), 524-542
Troeltsch E., Der Frühkatholizismus: ders., Die Soziallehren der
   christlichen Kirchen und Gruppen. Gesammelte Schriften I,
   Tübingen 1912, 83-178
Trummer P., Die Chance der Freiheit. Zur Interpretation des
   μᾶλλον χρῆσαι in 1 Kor 7,21: Bib 56 (1975) 344-368
ders., Corpus Paulinum - Corpus Pastorale. Zur Ortung der Paulustradition in den Pastoralbriefen: Paulus in den neutestamentlichen Spätschriften. Zur Paulusrezeption im NT. Hrsg.
   v. K.Kertelge. (QD 89), Freiburg 1981, 122-145

ders., Einehe nach den Pastoralbriefen: Bib 51 (1970) 471-484

ders., Die Paulustradition der Pastoralbriefe. (BET 8), Frank-
    furt/Main 1978

v.Unnik W.C., Die Rücksicht auf die Reaktion der Nicht-Christen
    als Motiv in der altchristlichen Paränese: Judentum - Ur-
    christentum - Kirche. Festschrift f. J.Jeremias. Hrsg. v.
    W.Eltester. (BZNW 26), Berlin 1960, 221-234

Vawter B., Divorce and the New Testament: CBQ 39 (1977) 528-542

Venetz H.-J., So fing es mit der Kirche an. Ein Blick in das
    Neue Testament, Zürich 1981

Vielhauer Ph., Geschichte der urchristlichen Literatur. Einlei-
    tung in das NT, die Apokryphen und die Apostolischen Väter,
    Berlin 1979

Vögtle A., Die Tugend- und Lasterkataloge im Neuen Testament.
    Exegetisch, religions- und formgeschichtlich untersucht.
    (NTA 16, 4/5), Münster 1936

Völkl R., Christ und Welt nach dem Neuen Testament, Würzburg 1961

Wagner H., Zum Problem des Frühkatholizismus: ZKTh 94 (1972) 433-
    444

Wegenast K., Das Verständnis der Tradition bei Paulus und in den
    Deuteropaulinen. (WMANT 8), Neukirchen 1962

Weidinger K., Die Haustafeln. Ein Stück urchristlicher Paränese.
    (UNT 14), Leipzig 1928

Weiser A., διακονέω κτλ.: EWNT I 726-732

Weiss J., Der erste Korintherbrief. (KEK 5), Göttingen [9]1910
    (Neudruck 1970)

Wendland H.-D., Ethik des Neuen Testaments. Eine Einführung.
    (GNT 4), Göttingen 1970

Wendland P., Die hellenistisch-römische Kultur in ihren Beziehun-
    gen zum Judentum und Christentum. (HNT 2), Tübingen [4]1972

Wibbing S., Die Tugend- und Lasterkataloge im NT und ihre Tradi-
    tionsgeschichte unter besonderer Berücksichtigung der
    Qumran-Texte. (BZNW 25), Berlin 1959

Wiedenhofer S., Christentum - Bürgertum - Liberalismus. Zum zwei-
    fachen Dilemma eines neuzeitlichen Verhältnisses: StZ 104
    (1979) 373-384

Wikenhauser A./Schmid J., Einleitung in das NT, Freiburg $^6$1973

Zimmermann H., Christus nachfolgen. Eine Studie zu den Nachfolge-
    Worten der synoptischen Evangelien: ThGl 53 (1963) 241-255

ders., Neutestamentliche Methodenlehre. Darstellung der histo-
    risch-kritischen Methode, Stuttgart $^6$1978

Zmijewski J., Die Pastoralbriefe als pseudepigraphische Schriften-
    Beschreibung, Erklärung, Bewertung. (SNTU Serie A 4), Linz
    1979, 97-118

# AUTORENREGISTER

| | | | |
|---|---|---|---|
| Adler N. | 38 | Brox N. | 12,19,20,21,22, |
| Aland K. | 126 | | 28,29,32,38,41, |
| Allo E.B. | 136 | | 42,43,44,46,47, |
| Auer A. | 98 | | 49,53,54,58,59, |
| Baltensweiler H. | 99,101,104,162 | | 60,61,64,67,68, |
| v.Balthasar H.U. | 35,131 | | 75,81,83,93,116, |
| Barrett C.K. | 139 | | 118,119,125,146, |
| Bartsch H.W. | 19,21,31,32,38,40, | | 151,155,160,163, |
| | 42,46,47,87,118, | | 164,165,166,170 |
| | 119,142,151,161, | Bultmann R. | 13,67,105,107, |
| | 164,165,167,170 | | 111,112,113,116 |
| Bauer J. | 100 | v.Campenhausen H. | 12,19,20,22,28, |
| Bauer W. | 34 | | 35,41,43,47,87, |
| Bauernfeind O. | 48,57,69 | | 99,100,101,118, |
| Beilner W. | 68 | | 119,125,132,133, |
| Berger K. | 17,93,108,158 | | 149,150,151,152, |
| Berger P.L. | 129,130 | | 153,154,158,159, |
| Betz H.D. | 99,100 | | 169 |
| Beutler J. | 100 | Conzelmann H. | 11,13,14,17,19, |
| Beyer H.W. | 35,39 | | 21,28,29,31,32, |
| Beyschlag K. | 15 | | 37,38,41,42,44, |
| Billerbeck P. | 47 | | 46,58,59,60,61, |
| Blank J. | 128 | | 68,75,84,85,90, |
| Bläser P. | 128 | | 104,106,107,117, |
| Blinzler J. | 99,100 | | 118,126,151,154, |
| Blum G. | 158,159,161,162 | | 155,159,160,162, |
| | 165 | | 168 |
| Bornkamm G. | 36,37,134 | Dautzenberg G. | 98,100,152,159, |
| Borse U. | 138 | | 161,168 |
| Bracht W. | 99,132 | Degenhardt J.J. | 99,100 |
| Brandenburger E. | 154 | Delling G. | 46,157 |
| Breuer D. | 17 | Dibelius M. | 11,13,17,19,21, |
| Brockhaus U. | 135,136,137,141, | | 28,29,31,32,35, |
| | 142 | | 38,39,41,42,44, |

# STELLENREGISTER

## ALTES TESTAMENT

APOKRYPHE SCHRIFTEN

| Aristeasbrief | |
|---|---|
| 125 | 50 |
| 292 | 70 |

| Damaskusschrift | |
|---|---|
| 4,17f | 61 |
| 13,7-11 | 35 |

| 3 Makkabäer | |
|---|---|
| 5,31 | 65 |

| 4 Makkabäer | |
|---|---|
| 1,35 | 50 |
| 2,2 | 50 |
| 16 | 50 |
| 18 | 50 |
| 23 | 50 |
| 3,17 | 50 |
| 19 | 50 |
| 5,36 | 62 |
| 7,15 | 62 |
| 15,10 | 50 |

| Testament des Josef | |
|---|---|
| 9,2 | 67 |

| Testament des Juda | |
|---|---|
| 16,1 | 63,68 |

# 1 Korinther

| | | | |
|---|---|---|---|
| 7,15 | 169 | 12,8-11 | 142 |
| 17 | 153,158,159,168 | 9 | 141,142 |
| 17-24 | 160,162,168,169 | 10 | 142 |
| 18f | 160,168 | 20 | 15 |
| 20 | 168 | 28 | 137,141,145,146 |
| 21 | 168,169 | 28f | 136 |
| 21f | 160,168 | 30 | 141 |
| 21-23 | 169 | 31 | 141 |
| 22 | 170 | 13 | 155 |
| 24 | 168 | 13,13 | 113,115 |
| 25a | 101 | 14 | 159 |
| 25 | 67,153 | 14,33b | 158,168 |
| 25-40 | 101 | 33b-36 | 157,159 |
| 27 | 101 | 33 | 152 |
| 29 | 101 | 34 | 159,160 |
| 30f | 102 | 34f | 152,160,162 |
| 32 | 101 | 34-36 | 107 |
| 35 | 153 | 36 | 168 |
| 36 | 101 | 37f | 151,153 |
| 40 | 46,47,153,165,167,171 | 40 | 152 |
| 8,7 | 115,116 | 15,1-34 | 135 |
| 9 | 153 | 6 | 135 |
| 9 | 102,152,167 | 7 | 135 |
| 9,1 | 135 | 11 | 135 |
| 1-27 | 135 | 14 | 113 |
| 5 | 100,156 | 17 | 113 |
| 6 | 135 | 23-28 | 160 |
| 7b-10 | 167 | 16,1-4 | 58 |
| 7 | 167 | 5-8 | 137 |
| 9 | 159 | 10 | 138 |
| 14 | 153,168 | 11 | 138 |
| 17 | 136 | 12 | 137 |
| 19 | 153 | 16 | 137 |
| 25 | 75,167 | | |
| 10,26 | 159 | **2 Korinther** | |
| 11,2-16 | 107,135,153,157,159, | 1,1 | 134,138 |
| | 160,162,163 | 11 | 142 |
| 3 | 158 | 19 | 138 |
| 5 | 159 | 3,7 | 136 |
| 5-6 | 158 | 8 | 136 |
| 7 | 158 | 9 | 136 |
| 8f | 159 | 17 | 153 |
| 8-10 | 158 | 4,1 | 136 |
| 11f | 157,158 | 7-15 | 10 |
| 14f | 158 | 5,13 | 50 |
| 16 | 158,159,168 | 18 | 135,136 |
| 17 | 153 | 6,5 | 118 |
| 17-34 | 107 | 6 | 115 |
| 34 | 152,153 | 7,7 | 139 |
| 12,3 | 135 | 15 | 139 |
| 4 | 141 | 8 | 58,133,139 |
| 4ff | 143 | 8,6-15 | 102 |
| 7 | 144 | 7 | 113 |
| 8 | 142 | 23 | 139 |

# FRÜHCHRISTLICHE SCHRIFTEN

Ägyptische Kirchenordnung

| | |
|---|---|
| 3,1-3 | 41 |

Constitutiones Apostolorum

| II | 1,1 | 87 |
|---|---|---|
| | 2 | 87 |
| | 2,1 | 87 |
| | 2 | 47,87 |
| | 3 | 88 |
| | 3,1 | 65,87 |
| | 4,1 | 87 |
| | 24,7 | 87 |

Didache

| | |
|---|---|
| 11,11 | 28 |
| 15,1 | 86 |

Didaskalie

| II | 1,1 | 87 |
|---|---|---|
| | 2 | 87 |
| | 2,1 | 87 |
| | 3 | 88 |
| | 3,1 | 87 |
| | 4,1 | 87 |
| | 24,4 | 87 |
| III | 1,1 | 88 |

Irenäus (adv.haer.)

| I | 6,1 | 29 |
|---|---|---|
| | 3 | 29 |
| | 4 | 29 |
| | 7,2 | 29 |
| | 9,3 | 29 |
| | 24,2 | 29 |
| | 4 | 29 |
| | 28,1 | 29 |
| II | 14,6 | 29 |
| III | 16 | 29 |
| | 18 | 29 |

1 Klemens

| | |
|---|---|
| 44,5 | 22 |
| 47,6 | 22 |

Polykarp (Philipper)

| | |
|---|---|
| 4,1 | 19 |
| 3 | 86 |
| 5,1 | 86 |
| 2 | 86 |

Tertullian
ad uxorem

| | |
|---|---|
| 1,7 | 46 |
| de monogamia | 46 |

HELLENISTISCHE UND JÜDISCHE SCHRIFTEN

De Facie in Orbe Lunae
2(920)C          54
Lycurgus
11              69
Numa
20,7            74
De Philopoemene
9               54
De Pompeio
23(I 630e)      61
Praecepta Coniugalia
17(140)C        70
Quaestiones Convivales
4,6             48
III 6,2(653)F   54
Quaestiones Naturales
26(II 918d)     68
Vitae Decem Oratorum
30,11(Dion)     54

Pollux
Onomasticum
1,118           63

Polybius
VI    53,9      70
XII   10,8      71
XXII  10,9      72
XXX    7,6      45

Pratinas
1,8             53

Solon
4,14            61

Sophokles
Aiax
1107            61
1405
Antigone
474             74
715             74
Oedipus Coloneus
55              61
470             73
1072            61
1322            66
Oedipus Tyrannus
941             74
Philoctetes
75              74
Trachiniae
541             67
765             61

Soranus
Gynaecia
3 p.172,23      61

Gynaecia
4 p.174,19      50
        22      57

Thukydides
1,141           66
2,40            66
52              73
3,9             55
43              66
44              71
54              71
5,17            45
104             73
6,15            66
8,93            55

Vettius Valens
1,22 p.48,1     62
2,32 p.104,8    70

Xenophon
Anabasis
I   5,15        66
II  6,25        73
Cyropaedia
I    2,8        74
II  2,26        71
IV  1,16        57
De Re Equestri
9,7             69
Historia Graeca
I    1,30       55
III  3,1        61
IV   4,1        57
VI   1,3        52
     13         65
VII 1,23        74
Memorabilia Socratis
I   5,4         74
IV  4,5         71
Oeconomicus
9,11            74

Pseudo-Xenophon
Cynegeticus
6,25            69

VERZEICHNIS DER GENAUER UNTERSUCHTEN BEGRIFFE